Sauerlandkrimi & mehr

23. November 2007

Umschlaggestaltung: Anne Habbel
Umschlagfoto: Adelheid Prünte
Satz: Noch &' Noch, Balve
Druck: Brüder Glöckler, Wöllersdorf

Zehnte Auflage 2007
ISBN 978-3-934327-00-9

Kathrin Heinrichs

Ausflug ins Grüne

Sauerlandkrimi & mehr

Blatt-Verlag
Menden

1

Nicht, daß Sie denken, ich wäre ein schlechter Lehrer! Dieser erste Schultag stand einfach unter keinem guten Stern. Vier Stunden Schlaf, eine Flasche selbstgebrannter Weizenkorn und ein Blick in die Abgründe des menschlichen Lebens sind nun mal keine geeignete Grundlage für einen optimalen Schulstart. Das muß man doch einsehen! Kein Mensch könnte nach all diesen Strapazen so locker auftreten wie Dr. Specht.

Aber was rechtfertige ich mich überhaupt? Hätte ich gewußt, unter welchen Umständen ich diese Stelle hier im Sauerland bekomme – vielleicht wäre ich dann gar nicht angetreten. Ich stehe nämlich nicht so auf Mordgeschichten. Jedenfalls dann nicht, wenn sie sich in meinem eigenen Leben abspielen.

Nun, vielleicht sollte ich die Geschichte lieber von Anfang an erzählen. Eigentlich begann ja alles mit dieser Stellenanzeige. Es war nämlich so, daß ich regelmäßig zum Wochenende ein paar Wochenzeitungen durchblätterte, nur um mich zu vergewissern, daß nicht durch einen unglücklichen Zufall eine Stelle für einen Geisteswissenschaftler wie mich hineingeraten war. Ich lag also auf dem Bett und stöberte, während meine allerliebste Angie mißmutig am Schreibtisch saß und in einem Computerhandbuch las.

„Kannst du dir vorstellen, daß ich als pädagogisch engagierter Lehrer am privaten Elisabeth-Gymnasium im Sauerland arbeite?" hatte ich meine Kaffeetasse gutgelaunt gefragt, „eine Schule, die ihren Schülern die christlichen Grundwerte zu vermitteln sucht?"

„Hä?" Angie hatte sich angesprochen gefühlt und genervt hochgeguckt.

„Ganz einfach – man sucht mich!" hatte ich gewinnend erklärt, „die Schwestern am Elisabeth-von-Thüringen-Gymnasium brauchen einen Deutsch- und Geschichtslehrer für Sekundarstufe I und II – und zwar sofort!"

Angies unverständliches Gebrummel hatte ich ignoriert und am nächsten Tag eine Bewerbung an das Elisabeth-Gymnasium geschrieben. Nicht, daß ich mir Hoffnungen auf eine Zusage machte! Deutsch und Geschichte war schließlich eine der schlechtesten Fächerkombinationen überhaupt, höchstens noch durch Politik und Textilgestaltung zu überbieten. Mir war klar, daß sich Hunderte auf die Anzeige hin bewerben würden. Unter diesen Hunderten würde ich nicht gerade als der Geeignetste herausragen: Ich hatte keinerlei Berufserfahrung – mein Referendariat lag schon sechs Jahre zurück, und seitdem hatte ich auch nicht die geringste Aussicht auf eine Stelle gehabt. Im Grunde hatte ich mir meine Lehrerlaufbahn längst aus dem Kopf geschlagen und jobbte statt dessen als freier Mitarbeiter bei verschiedenen Zeitungen.

Der Anruf ein paar Tage später war daher eine echte Überraschung! Es war acht Uhr morgens, eine Zeit, zu der ich normalerweise gerade erst in den Tiefschlaf gesunken war, als ich von schrillem Telefongebimmel geweckt wurde. Noch leicht orientierungslos robbte ich zur Quelle dieses schrecklichen Lärms und brummte etwas in den Hörer.

„Da habe ich aber Glück, daß Sie gerade zur Tür hereingekommen sind", flötete mir eine hohe Frauenstimme ins Ohr. Ich überlegte, ob ich auflegen sollte, aber meine Neugier hielt mich zurück.

„Hier ist Schwester Wulfhilde vom Elisabeth-Gymnasium."

Mein Gedächtnis benötigte drei Zusatzsekunden, um diese Information zu verarbeiten. Als ich nicht sofort reagierte, ging es weiter:

„Sie haben sich an unserer Schule als Pädagoge beworben, und wir würden uns freuen, Sie zu einem Bewerbungsgespräch bei uns begrüßen zu dürfen." Sofort war ich hellwach. Doch bevor ich losstottern konnte, fuhr Schwester Wulfhilde fort: „Wir sind an einer zügigen Besetzung der Stelle interessiert. Hätten Sie morgen Zeit?"

Ehe ich ein weiteres Mal meine Gehirnzellen eingeschaltet hatte, waren wir schon verabredet – für den nächsten Tag um siebzehn Uhr. Erst als ich den Hörer aufgelegt hatte, kam ich wieder zum Denken. Worauf hatte ich mich da eingelassen?

Ein katholisches Gymnasium schien mitten im Schuljahr ganz dringend einen Lehrer zu suchen und in dieser Verlegenheit sogar mich nehmen zu wollen. Wenn ich die Stelle bekäme, würde ich in die Pampas ziehen müssen, während meine Freunde und vor allem Angie in Köln bleiben würden. Angie! Die war natürlich gerade jetzt nicht da. Sie machte eine Reportage in den neuen Bundesländern, ohne Handy natürlich, um „richtig frei zu sein". Kurzum, sie war telefonisch schlecht zu erreichen. Tausend Fragen schossen mir durch den Kopf. Hatte ich überhaupt Lust, Lehrer zu sein? Und wenn ja, wie überlebte man ein Vorstellungsgespräch bei dieser Schwester Wulfhilde?

Dieselbe Frage stellte ich mir, als ich am nächsten Tag mit quietschenden Reifen den Parkplatz des Elisabeth-Gymnasiums erreichte. Eine halbe Stunde Verspätung! Das würde man mir nie verzeihen, selbst wenn ich dreifach habilitierter Professor mit dem Charme von Thomas Gottschalk und den Gehaltsvorstellungen eines Krankenpflegers im ersten Ausbildungsjahr wäre! Ich hetzte zur nächstbesten Glastür und rüttelte daran. Verschlossen. Verzweifelt lief ich um das Gebäude herum und entdeckte endlich eine mächtige Holzpforte. Ich rannte die Stufen hoch, die zum Portal führten. Aber als ich die Tür schwungvoll öffnen wollte, schien sie verschlossen. Ich lehnte mich mit meinem ganzen Körpergewicht dagegen – schließlich kannte ich die Kraftproben mit würdevollen Pforten. Ich hatte als Kulturreporter genug Kirchen- und Theatertüren geöffnet. Wenn jeder zehnjährige Pimpf durch diese Tür gelangen konnte, würde mir das auch gelingen. Das Drehen des Schlüssels hörte ich leider zu spät. Mit der vollen Wucht meines Körpers donnerte ich ins Innere des Gebäudes und landete beinahe bäuchlings vor den Füßen einer entsetzt guckenden Ordensschwester. Die erschrockenen Augen blickten gnädiger, als ich wieder nach oben kam.

„Noch alles dran?" fragte eine hohe Stimme. Ich schluckte – diese Stimme gehörte eindeutig Schwester Wulfhilde.

„Alles in Ordnung!" stotterte ich, obwohl mein Knöchel anschwoll wie ein schwäbischer Hefezopf.

„Welch stürmischer junger Mann!" bemerkte Schwester Wulfhilde und musterte mich unauffällig. „Kann ich Ihnen irgendwie weiterhelfen?" Ich starrte sie verwirrt an. Sie schien überhaupt nicht zu ahnen, warum ich da war.

„Ich bin wegen des Gesprächs hier", brachte ich heraus, „eigentlich sollte es ja schon um fünf sein, aber wissen Sie, der Stau und –" Schwester Wulfhilde reagierte nicht.

„Ich bin Vincent Jakobs", sagte ich schließlich verzweifelt, „ich habe ein Vorstellungsgespräch bei Ihnen."

„Sie sind das also!" Schwester Wulfhilde lächelte hintergründig. „Na, dann wollen wir mal das Schicksal seinen Gang nehmen lassen!"

Ich war zu durcheinander, um dieser Bemerkung irgendeinen Wert beizumessen. Was mich jedoch verunsicherte, war Schwester Wulfhildes undurchschaubare Art. Wollte sie mich mit einer gewieften Verunsicherungsstrategie testen, die noch in keinem Bewerbungsratgeber zu finden war? Oder hatte sie den Termin ganz einfach vergessen und die Situation geschickt überspielt? Wenn sie das Gespräch vergessen hatte, war es vielleicht schon gar nicht mehr wichtig. Vermutlich, weil man einen anderen Bewerber eingestellt hatte, der sich nicht ganz so dämlich angestellt hatte wie beim Vorsprechen für ein Dick-und-Doof-Revival.

Mir blieb keine Zeit mehr zum Grübeln. Schwester Wulfhilde nahm mich ins Schlepptau und zeigte mir die Schule. Bedauerlicherweise lag das Gebäude wegen Elektroarbeiten im Halbdunkel, so daß mein einziges Interesse dem Bemühen galt, nicht schon wieder auf allen Vieren zu landen. Wenngleich mein Knöchel zusätzlich schmerzte, was mir den anmutigen Gang des Glöckners von Nôtre-dame verlieh, ließ ich dennoch immer mal wieder ein bewunderndes „Ah" und „Oh" erklingen. Nach einem halbstündigen Hindernislauf durch die Schule erwartete ich, nun endlich in ein Büro geführt zu werden. Schließlich hatte man noch kein ordentliches Bewerbungsgespräch mit mir geführt. Nichts da! Schwester Wulfhilde geleitete mich gut gelaunt zum Lehrerparkplatz. Das war's dann wohl. Ein Gespräch mit mir schien man nicht mehr für nötig zu halten. Was soll's, dachte ich. War ein netter Ausflug. Ein Ausflug ins Grüne sozusagen. Machte ja nichts. Schwester Wulfhildes Frage kam wie beiläufig: „Und, Herr Jakobs, darf ich darauf hoffen, daß Sie bei uns anfangen?" Beinahe wäre ich ihr erneut vor die Füße gefallen.

„Aber Sie haben doch nicht – Ich meine, wir haben doch nicht –"

„Wir haben uns doch sehr gut unterhalten, nicht wahr?" Schwester Wulfhildes Stimme schlug gerade von einer herkömmlichen Klarinette zu einer Piccoloflöte um. „Ich bin sicher, daß Sie mit unserem Kollegium sowie mit unseren schulischen Grundsätzen harmonieren. Außerdem waren Ihre Bewerbungsunterlagen ja durchaus ansprechend." Ich traute meinen Ohren kaum. Wie konnte diese Frau sich so schnell für mich entscheiden?

„Also, ich – äh –" Mir wurde bewußt, daß Schwester Wulfhilde mich für einen Gelegenheitsstotterer halten mußte. Aber daß ich so spontan eine Zusage abgeben sollte, das war einfach zuviel.

„Wissen Sie, mir liegt daran, die Stelle möglichst schnell zu besetzen. Es ist schlimm genug, daß es durch unglückliche Umstände bei uns mitten im Schuljahr zu einem solchen Stundenausfall kommen mußte. Das bringt nur Unruhe in den reibungslosen Ablauf des Schulalltags. Sie verstehen?"

Ich verstand überhaupt nichts.

„Unglückliche Umstände? Wie meinen Sie denn das?"

„Ein tragischer Unfall, der einen geschätzten Kollegen das Leben kostete." Schwester Wulfhilde blickte so untröstlich, daß ich nicht wagte, weitere Fragen zu stellen. Ganz abrupt blickte sie mir dann fröhlich in die Augen.

2

Meine zweite Ankunft im Sauerland wurde musikalisch von Bob Marley untermalt, der gerade im Radio *I shot the sheriff* sang. Leider verstand ich den Song nicht als Botschaft. Ich war viel zu sehr mit mir selbst und meiner neuen Heimat beschäftigt. So betrachtete ich argwöhnisch meine neue Umgebung, die bei leichtem Nieselregen den Charme eines Edgar-Wallace-Schauplatzes hatte. Trotz dunstiger Sichtverhältnisse war am Horizont in alle Richtungen dunkler, dichter Wald erkennbar. Berge und Wälder waren die Markenzeichen des Sauerlandes, hatte ich mir sagen lassen. Ein wahres Wanderparadies! Genau das Richtige für mich, dachte ich ironisch. Als 'eingefleischter Wandervogel' würde ich die Gegend hier zu schätzen wissen.

Auch diese tote Bahnstrecke, an der ich schon seit Ewigkeiten entlangfuhr, machte mich nicht fröhlicher. Die Gleise waren rostig und mit Pflanzen überwuchert. Seit Jahren war hier kein Zug mehr langgefahren. Paßte ja alles wunderbar in mein Bild von Provinz.

Wahrscheinlich geriet ich gleich noch in einen Schützenzug hinein. Robert hatte mir erzählt, daß man keinen Nebenweg durchs Sauerland fahren konnte, ohne mindestens einmal hinter einem Schützenzug festzusitzen und zu warten, bis die fröhliche Gesellschaft den Weg zur Schützenhalle gefunden hatte. Das fehlte mir jetzt noch. Mein Magen knurrte, und ich lechzte nach einer Tasse Kaffee.

Schwungvoll steuerte ich auf einen Bahnübergang zu. Dahinter erkannte ich die Kreuzung wieder, an der ich hatte abbiegen müssen, als ich zu meinem Vorstellungsgespräch unterwegs gewesen war. „Immer nach oben, immer nach oben", hatte Schwester Wulfhilde mir damals per Telefon eingetrichtert. Immer nach oben! Wie bei Nonnen nicht anders zu erwarten.

Auf einmal sah ich vor mir eine Schranke zucken. Hatte ich da irgendein Signal übersehen? Irgendwie muß in dem

Moment mein Gehirn blockiert haben. Anstatt das Auto anzuhalten, dachte ich darüber nach, daß es hier offensichtlich doch noch eine befahrene Bahnstrecke gab. Ich gab Gas. Daß die Dinger so schnell herunterkommen, hatte ich im Traum nicht gedacht. Ich mußte abrupt bremsen, wollte zurück. Zu spät. Ich stand zwischen den Schranken. Es dauerte einen Moment, bis mir meine Situation bewußt wurde. Dann überkam mich Panik. Mein Auto. Der Zug. Und vor allem: Ich! Dann nur noch ein Gedanke. Raus! Die Tür klemmte. Diese verdammte Tür. Dieses verdammte Auto. Über den Beifahrersitz. Alles war vollgepackt. Ich kam nicht von der Stelle. Rechts sah ich den Zug kommen. Ich schmiß mich mit aller Gewalt gegen die Tür. Sie gab quietschend nach, und ich fiel auf die Straße.

Auf die Beine, dachte ich panisch. Jetzt schnell auf die Beine! Ich torkelte zur Schranke und hechtete hinüber. Danach war es dunkel.

„Ich hätte nicht auf diese dusselige Anzeige antworten sollen", hörte ich mich faseln, als ich wach wurde. „Wo bin ich hier? Im Himmel?"

„Nein, im Sauerland!" sagte jemand, der strohblond war und mich angriente. Ich schaute mich um. Ich lag auf einer Parkbank vor einem gewaltigen Kriegsmahnmal nahe einer vielbefahrenen Straße. Ganz in der Nähe plätscherte ein Fluß, der von riesigen Trauerweiden gesäumt war. Dann sah ich den Bahnübergang. Ich stöhnte und erwog, ob ich lieber in die bequeme Bewußtlosigkeit zurückkehren wollte. Ich entschied mich dagegen. Die Besichtigung meiner Autoreste würde ich nicht ewig umgehen können.

„Wo ist mein Auto? Gibt es Verletzte?"

Der Strohblonde griente noch mehr. „Außer Ihnen niemanden. Der Zug fährt an dieser Stelle immer ganz langsam und hat rechtzeitig angehalten. Wir haben Ihr Auto weggesetzt."

Ich richtete mich auf. Tatsächlich! Dahinten auf dem Parkstreifen stand mein roter Wagen unversehrt.

„Ist bei Ihnen alles in Ordnung?"

Irgendeine Zelle meines Gehirns signalisierte schwach, daß diese Frage doppeldeutig gemeint sein könnte.

„Glaub schon!"

Ich stellte mich auf meine Beine und sortierte den Rest meines Körpers. Soweit ich das beurteilen konnte, war alles noch an seinem Platz und nichts gebrochen. Irgendwie schienen meine Aufenthalte in dieser Stadt nicht ganz unproblematisch ablaufen zu wollen. Letztes Mal hatte ich mir den Knöchel verstaucht, diesmal den ganzen Körper. Hoffentlich kam ich hier lebend wieder weg!

Ich blickte meinen strohblonden Lebensretter an. Er hieß Max und war Taxifahrer. Anstatt Dankessalven entgegenzunehmen, erkundigte er sich besorgt, ob ich wirklich nicht zum Durchchecken ins Krankenhaus wollte. Ich verneinte tapfer.

„Na dann!" Max fuhr dann ab mit seinem Taxi, und ich war allein.

Der Park war nicht sehr einladend, weil er viel zu nah an der Straße lag. Trotzdem: Was ich jetzt brauchte, war Entspannung. Ich nahm also in Kauf, daß ich mich schon am ersten Tag in die Riege der Stadtstreicher einreihte, legte mich auf die Parkbank und schloß die Augen. In Gedanken wiederholte ich meinen Sprung über die Bahnschranke. Ich hätte Schimanski alle Ehre gemacht. Mußte wirklich toll ausgesehen haben. Mit diesem Gedanken schlief ich ein.

Als ich die Augen öffnete, blitzte die Sonne durch die Baumkronen. Eine ganz zarte Wärme überzog mein Gesicht. Es wird Frühling, dachte ich. Zeit für einen Neuanfang. In jedem anständigen Roman würde der Held sich jetzt aufsetzen und die Eroberung dieser Stadt mit einer positiven Einstellung beginnen. Als ich mich schwungvoll aufsetzte, brach mir beinahe das Rückgrat durch. Der Sprung über die Schranke hatte wohl weniger mit Schimanski zu tun gehabt als mit Derrik kurz vor der Pensionierung. Ich stöhnte und biß die Zähne zusammen. Mit Mühe hatte ich den Entschluß gefaßt, diesen ländlichen Raum durch meine Anwesenheit zu bereichern, und jetzt war ich auch bereit, die Sache durchzuziehen. Zumindest bis zur dritten schweren Depression!

Als ich mit dem Auto mitten ins Stadtzentrum kurvte, fand ich mich plötzlich in einem Gewirr schmaler Gäßchen wieder. Überall waren Einbahnstraßen, und die Enge der Gassen ließ nur ein einziges Auto zu. Immer wieder mußte man ausweichen, indem man sich halb in das Mauerwerk eines Hauses quetschte. Der Supergau war erreicht, als sich der Müllwagen daran machte, in den Gassen die Tonnen zu leeren. Ich flüchtete auf einen Seitenstreifen, der mir wie ein Geschenk erschien, parkte dort und lief zu Fuß weiter. Windschiefe, restaurierte Fachwerkhäuschen standen wie aneinandergekuschelt da. Die Bäume brachten das erste Grün hervor, und hier und da standen sogar schon ein paar bepflanzte Blumenkästen vor den Fenstern. Anheimelnd! Idyllisch! Mir fielen tausend Ausdrücke ein, um diese hübsche Stadt zu beschreiben. So viel adrette Schönheit konnte doch nicht erlaubt sein. Dahinter mußte sich doch etwas Unheilvolles verbergen. Aber nichts da! Dies hier war eine Vorzeigestadt. Es mußte traumhaft sein, hier zu wohnen. Es mußte einfach phantastisch sein, die Kinder hier großzuziehen. Man ging einmal im Monat essen, die lieben Kleinen nahmen die Angebote der städtischen Musikschule in Anspruch und man selbst besuchte wöchentlich den Kirchenchor. Das Leben ging ruhig und beschaulich vonstatten. Ab und zu stellten sich die Schwiegereltern ein, die natürlich nur eine Straße weiter wohnten und mit denen man sich ganz glänzend verstand. Ich hatte nur ein Problem. Ich hatte keine Familie, ich sang nicht gerne und wollte mein Leben nicht ruhig und beschaulich beschließen. Kurz: Dies hier war eine schöne Stadt, aber eben nicht meine Stadt. Ich stöhnte gehaltvoll, schloß die Augen und hoffte, daß ich vorm Severinstor in Köln stehen würde, wenn ich sie wieder öffnen würde.

„N'schönen Platz fürs Mittagsschläfchen, woll?"

Ich riß die Augen auf. Statt des Severinstors stand ein älterer Mann mit einem Spazierstock vor mir. Unter seinen unglaublich dicken Augenbrauen hervor beäugte er mich amüsiert.

„Nein, nein, ich genieße nur die schöne Altstadt hier", sagte ich unsicher und versuchte möglichst überzeugend zu klingen.

„Sie sind wohl nicht von hier, was?" Lag da Mißtrauen in seinem Blick? „Wo sind Sie denn wech?"

„Wech? Also, weg bin ich, also aus Köln bin ich weg."

„Von Köln?" Der alte Mann stützte sich mit beiden Händen auf seinen Spazierstock. „Ja, da war meine Schwester ja auch mal." Langsam gewöhnte ich mich an den schweren Tonfall, den mein Gegenüber pflegte. „Ja, Hauswirtschaft hat sie da gelernt. Reiche Leute waren das, wo sie da war. War so ein großes Haus, nicht weit vom Bahnhof wech. Kennen Sie ja vielleicht das Haus!"

„Also, jetzt so auf Anhieb wüßte ich nicht –"

„Ja, ist ja auch schon lange her, woll! Ich weiß jetzt nicht ganz genau. Der Jupp, das war unser Bruder, der war siebenvierzig aus dem Krieg wiedergekommen. Ich mein, danach wär dann Gertrud dahin gegangen. Neben 'ner Kirche war das Haus. Ich muß sie da mal fragen, wo sie da gewesen ist. Vielleicht kennen Sie das ja. Also, schönen Tag noch!" Ohne mich weiter zu beachten, humpelte der Mann leicht vornübergebeugt davon.

„Oder ob das doch achtenvierzig war. Aber der Jupp –" Die weiteren Überlegungen zu Jupps und Gertruds Werdegang waren nicht mehr für mich bestimmt.

Ich schaute dem Mann eine Weile nach und ertappte mich dabei, wie ich nachdachte, in welcher Kölner Straße das Haus wohl gelegen haben könnte. Dann schreckte ich auf und fand mich im Sauerland wieder.

Mein Magen knurrte gehaltvoll, und ich machte mich auf die Suche nach etwas Eßbarem. In einer Querstraße hinter der Hauptkirche fand ich ein Café. Der Weg ins Innere führte an einer Theke mit etwa drei Millionen Kalorien vorbei, die auf verschiedenste Torten verteilt waren. Das Café selbst überraschte mich, weil es enorm groß war. Im hinteren Teil plätscherte ein Springbrunnen im Dämmerlicht eines Wintergartens vor sich hin. Eine megablonde Bedienung lief flink zwischen den Tischen hin und her. Ich suchte mir einen

Platz im vorderen Teil, von dem aus ich einen Blick in die Fußgängerzone hatte. Ich hatte bislang nur die Gäste und noch gar nicht die Karte studiert, als eine Frau mit schwarzen Locken an meinen Tisch trat, um meine Bestellung aufzunehmen.

Ich nahm einen Kaffee und zwei Stücke Eissplittertorte, auf die ich einen absoluten Heißhunger hatte, obwohl es nicht einmal Mittag war. Als die Bedienung mit ihren schwarzen Locken abschwirrte, mußte ich unweigerlich an Schach denken. Hier vorn im Café regierte die schwarze Königin, im hinteren Teil die weiße. Im Handumdrehen war die Bedienung wieder da und deponierte alles auf dem Tisch. Ich nutzte die Gelegenheit.

„Können Sie mir auch noch sagen, wo man hier gut übernachten kann?"

Die junge Frau hatte noch ein Kännchen Kaffee auf dem Tablett. „Ich komm gleich nochmal wieder!" rief sie und schwirrte weiter. Ein paar Minuten später war sie wieder da. „Ich hatte eh jetzt Schichtwechsel. Jetzt hab ich einen Moment Zeit, um Ihnen zu helfen."

Sie setzte sich ganz unkompliziert zu mir an den Tisch. „Sie wollen hier übernachten", wiederholte sie, nicht als Frage, sondern um zu überlegen. „Hm – an richtigen Hotels gibt's hier in der Innenstadt eigentlich nur zwei. Aber das eine ist zu teuer, und außerdem kann man da nicht essen. Das andere wird gerade renoviert. Dann wäre da noch die Pängsion Gottscheidt, aber davon hört man auch nicht allzuviel Gutes."

Meine Beraterin sprach *Pension* wie *Pängsion* aus. Von dem französischen Erbe des Rheinlandes, das der Aussprache eine gewisse Leichtigkeit gibt, war hier nichts zu entdecken. „Wenn Sie etwas Einfaches suchen, ist eigentlich die Pängsion Dreisam am besten, hier ganz in der Nähe. Ein älteres Ehepaar betreibt sie. Etwas außerhalb wären dann noch zwei Hotels."

Ich bin sicher, ich hätte noch einen detaillierten Bericht über das Frühstücksei in jedem Hotel in zwanzig Kilometer Entfernung bekommen, wenn ich an dieser Stelle nicht unterbrochen hätte.

„Diese Pension hier in der Nähe bietet sich förmlich an", warf ich schnell ein.

„Ja, sie ist direkt hinter der Kirche." *Kirche* hörte sich an, als sei ein *A* darin zu finden, wie *Kiache*. Von einem *R* dagegen keine Spur. Ob die hier alle so sprachen?

Die Kellnerin erzählte weiter. „Die Leute sind sehr nett. Und sie freuen sich immer, wenn Gäste kommen. Sehr viel zu tun haben die beiden nämlich nicht mehr." Ich wurde das Gefühl nicht los, daß es sich bei den Pensionsbesitzern entweder um enge Verwandte der Bedienung handelte oder sie prozentual am Umsatz beteiligt war.

„Wie lebt es sich denn hier so in Ihrer Stadt?" fragte ich wie beiläufig. Mein Gegenüber schien kurz darüber nachdenken zu müssen. Dann kam sie richtig ins Schwatzen. Ich hörte vergnügt zu und konnte mich in Ruhe meiner Torte widmen.

„Nun, die Innenstadt ist sehr schön, und für so ein kleines Städtchen ist eigentlich ganz schön viel los. Theatergruppen, Musikveranstaltungen, Kino, mehrere Schwimmbäder – alles da. Nee nee, da kann man nicht meckern. Außerdem ist man von hier aus in einer dreiviertel Stunde in Dortmund."

„Aha." Ich verkniff mir eine Bemerkung. Dortmund kannte ich von einer Ruhrgebietsreportage, bei der ich Angie mal begleitet hatte. Dortmund war dabei in der Hitliste unserer persönlichen Horrorstädte auf Platz zwei gelandet, knapp hinter Castrop-Rauxel.

„Alles in allem kann man es hier schon aushalten. Andererseits geht es mir schon manchmal auf die Nerven, daß hier alles so eng ist." Sie suchte nach den richtigen Worten. „Ich meine, man trifft dieselben Leute überall wieder. Und dann auch noch immer an denselben Stellen, montags im kommunalen Kino, dienstags auf dem Markt, mittwochs –"

Ich unterbrach mein Essen. „Aber die Stadt hat doch über 50.000 Einwohner!"

„Das kann schon sein, wenn man alle Gemeinden mitzählt", murmelte meine Gesprächspartnerin, „trotzdem: Wenn man einmal in das Stadtleben eintaucht, stellt man fest, daß im

Grunde jeder mit jedem irgendwie zusammenhängt – übrigens nicht ganz ungefährlich." Die Kellnerin schmunzelte. „Man sollte sich immer gut überlegen, zu wem man was sagt." Sie wischte mit der Hand einen imaginären Krümel vom Tisch.

„Aber Sie wird das nicht interessieren, wenn Sie nur auf der Durchreise sind."

„Ich bin nicht nur auf der Durchreise. Ich fange hier demnächst an zu arbeiten."

„Ach", die lockige Kellnerin fand das interessant.

„Ja, ich habe eine Stelle bekommen. Am Elisabeth-Gymnasium."

„Ach", die lockige Kellnerin fand das auch interessant. „Sie sind Lehrer? Was unterrichten Sie denn?"

„Deutsch und Geschichte", antwortete ich. „Irgendjemand an der Schule ist wohl bei einem Verkehrsunfall ums Leben gekommen. Deshalb ist eine Stelle frei geworden."

„Aha." Die Stimme der Kellnerin hörte sich plötzlich verändert an. Ich stutzte. „Kennen Sie den Fall zufällig?"

„Nur flüchtig." Die Kellnerin stand auf. „Ich muß jetzt auch gehen."

In diesem Moment ging die Tür auf, und ein kleines Mädchen mit einem Tornister auf dem Rücken spazierte herein. „Ich muß mich um die Kleine kümmern", sagte die Kellnerin. Sie nahm das Mädchen liebevoll in den Arm, hob ihm den Ranzen vom Rücken und verschwand mit ihm aus meinem Gesichtsfeld. Ich widmete mich wieder meiner Torte.

„Wenn Sie wissen wollen, was in dieser Stadt los ist, müssen Sie das hier lesen!" Ein hellblondgelockter Mann um die vierzig wandte sich vom Nachbartisch aus an mich. Er hatte eine Zeitung vor sich liegen und hielt wie bei einem Migräneanfall eine Hand vor die Stirn.

„Was ist denn das?" fragte ich neugierig.

„Der *Heimatkurier*", bekam ich zur Antwort. „Heute mit Folge drei der Serie „Unsere lieben Vierbeiner". Nachdem ich gestern erfahren habe, daß Katze Muschi von Frau Gerlinde Rastmeier aus der Vierkantstraße den Fernsehknopf mit der rechten Vorderpfote bedienen kann, erreicht mich heute die brandheiße Information, daß Mischlingshund Bobby aus der Turmstraße seinem Herrchen mit Vorliebe die Pantoffeln in den Kamin schmeißt."

„Da darf man wirklich auf Folge vier gespannt sein", stimmte ich zu.

„Ja, ich mutmaße, daß morgen ein Pferd vorgestellt wird, daß sich schon achtmal den *Pferdeflüsterer* reingezogen hat."

Der Lockenkopf legte die Zeitung beiseite. „So ist das eben. In einer Stadt wie unserer ist vieles eine Nachricht wert. Gar nicht so einfach, Frühlings-, Sommer-, Herbst- und Winterlöcher zu stopfen. Nichtsdestotrotz. Wenn Sie mich fragen: Laura hat recht – Dreisam ist die beste Pension hier in der Stadt." Ich brauchte einen Augenblick, um wieder zu den konkreten Fragen des Tages zurückzukehren. „Vor allem sind sie sehr preisgünstig –"

Während er noch auf mich einredete, dachte ich daran, wie Angie mich vor den sturen Sauerländern gewarnt hatte. Entweder bekam ich es nur mit Zugezogenen zu tun, oder das Klischee stimmte einfach nicht. Ich kam mir jedenfalls vor, als suchten die Leute regelrecht jemanden, dem sie die Hucke voll-quatschen konnten.

Ich ließ mir von dem Lockenkopf den Weg zur Pension Dreisam erklären und stand auf. Vorne im Verkaufsraum sprach Laura gerade mit der superblonden Bedienung. Ich bezahlte und bedankte mich für ihre Hilfe.

Sie winkte ab. „Viel Glück wünsche ich Ihnen!" sagte sie, ohne mich anzusehen, und ihre Worte klangen mir lange in den Ohren.

3

Idylle. Nach und nach entstand dieses Bild eines sauerländischen Städtchens in meinem Kopf. War es nicht eine anrührende Vorstellung, daß man sich hierzulande noch so nahe war? Daß man auf dem Markt ein Schwätzchen halten konnte und in der Kneipe immer ein paar Bekannte traf? Hier gab es noch Heimat! Und ich würde demnächst dabei sein, denn ich wurde hier als Lehrer gebraucht. Mit diesem Gedanken wollte ich mich nun auf den Weg zu meiner künftigen Arbeitsstätte machen.

Mein Aktionismus wurde gebremst, als ich an meinem Auto ein Knöllchen über dreißig Mark fand. Ich hatte einen Anwohnerparkplatz benutzt. Das Knöllchen sollte nicht das letzte gewesen sein. Nachdem ich mich aus den Altstadtgäßchen hinausgeschlängelt hatte, fand ich den Weg zur Schule ziemlich schnell. „Immer nach oben" traf eigentlich von jedem Ausgangspunkt aus zu.

Ich ließ meinen Wagen über das letzte Stück Kopfsteinpflaster rumpeln und fuhr dann links durch das geöffnete Schultor hindurch. Ich hielt auf dem Lehrerparkplatz, wo außer mir nichts und niemand zu sehen war. Kein Mensch, kein Auto, kein Lebenszeichen. Ich blieb einen Augenblick im Auto sitzen und starrte auf das Schulgebäude, das sich ebenfalls nicht gerade als Hort fröhlichen Lebens und Lernens präsentierte. Zugegeben, die Osterferien hatten gerade begonnen. Aber war das ein Grund, daß alle Angehörigen diesen Ort fluchtartig verlassen hatten? Warum war die Öko-AG nicht gerade damit beschäftigt, einen neuen Schulteich anzulegen? Und warum nutzten nicht ein paar nette Kollegen die Ruhepause der Ferien, um ihre Lernziele und Methoden zu diskutieren? Nichts, kein Mensch! Ein tiefer Seufzer entfuhr meiner empfindsamen Junglehrerbrust. Nun, ich würde mich der kalten Realität dieser gottverlassenen Schule stellen. Gottverlassen. Ich schmunzelte, während ich unter Kraftanstrengungen die Autotür öffnete und meine Glieder aus dem Auto schälte. Menschenleer war wohl der passendere Ausdruck für ein Gymnasium, das von einem katholischen Orden geführt wurde. Mein Blick schweifte über den Gebäudekomplex. Als ich wegen des Vorstellungsgesprächs hier gewesen war, hatte ja alles in der Dämmerung eines ungemütlichen Februarabends gelegen. Ein verschwommenes, riesiges Etwas, an dem ich nicht einmal die Eingangstür auf Anhieb gefunden hatte. Erst heute nahm ich die Aufteilung des Ganzen richtig wahr. Hier stand ich wohl vor dem Hauptgebäude, einem alten, dunklen Gemäuer, das durch große, weißgestrichene Fenster einigermaßen aufgehellt wurde. Na ja, den *Club der toten Dichter* hätte man hier nicht drehen können, aber so eine gewisse altersbedingte Würde war schon vorhanden. Turnhalle, Fachtrakt – ja, so langsam kam die Erinnerung wieder. Ich ließ meinen Blick weiter schweifen. Der Schulkomplex war von einem gewaltigen Park umgeben, und ich versuchte mich an dem Gedanken hoch-zuziehen, daß es ungemein sinntragend aussehen würde, wenn ich über pädagogische Probleme grübelnd durch das haus-eigene Grün wandeln würde.

„He, Sie da!" Ich drehte mich um, herausgerissen aus meinen romantischen Träumereien. Die Quelle menschlicher Laut-bildung war ein typischer „He Sie da"-Rufer, das sah ich auf den ersten Blick. Ob ich es mit dem Hausmeister zu tun hatte? Ich ging langsam auf ihn zu.

„Haben Sie das Schild da nicht gesehen?" fuhr der vermeintliche Hausmeister mich an.

„Ein Schild?" Hatte ich ein Hinweisschild übersehen, das wegen einer Ordensmeditation Eindringlinge für unerwünscht erklärte? Ich wollte mich gerade zu dieser Erklärung für die absolute Regungslosigkeit an der Schule beglückwünschen, als der „He Sie da"-Rufer mich weiter anraunzte.

„Dies ist ein Lehrerparkplatz! Dort drüben hinter dem Schultor steht ein Hinweisschild, das ausdrücklich darauf aufmerksam macht, daß nur Lehrkörper ihre Autos hier abstellen dürfen." Ich blickte über den riesigen Parkplatz, auf dem einzig und allein mein Auto ein winziges Plätzchen beanspruchte.

„Wissen Sie, ich wollte eigentlich –"

„Man sollte annehmen, daß das Schild dort drüben gut lesbar ist. Im übrigen möchte ich darauf hinweisen ..."

Ich ließ HeSieda weiterreden und widmete mich seinem Äußeren. Er war klein und stämmig, hatte lichtes schwarzes Haar und trug einen gestutzten schwarzen Vollbart, der lediglich seinen Mund umgab. Ich überlegte gerade, wie ein solcher Bart hieß. Angie hätte es bestimmt gewußt. Das Entscheidende bei diesen Bärten war, daß die Verbindung zwischen Bart und Haupthaar fehlte. Das Wort lag mir wirklich auf der Zunge. HeSieda, dem ich schon seit geraumer Zeit in seinen Ausführungen nicht mehr gefolgt war, machte eine Pause. Ob er mir eine Frage gestellt hatte?

„Ich bin ganz Ihrer Meinung", versuchte ich es, „Ruhe und Ordnung sind das Wichtigste an einer Schule wie der Ihren. Ich werde Ihren Rat beherzigen und mich in der Zukunft immer an Ihren gutgemeinten Vorschlägen orientieren." HeSieda schaute mich fassungslos an. „Und übrigens", merkte ich noch an, „Ihr Bart, der ist echt chic!" HeSieda stand mit offenem Mund da, als sei er im Teer verwurzelt. Ich nutzte die Gelegenheit und verschwand um die nächste Ecke. Die Glastür, an der ich rüttelte, blieb gnadenlos verschlossen. Ich lief um das Hauptgebäude herum. Wo war denn jetzt die Holzpforte geblieben? HeSieda hatte mich gründlich verwirrt. Endlich, da war sie. Ich lief im Laufschritt die Treppenstufen nach oben und versuchte die Tür zu öffnen, vorsichtig natürlich. Tatsächlich gab die Pforte nach einigem Bemühen nach, und ich stand in einem halbdunklen Vorraum. Von dort führte eine Tür in eine Art Vestibül. Langsam kam mir die Erinnerung an diesen Gebäudeteil wieder. Die lebensgroße Madonnenstatue, die von einem Mosaikbogen an der Wand eingefaßt war, erkannte ich auf Anhieb wieder.

„Haben Sie sich verlaufen?" Eine hochgewachsene Schwester blickte mich durch ihre dicke Brille neugierig an. Sah ich eigentlich wie ein aufdringlicher Zeitschriftenaboverkäufer aus, oder warum traute niemand in diesem ehrwürdigen Schulgebäude mir zu, daß ich ein ernsthaftes Anliegen hatte?

„Ich hoffe nicht", antwortete ich in einem gewollt lockeren Tonfall. Die in dezent graue Tracht gekleidete Schwester beäugte mich weiter mißtrauisch, was ihr leicht fiel, da sie mich um einige Zentimeter überragte.

„Um genau zu sein, soll ich von nun an hier arbeiten."

Ein wohlwollendes Lächeln huschte über das Gesicht meines Gegenüber. „Na, dann werden Sie sich wohl noch öfter hierhin verlaufen." Schwester Unbekannt lachte herzlich, und ich stimmte höflich ein. Meine Empfangsdame war nicht nur extrem groß, sondern auch sehr dünn. Sie hatte schwarzes Haar, das sich unter ihrer Haube herauskräuselte. Wieviel Zentimeter Haar wohl bei einer Schwester des Elisabeth-Gymnasiums sichtbar sein durften?

„Ich bin Schwester Dorothea", stellte sie sich nun vor und reichte mir sogar die Hand.

„Vincent Jakobs." Beinahe wäre ich unter ihrem Händedruck in die Knie gegangen.

„Ich bin für die Buchhaltung des Hauses zuständig. Mit mir werden Sie zu tun haben, wenn es um Ihre Gehaltsabrechnung geht. Darf ich fragen, was Sie unterrichten?"

„Deutsch und Geschichte."

„Na, daß es nicht Sport ist, hatte ich mir schon gedacht." Mir blieb das Lächeln zwischen den Zähnen stecken. Dorothea versteckte ihr eigenes Lachen unter einem Hüsteln und schaute dann auf die Uhr.

„Um Himmels willen, die heilige Sext beginnt gleich. Wenn Sie mich entschuldigen wollen!"

„Die Sext?" Ich mußte feststellen, daß es Wörter gab, die ich noch nie gehört hatte.

„Unser Mittagsgebet in der Kapelle", erklärte Schwester Dorothea. „Kann ich noch etwas für Sie tun?"

„Für mich sind Unterlagen hinterlegt worden", erklärte ich. „Haben Sie eine Ahnung, wo ich die finden kann?"

„Wahrscheinlich gar nicht", meinte Dorothea grinsend. „Nein, im Ernst. Vermutlich im Lehrerzimmer. Allerdings muß ich jetzt die Pforte verschließen, und dann können Sie anschließend nicht mehr heraus. Würde es Ihnen etwas ausmachen, später noch einmal wiederzukommen?" Ich schüttelte den Kopf. Es machte mir wirklich nichts aus, nicht auf Anhieb mit der anstehenden Arbeit konfrontiert zu werden.

„Ach übrigens, Deutsch und Geschichte." Schwester Dorothea folgte mir zur Pforte. „Dann sind Sie bestimmt der Nachfolger von Bruno Langensiep, oder?"

„Der Name sagt mir nichts. Ich hörte nur, daß ein Kollege bei einem Verkehrsunfall ums Leben gekommen ist."

„Verkehrsunfall?" Dorothea schmunzelte. „Eine interessante Umschreibung."

„Wie meinen Sie das? Was ist denn nun wirklich passiert?" Ich wurde langsam ungeduldig, was diese Angelegenheit betraf.

„Eine schreckliche Geschichte. Langensiep ist bei einem Spaziergang gestürzt. Um genau zu sein, er ist in einen Steinbruch gefallen und dabei zu Tode gekommen."

Ich schluckte. „Einfach so?"

Schwester Dorothea zog die Augenbrauen hoch. „Auf jeden Fall lautete so das Ergebnis der Ermittlungen, die nach dem Tod in Gang gesetzt worden sind. Aber –" Dorothea senkte die Stimme, als sie weitersprach, „man weiß ja nie." Ich fragte mich gerade, wie ich die Idee fand, daß mein Vorgänger vielleicht kaltblütig um seine Restlebensjahre gebracht worden war.

„Das war natürlich nicht ernst gemeint", lachte Schwester Dorothea indes. „Es war kein Mord, sondern eben ein tragischer Unfall. In einem Städtchen wie unserem passiert doch kein Mord." Ich lächelte Schwester Dorothea gequält an und trat hinaus ins Freie.

„Wenn Sie meinen!"

„Na ja, Ihnen wünsche ich jedenfalls mehr Glück!" Dorothea ließ die Pforte ins Schloß fallen. Als der Schlüssel im Schloß klimperte, hörte es sich einen Moment lang wie ein leises Kichern an.

Das mulmige Gefühl, das sich bei mir eingestellt hatte, ging nicht nur auf die zwei Stück Eissplittertorte zurück, die ich zuvor gegessen hatte. Ob mein Vorgänger vielleicht ein paar Fünfen zuviel verteilt hatte? Hatten Eltern oder Schüler in Eigenregie für einen zügigen Lehrerwechsel gesorgt? Natürlich spann ich herum, aber ganz im Ernst begann dieser seltsame Vorfall mich zu interessieren – und zu beunruhigen.

Schnellen Schrittes ging ich zu meinem Auto und nahm dankbar zur Kenntnis, daß HeSieda inzwischen anderweitig im Einsatz war. Als ich hinter dem Steuer saß, ließ ich die Tür einen Augenblick auf und atmete tief durch.

„He Sie da, Sie sind ja immer noch da! Habe ich Sie nicht ausdrücklich darauf hingewiesen, daß dieser Parkplatz ausschließlich Lehrpersonen dieses Gymnasiums zur Verfügung steht?" HeSieda stand mit knallrotem Kopf neben meinem Auto. Wo hatte er sich bloß versteckt? Unter meinem Wagen? War er aus einem Gulli gekrochen?

„Haben Sie irgend etwas zu Ihrer Rechtfertigung zu sagen?"

„Allerdings! Aber ich habe ernsthafte Befürchtungen, daß Ihr Blutdruck das nicht verkraftet!" Zum Glück verstand ich mich auf Schnellstarts.

4

Nachdem Alexa endlich einen Parkplatz gefunden hatte, warf sie noch einen kurzen Blick in den Spiegel. Sie sah ungefähr so aus wie der Pudel, den sie gerade behandelt hatte, und hätte am liebsten vor Verzweiflung gebellt. Sie versuchte noch ein paar Haarsträhnen zu ordnen, aber es war vergebens. Fluchend stieß sie die Autotür auf und machte sich auf den Weg zum Q. Natürlich war sie wieder zu spät dran. Aber was konnte sie dafür, wenn ein magenempfindlicher Pudel nach der offiziellen Sprechstunde noch einen Durchfallschub bekam, der die Besitzerin zu wahren Hysterieanfällen veranlaßt hatte? Manchmal fragte Alexa sich, ob in vielen Fällen nicht eher die Tierbesitzer eine Therapie brauchten als ihre vier- und zwei- beinigen Lieblinge.

Als sie die Eingangstür öffnete, dachte sie immer noch über die passenden Entschuldigungsworte nach. Hendrik saß direkt am Eingang. Er grinste sie an.

„Laß mich raten!" kam er ihr zuvor. „Eine Kuh hat den Melk- schlauch verschluckt? Oder eine Stute hat überraschend Zwillinge geboren und ihr fiel kein zweiter Name ein."

„Haha!" brummte Alexa, ließ alle Entschuldigungsfloskeln fallen und plumpste auf einen Stuhl. „Wie du siehst, habe ich drei Stunden vorm Schminkspiegel gestanden, um mich schön für dich zu machen."

„Wenn das das Resultat für drei Stunden Mühe ist, solltest du dir zu Weihnachten einen neuen Kosmetikkoffer wün- schen." Alexa verpaßte ihrem Gegenüber einen Tritt vors Schienenbein und versuchte gleichzeitig, Lutz' Aufmerksam- keit zu erhaschen.

„Ein Baguette Toulouse – nein, lieber zwei – und eine Cola!", rief sie ihm zu. Hendrik, der nur ein Glas Wein vor sich stehen hatte, konnte sich eine Bemerkung nicht verkneifen.

„Na, ißt du heute wieder für deinen Hund mit?" Sie verdrehte die Augen und unterbrach die stilvolle Konversation, um zu sehen, ob Bekannte da waren. Es war noch ziemlich leer um diese Uhrzeit. An der Theke standen zwei Männer und eine Frau, die sie vom TaT, der lokalen Theatertruppe, her kannte. An den Nachbartischen saßen keine bekannten Gesichter. Nur am hintersten Tisch in der Ecke entdeckte Alexa Peter Wüstenberg, den Zweiten Vorsitzenden des Reitervereins. Als sich ihre Blicke trafen, lächelte er ihr verschmitzt zu. Alexa hätte sich am liebsten innerlich übergeben und guckte schnell weg.

„Na, hast du einen alternativen Gesprächspartner gefunden?" unterbrach Hendrik ihren Rundblick.

„Leider nicht", seufzte sie, „da muß ich wohl weiterhin mit dir vorlieb nehmen."

„Ich bin gerührt, wo ich mich doch schon die ganze Woche auf den neuesten Klatsch aus der heimischen Tierwelt gefreut habe. Erzähl, was macht das liebe Vieh?" Wenngleich Hendrik sich nicht gerade für Kuhmägen interessierte, war er ein geduldiger Zuhörer, und Alexa nutzte die Gelegenheit, um den angestauten Frust der gesamten letzten Woche abzuladen. Als sie bei ihrem Streit mit Frau Dr. Junker angelangt war, hatte sich die Kneipe schon gut gefüllt.

„Es ist ein Unding", wetterte Alexa, „nur wegen ihrer Sturheit muß ich jeden zweiten Tag Bereitschaftsdienst machen. Hasenkötter selbst ist total begeistert von der Idee, die Bereitschaftsdienste der Tierarztpraxen zusammenzulegen. Schließlich ist er ja auch froh, wenn er etwas mehr Zeit für seine Kinder hat. Dr. Reisloh hat nach einigem Zögern auch zugestimmt, nur diese blöde Junker hat Angst, daß ihre Kunden beim Bereitschaftsdienst merken, daß die Konkurrenz besser ist. Es ist zum Heulen. Wenn wir uns zusammentäten, wären wir sechs Ärzte mit voller Stelle und brauchten nur alle sechs Tage Dienst zu machen. Aber so? Das ist doch kein Leben." In ihrer Erregung hatte Alexa gar nicht gemerkt, daß ihr Glas leer war. Sie schluckte Luft, als sie trinken wollte, und wandte sich um zur Theke, doch Lutz sprach gerade mit jemandem, den sie nicht kannte. Sie wartete einen Moment, aber Lutz schaute nicht hoch.

„Warum machen dieser Reisloh und dein Hasenkötter die Sache dann nicht alleine?" fragte Hendrik, „Das wäre immerhin schon mal etwas an Erleichterung." Alexa antwortete nicht, sondern wartete weiterhin, daß Lutz sie wahrnahm. Endlich lachte er und guckte hoch – blitzschnell winkte sie ihm zu. Sein Gesprächspartner an der Theke schaute ebenfalls herüber. Er hatte dunkelblonde Haare, sehr kurz geschnitten. Sein Gesicht war offen und hatte etwas Jungenhaftes an sich. Er trug eine beige Jeans und einen anthrazitfarbenen Pullover, unter dem ein weinrotes T-Shirt hervorlugte. Da er Alexa unverwandt anschaute, fragte sie sich, ob sie ihn nicht vielleicht doch kannte. Einen Moment später ging an der Theke die Klingel, und Alexas Baguettes wurden durch die Durchreiche geschoben. Lutz brachte sie zusammen mit ihrer Cola an den Tisch. Auch er grinste angesichts ihrer Portion.

„Na, dann hau mal rein!" sagte er und verschwand wieder hinter der Theke.

„Was hattest du nochmal gefragt?" wandte Alexa sich wieder an Hendrik.

„Warum ihr euch nicht wenigstens mit der Praxis von Reisloh zusammentut."

„Reisloh macht nur mit, wenn Junker auch ihr Ja-Wort gibt. Er möchte nicht weniger Service bieten als sie. Es ist so paradox", fuhr Alexa aufgeregt fort, „bei Apothekern und normalen Medizinern ist es selbstverständlich, daß ein zentraler Notdienst eingerichtet wird. Nur die Tierärzte machen sich das Leben selber schwer. Aber jetzt erzähl du erstmal von dir, sonst werden meine Baguettes kalt." Hendrik hatte vor zwei Jahren in einem stillgelegten Bahnhofsgebäude eine Galerie eröffnet. Zur Zeit bereitete er eine Ausstellung mit zwei Künstlern aus Norddeutschland vor. Er berichtete vom Stand der Dinge, und Alexa konnte in Ruhe ihre Baguettes verspeisen. Hendrik erzählte ausführlich von seiner Ausstellung, bis Alexa langsam die Augen zufielen.

„Tut mir leid, Hendrik, aber ich muß ins Bett!" sagte sie, wohlwissend, wie ihr Gegenüber darauf reagieren würde. Hendrik schaute theatralisch auf die Uhr.

„Oh, etwa schon zehn Uhr?"

„Hör auf! Ich bin schon seit halb sechs auf den Beinen. Ich melde mich in den nächsten Tagen bei dir!" Sie umarmte Hendrik kurz zum Abschied und ging dann zur Theke. Der blonde Typ war immer noch da und unterhielt sich nun mit den Leuten vom TaT. Während sie bei Lutz bezahlte, schaute er sie mit seinen großen braunen Augen an, und sie fragte sich erneut, ob sie ihn schon mal gesehen hatte. Aber das konnte eigentlich nicht sein, dachte Alexa beim Hinausgehen. Dieser Typ sah ziemlich attraktiv aus. Und für attraktive Männer hatte sie nun einmal ein Gedächtnis. Damit konnte man schließlich nicht die Straße pflastern. Jedenfalls nicht in dieser Stadt.

5

QUATSCH! stand in großen Lettern über der Tür. „Na, wenigstens ein origineller Name", dachte ich vorsichtig und versuchte
mein Glück in dieser Kneipe. Ich hatte bereits einen Besuch im
Märkischen Marktkeller hinter mir, wo ich allerdings so unver-
hohlen angestarrt worden war, daß ich den Eindruck hatte, nur
waschechte Sauerländer in der dritten Generation seien willkommen. Im *Life* dagegen, einem verchromten Yuppi-
schuppen, nahm man so demonstrativ keine Notiz von mir,
daß ich ebenfalls das Weite suchte. Mit dem *Quatsch* wollte ich
nun den letzten Versuch starten. Die Kneipe war gut besucht,
und ich nahm wie immer an der Theke Platz. Dahinter stand
ein Typ mit wuscheligen braunen Haaren, die ihm weit ins
Gesicht hingen. Er nickte mir kurz zu, als ich mich niederließ.
Die Hoffnung, in diesen Breitengraden ein Kölsch zu
bekommen, hatte ich schon in den letzten beiden Kneipen
aufgegeben. Ich bestellte also ein Pils und schaute mich weiter
um. Die Tische waren gut besetzt, und an der Theke standen
außer mir noch drei weitere Gäste. Der junge Typ am Zapfhahn
stellte mir mein Bier hin. Als ich das Glas hochhob, um die
Aufschrift darauf zu lesen, sprach er mich an.

„Du kommst von außerhalb, woll?" Ich nickte.

„Dann mußt du unbedingt eines lernen." Ich schaute so
gespannt wie ich nur konnte.

„Hier im Sauerland werden eine ganze Menge Biere gebraut,
das weißt du, woll?" Ich nickte brav.

„Aber im Grunde genommen kann man nur ein einziges
trinken!"

Jetzt würde wohl ein Vortrag über sauerländische Braukunst
im allgemeinen und besonderen folgen. Ich wartete andächtig.

„Und das ist dies hier!" Der Wirt stellte mir ein Glas hin und
hielt das Gespräch für beendet. Noch nicht ganz. Während er
zwei Gläser nachzapfte brummelte er noch etwas:

„Übrigens, ich bin der Lutz."

„Vincent. Und prost!"

Lutz wandte sich einer Frau an einem der Tische zu, die etwas bestellen wollte. Als ich hinschaute, konnte ich meinen Blick nicht mehr von ihr wenden. Die Frau fesselte mich sofort. Ihr langes, lockiges Haar trug sie in einer Art Vogelnestfrisur. Es war braun, schimmerte aber etwas rötlich. Faszinierend waren aber vor allem ihre Augen. Augen, die strahlten, auch wenn sie nicht lächelte. Wunderschöne Augen! Sie bestellte eine Cola und drehte sich dann wieder weg. Ich guckte mir den Mann an ihrem Tisch genauer an. Wie immer! Eine tolle Frau hat natürlich auch einen tollen Mann dabei! Der Typ, der ihr gegenüber saß, und sie so schelmisch anlächelte, hätte aus einem Rosamunde-Pilcher-Film gesprungen sein können. Blondes, welliges Haar, ein fein geschnittenes Gesicht, schlank, edle Klamotten. Ich kannte solche Typen zur Genüge. Angie hatte genug davon in ihrer Bekanntschaft gehabt. Ich kam mir in ihrer Gegenwart immer vor wie der Bursche vom Lande mit meinem struppigen Haar und meinem Hintern, der auch nach der härtesten Diät jedem Huhn alle Ehre gemacht hätte. Angie hatte meinen Po immer „störend" gefunden. Aber was sollte ich machen? Egal, ob ich zehn Kilo mehr oder weniger wog – er blieb einfach immer da. In einem Anflug von Wahnsinn hatte ich sogar mal einen Kurs an der Volkshochschule mit dem Titel „Problemzonengymnastik" belegt. Außer mir hatten sich in der tristen Turnhalle noch zwölf andere Problemzonen versammelte, die durchweg meine Mutter hätten sein können. Sie alle hatten sich mit Mühe in einen Aerobicanzug gequetscht, um nun in den Besitz einer Wespentaille zu gelangen. Ich hatte sie in der Turnhalle aufgeregt schnattern hören, bis ich als einziger Mann im schlabberigen Jogginganzug die Turnhalle betrat. Entsetzte Gesichter unter lockenwicklergestähltem Haar und vor allem: Totenstille. Kurz und gut: ich brach den Kurs nach der ersten Stunde ab. Seitdem versuche ich mit meinem Po zu leben. Nur wenn ich solche Männer wie diesen Schönling da sah, dann wurde mir seine Anwesenheit wieder schmerzlich bewußt.

Lutz bediente noch ein paar andere Leute, bevor er wieder etwas Zeit hatte.

„Ich suche übrigens eine Wohnung", wandte ich mich an ihn, „wenn du mal etwas hörst."

„Wo wohnst du denn im Moment?"

„In der Pension Dreisam." Lutz nickte.

„Ich hör mich mal um."

Die „Pängsion" hatte sich übrigens tatsächlich als Treffer erwiesen. Die Kellnerin Laura und der Lockenkopf aus dem Café hatten recht gehabt – die Dreisams waren nett, so nett, daß sie pausenlos auf mich eingeredet hatten. Ausgiebigst hatten sie mir von ihrer Tochter und den Enkelkindern erzählt, die man leider so selten sehe. Ich hatte unweigerlich an meine eigenen Eltern denken müssen, die dasselbe Problem mit mir hatten. Die Dreisams hatten mir leidgetan, und deshalb konnte ich es auch leichter ertragen, daß sie ihre elterliche Fürsorge nun für einige Zeit auf mich richten würden. Als sie hörten, daß ich mir alleine eine Wohnung suchte, waren sie regelrecht bestürzt. Wie ich das denn mit meiner Wäsche machen wolle? Ich müsse doch in der Schule bestimmt immer ordentlich aussehen (ein kurzer Blick auf mein verwaschenes Sweat-Shirt). Außerdem – wo ich denn essen wolle? Ich konnte sie beruhigen, daß ich auch während der letzten Jahre ohne Haushälterin überlebt hatte, und erklärte, das Wichtigste sei nun, erst einmal eine Wohnung zu finden. Das fanden die Dreisams dann glücklicherweise auch. Sie ließen mich wissen, daß es am nächsten Tag in beiden Tageszeitungen einen extra Anzeigenteil gebe. Darin seien immer einige Wohnungen zu finden. Ich hatte daher beschlossen, die Wohnungssuche erst am nächsten Tag in Angriff zu nehmen und nach einem Schläfchen zunächst die ansässigen Kneipen auszutesten.

Ich warf wieder einen Blick nach hinten. Die Frau aller Frauen war immer noch in ein Gespräch mit dem Schönling vertieft. Ich nahm alle Lockerheit zusammen und wandte mich an Lutz:

„Noch eine Frage! Die Frau da drüben, der du eben eine Cola gebracht hast, ich glaube, die kenne ich aus dem Studium. Wie heißt sie noch?"

„Wo hast du denn studiert?" fragte Lutz.

„In Köln."

„Da muß ich dich enttäuschen. Sie war in Gießen zum Studieren." Plötzlich grinste Lutz mich breit an und lehnte sich über die Theke, um leise zu mir sprechen zu können. „Aber ich bin so nett, dir ihren Namen trotzdem zu sagen. Alexandra Schnittler. Sie ist Tierärztin und arbeitet in der Praxis Hasenkötter gegenüber der Polizei." Lutz bekam eine größere Bestellung rein und machte sich wieder an die Arbeit. Inzwischen war es ganz schön voll geworden. Das Mädchen, das beim Bedienen half, flitzte zwischen Theke und Tischen hin und her, und auch Lutz machte sich manchmal auf, um die Leute an den Tischen zu versorgen. Ich geriet gerade ins Träumen, als eine hohe Stimme mich plötzlich von der Seite ansprach.

„Ich hab da eben etwas von Köln gehört", sagte die Stimme, die zu einer hübschen, blonden Person, Mitte Zwanzig, gehörte. Sie war ziemlich vollbusig und in einer Weise gekleidet, die ihre rundliche Figur betonte und nur ein ganz klein wenig ordinär wirkte. Richtig auffallend aber war an der Frau eindeutig ihr Mund. Sie hatte Brigitte-Bardot-ähnliche Lippen, die zudem knallrot angemalt waren.

„Ja, ich komme aus Köln", sagte ich, „Sie auch?"

„Nein, ich hab da nur mal vorgesprochen", antwortete sie, „ich wohne jetzt in Bochum. In Köln war nichts."

„Wie meinen Sie das, 'in Köln war nichts'?"

„Ich bin Schauspielerin und hatte da mal einen Termin zum Vorsprechen, aber das Angebot sagte mir nicht zu." Ich versuchte beeindruckt auszusehen, obwohl ich hundert zu eins gewettet hätte, daß Brigitte Bardots Ziehtochter kaum in die Situation gekommen war, sich zu fragen, ob sie das Angebot annehmen wollte. Vermutlich hatte sie das Engagement einfach nicht bekommen.

„Ich heiße Friederike Glöckner. Und Sie?" Ich stellte mich vor und erzählte, daß ich vorhatte, von nun an hier in der Gegend zu wohnen.

„Sie wollen tatsächlich hierherziehen?" Ich nickte und versuchte dabei glücklich auszusehen. Friederike Glöckner gab sich entsetzt. „Haben Sie sich das auch gut überlegt?"

„Ähm, ja schon, ich meine, ich hab's einfach so geplant."

„Hier ist absolut nichts los!" Friederike Glöckner entfaltete eine beachtliche theatralische Gestik. War ja auch ihr Beruf.

„Man kann hier zuviel kriegen. Ich kann Ihnen nur einen Rat geben. Packen Sie Ihre Koffer und verlassen Sie diese Provinz!"

Ich lächelte. „Warum sind Sie hier, wenn es so schrecklich ist?"

„Ich?" Die Frage schien dem Nachwuchssternchen peinlich zu sein. „Nun, ich besuche hier von Zeit zu Zeit Freunde und meine Eltern. Ich bin sowieso ständig auf Achse. Mal einen Auftritt in München, eine Tournee in England. Da schneie ich dann auch hin und wieder hier bei meinen Eltern im Sauerland herein."

„Sie stammen also gebürtig von hier?" Meine Gesprächspartnerin schien zu überlegen, ob dieses Zugeständnis mit ihrer sonst so weltenbummlerischen Natur in Einklang zu bringen war.

„Ja, ich habe bis zum Abitur hier gewohnt. Danach bin ich direkt nach Essen gegangen, dann nach Bonn, und jetzt Bochum. Ich war an einer privaten Schauspielschule – mein Schwerpunkt ist das antike Theater. Ach übrigens, nenn mich doch Friederike!" Damit schien das Du besiegelt zu sein, wobei ich nicht wußte, ob ich darüber wirklich froh sein sollte. Ich nutzte die Gelegenheit, um einen Blick auf die umwerfende Tierärztin zu werfen. Verdammt! Sie hatte bereits eine Jacke über ihren grobgestrickten Rollkragenpulli gezogen und machte sich auf den Weg nach draußen.

„Und wo arbeitest du?" Wie konnte ich mich jetzt von dieser Schauspielerin loseisen? Schon war es zu spät. Alexa Schnittler hatte bereits bezahlt und ließ die Tür hinter sich zufallen.

Chance vertan. Ich wandte mich wieder der vollbusigen Friederike zu. Ich erzählte ihr von meiner Stelle am Elisabeth-Gymnasium.

„Am Elli? Da war ich auch!" platzte sie heraus.

„Und?"

„Schon o.k." Sie schien nicht allzu gern bei diesem uninteressanten Teil ihres Lebens stehenzubleiben.

Ich ließ nicht locker. „Erzähl doch mal! Mich interessiert das!"

„Also, am besten erinnere ich mich noch, wie ich in der Zwölf die Hauptrolle im *Besuch der alten Dame* gespielt habe. Wir sind dreimal damit aufgetreten, und beim dritten Mal war ich in Bestform. Selbstverständlich fehlte mir damals noch die Schulung, aber mein Talent war natürlich immer schon sehr ausgeprägt." Friederike holte tief Luft, um mir das Ausmaß ihres Erfolges genauer beschreiben zu können. Ich unterbrach sie rasch.

„Welche Lehrer hast du denn so gehabt?"

„In neun Jahren waren das natürlich so einige. Die Bürger war meine Klassenlehrerin, Radeberger, Erkens, Gottberg, Schwester Berta, Gelbmann, Langensiep –"

Ich fuhr auf. „Den Langensiep kennst du auch?"

„Klar, den habe ich doch jahrelang in Geschichte gehabt!"

„Hast du auch gehört, daß er Anfang des Jahres gestorben ist?"

„Sicher, das weiß hier doch jeder!" Friederikes Kontakt zur „spießigen" Heimat war doch größer als sie zuzugeben bereit war.

„Was war der Langensiep denn für ein Typ?" bohrte ich weiter. Friederike überlegte einen Moment.

„Eigentlich ein ganz seltsamer. Ernst, und vor allem sehr unsicher. Die Jungs in meiner Klasse haben ihn regelmäßig fertiggemacht. Dann stotterte er nur noch verzweifelt herum und wußte nicht, wie er reagieren sollte. Ich selbst hatte bei ihm einen Stein im Brett, weil ich sehr gut auswendig lernen konnte und deshalb alle möglichen Geschichtsdaten drauf hatte. Darauf stand er, auf Datenkenntnis. Ich erinnere mich an einen bestimmten Vorfall in der zehnten Klasse. Zwei Mädchen versuchten ihm an Weiberfastnacht die Krawatte abzuschneiden. Ziemlich albern, besonders hier im Sauerland, wo man sowieso nicht sehr doll Karneval feiert."

„Ich weiß, hier macht man eher in Schützenfesten."

„Die beiden hatten wohl eine Wette abgeschlossen, ob sie sich bei diesem Stiesel trauen. Auf jeden Fall ist Langensiep total ausgerastet und hat nur noch rumgebrüllt. Er ist wirklich fast wahnsinnig geworden vor lauter Wut – in der Klasse hatten wir ihn noch nie so erlebt. Es dauerte fünf Minuten, dann setzte er den Unterricht fort. Die beiden Mädels hat er fortan völlig ignoriert. Ich weiß nicht, ob er sie im gesamten Schuljahr noch ein einziges Mal angesprochen hat." Friederike nahm einen Schluck von ihrem Cocktail. „Aber das ist ja alles kalter Kaffee! Erzähl doch mal von dir! Was hast du denn vorher gemacht?" Ich murmelte, daß ich als freier Journalist gearbeitet hatte. „Für den Kölner Stadtanzeiger."

Das war ein Treffer. Die Reaktion war mir von anderen Künstlern oder solchen, die es werden wollten, bekannt. Journalisten wurden immer als wertvolles Element im Vitamin B-Gerangel angesehen. Meistens endeten Gespräche mit Anspielungen darauf, ob man nicht mal einen Artikel über sie bringen wolle. Friederike Glöckner war nicht anders. Es folgte ein ausführlicher Bericht über ihre bisherigen Erfolge, über die wichtigen Leute, die sie kannte, und ein fünfzehnminütiger Vortrag über ihre aussichtsreichen Zukunftspläne. Ich unterstellte ihr pure Selbstüberschätzung. Die Leute, von denen sie erzählte, konnten mit ihrem Namen wahrscheinlich gar nichts anfangen. Ich trank ein Bier nach dem anderen, um den Monolog ertragen zu können.

„Ich sag dir nochmal, die Leute hier sind einfach langweilig, spießig und, und …" Ihr fehlten die Worte. Sie schien völlig vergessen zu haben, daß zwei ihrer Freunde neben ihr standen, die bei ihrer Lautstärke alles mitanhören mußten. Das Gegackere ging weiter, aber nach dem zehnten Bier machte es mir nichts mehr aus. Es war eine schöne Untermalung meiner abschweifenden, nicht mehr ganz geordneten Gedanken, die in die Vergangenheit wanderten.

Damals, als Angie von ihrer Recherche in den neuen Bundesländern zurückgekommen war, war auf einmal alles ganz schnell gegangen. Angie hatte sich nach ihrer Ankunft telefonisch bei mir gemeldet, und bevor ich überhaupt meinen Namen hatte sagen können, waren ihre Vorwürfe schon losgegangen: „Es ist ja überaus reizend, nebenbei zu erfahren, daß du Köln bald verlassen wirst." Eine Katastrophe. Sie hatte die ganze Geschichte also schon von Jochen erfahren, der wiederum mit Robert gesprochen haben mußte …

„Sehr nett, daß du solche Entscheidungen ohne mich fällst! Ich meine, wir kennen uns ja kaum, nicht wahr?"

„Angie, es ist so. Ich war –" Jeder Versuch, sie zu unterbrechen war völlig chancenlos.

„Daß diese Entscheidung das Ende unserer Beziehung bedeutet, ist dir ja wohl klar?"

„Angie, bist du verrückt? Ich werde demnächst nur zwei Autostunden von dir entfernt arbeiten. Wie kannst du vom Ende unserer Beziehung reden?"

„Versuch mir nicht irgend etwas von Wochenendbeziehungen zu erzählen! Das kannst du vergessen. Guck dir Rita und Thomas an oder Bernd und Antje! Das hält kein erwachsener Mensch auf Dauer aus! Vergiß es! Ich bin nicht deine siebzehnjährige Freundin, die sehnsüchtig darauf wartet, daß deine Bundeswehrzeit vorbei ist."

„Angie, ich bitte dich! Ich weiß doch gar nicht, ob ich bei diesem Job bleibe. Vielleicht kann ich mich auch nach einer bestimmten Zeit versetzen lassen. Außerdem habe ich gelegentlich mal Schulferien. Ganz abgesehen davon könnte man sich dann und wann am Wochenende mal zum Tee verabreden. Laß uns das Ganze doch mal mit Vernunft angehen!"

„Vergiß es!" Angies Stimme überschlug sich. „Weißt du, was mich am meisten aufregt? Daß du überhaupt Lehrer werden willst – ein langweiliger, miefiger Provinzpauker!"

Mir verschlug es die Sprache.

„Weißt du, wie du dich verändern wirst? Du wirst dich nur noch über pubertierende Teenager unterhalten können. Du wirst in einem Kaff wohnen. Du wirst –"

„Angie!" Mein Brüllen hatte sie verstummen lassen. „Weißt du eigentlich, was du da sagst? Wir sind seit drei Jahren zusammen. Wir lieben uns. Wir wollen immer zusammenleben. Und du redest von tiefgreifenden Veränderungen, nur weil ich jetzt den Beruf ausüben will, für den ich eigentlich studiert habe?" Ein Klicken am anderen Ende der Leitung. Angie hatte aufgelegt. Ich konnte es nicht fassen. Natürlich hatte ich Angie von dem ganzen Trara der letzten Tage selbst erzählen wollen. Aber trotzdem war ihre hysterische Reaktion mehr als zuviel gewesen. Ich nahm einen großen Schluck Bier.

„Ich muß jetzt gehen!" Wahrscheinlich hatte ich Friederike gerade mitten in einer Pointe unterbrochen. Sie blickte mich erstaunt an, dann faßte sie sich wieder.

„Na, prima, ich wollte auch gerade los!" Ich schloß die Augen, hörte aber plötzlich eine Stimme hinter mir.

„Friederike, tut mir leid wegen deines verpatzten Auftritts in der Marienkirche! Klaus hat's mir schon erzählt."

Zwei Typen standen vor uns. Der, der gesprochen hatte, wurde gerade von Friederike zur Seite geschoben und im halblauten Ton massakriert. Der andere grinste und war niemand anders als mein Lebensretter.

„Max?" fragte ich unsicher.

„Stimmt! Freut mich zu hören, daß kein Erinnerungstrauma vorliegt."

„Keine Spur! Ich bin ziemlich in Ordnung."

„Sollen wir noch einen trinken gehen?" fragte Max. „Vielleicht woanders?"

Wenn mein Gefühl mich nicht trog, wollte er vor Friederike Glöckner fliehen, die nun gestikulierend mit seinem Kumpel verhandelte. Ich legte einen Geldschein hin.

„Na, dann zeig mir doch mal die heimische Kneipenwelt!"
sagte ich beim Hinausgehen. Ich bemerkte kaum, daß ich ins
Du verfallen war.

„Das Wichtigste ist eigentlich, daß du eins lernst", erklärte
Max ganz ernst neben mir, „du weißt ja, daß hier im Sauerland
ziemlich viele Biersorten gebraut werden, woll? Im Grunde
schmeckt aber nur eine. Ich demonstriere dir das heute mal."

6

Das Angebot an bezahlbaren 2-Zimmer-Wohnungen war nicht gerade umwerfend. Als ich am nächsten Morgen wieder denken konnte, entdeckte ich gerade mal drei Angebote im Anzeigenteil der zwei stadtbekannten Zeitungen. Unter zwei Nummern erreichte ich jemanden und konnte mir die Objekte sofort ansehen. Das erste war so klein, daß ich mir vorkam wie in einer Puppenstube. Die zweite Wohnung lag an einer vielbefahrenen Umgehungsstraße. Da keine doppeltverglasten Fenster eingebaut waren, hatte man das Gefühl, sämtliche LKWs wollten ihre Waren im Badezimmer abladen. Unmöglich – eher würde ich den Rest meines Lebens bei den Dreisams verbringen, bevor ich wegen klaustrophobischer Anfälle in meiner winzigen Wohnung in Behandlung mußte oder unter ständiger Angst litt, in meinem eigenen Schlafzimmer überfahren zu werden. Nach diesen Pleiten beschloß ich, ein zweites Mal meine zukünftige Arbeitsstätte heimzusuchen. Vielleicht würde ich diesmal in den Besitz der Unterlagen gelangen, die Schwester Wulfhilde mir hatte hinterlegen wollen. Sie selbst verbrachte die ersten zwei Wochen der Osterferien bei ihrem Bruder, wie sie mir erzählt hatte.

Ich machte mich zu Fuß auf den Weg zur Schule und mußte feststellen, daß die Stadt mehr als übersichtlich war: die Hauptkirche, in deren Schatten das alte Rathaus lag, der Stadtbrunnen, ein Weinkeller, den Max mir am Abend zuvor nähergebracht hatte. Über das Kopfsteinpflaster schnaufte ich bergauf, über eine Kreuzung, bis ich den Eingang zu einem Friedhof entdeckte. Ich überlegte. Wenn ich nachher quer marschierte, mußte ich doch auch auf die Schule zukommen. Ich versuchte mein Glück. Der Weg verlief wunderschön unter alten riesig hohen Pappeln hindurch. Ich setzte mich auf eine Bank und atmete durch. Ein paar Vögel randalierten über mir in den Ästen. Wahrscheinlich stritten sie sich um eine Frau. Ich schloß die Augen und fing ein paar Sonnenstrahlen auf. Nach einiger Zeit schlenderte ich faul weiter, blieb dann vor ein paar Gräbern stehen. Paul Hagelücken, Erna Filthaut, Bernhard Kemper, Konrad Edelkötter, Bruno Langensiep – ich stutzte. Bruno Langensiep. War das nicht? Ja, es war. 28.2.1954–17.1.1998 stand unter dem Namen. Das Grab war mit einer Art Natursteinkiesel belegt. Als einziger Schmuck stand ein Gesteck darauf. Der Grabstein war ziemlich edel, verglichen mit den Nachbargräbern, nur hatte man sich dort mehr Mühe mit einer Bepflanzung gegeben. Mit vierundvierzig in einen Steinbruch zu fallen, war ein ziemlich tragisches Schicksal, fand ich. Ob Bruno Langensiep betrunken gewesen war, daß dieser Unfall passieren konnte? Nun ja, vielleicht würde ich noch mehr über diesen seltsamen Fall erfahren. Bruno Langensieps Grab erinnerte mich an die Schule und ich lief nun schnellen Schrittes in die Richtung, in der ich die Schule vermutete. Ich hatte recht gehabt. Man brauchte vom Seitenausgang des Friedhofs aus nur die nächste Querstraße zu nehmen und lief dann automatisch auf das Schultor zu. An der Schule angekommen, versuchte ich mein Glück an der Glastür. Diesmal ließ sie sich öffnen, und als ich drinnen war, sah ich ein offenes Büro vor mir. Von meinem allerersten Aufenthalt her erkannte ich das Sekretariat wieder, aus dem heute allerdings laute Radiomusik schallte. Ich klopfte an den Türrahmen, obwohl mir klar war, daß man bei der Musiklautstärke noch nicht einmal sein eigenes Husten hätte hören können. Nichts tat sich. Ich schaute um die Ecke, aber es war niemand zu sehen. Ich überlegte und beschloß, das Lehrerzimmer zu suchen. Ich lief geradewegs die Treppe hinauf nach oben, da das Lehrerzimmer in einem Obergeschoß untergebracht war, und stand dann ziemlich hilflos vor einem endlos langen Flur mit unendlich vielen Türen. Intuitiv ging ich weiter die Treppe hoch und stand wiederum vor einem endlos langen Flur mit unendlich vielen Türen. Irgendwie fand ich es unheimlich, daß ich als quasi Fremder ganz allein hier im Gebäude herumlaufen konnte. Ich versuchte mein Glück auf dieser Etage und entdeckte in der Mitte des Ganges eine Tür, die sich von den anderen unterschied. Sie war zweiflüglig und aus schwerem, dunklem Holz. Ich kramte gerade in meinem Gedächtnis, als ich neben der Tür ein kleines Schildchen mit der Aufschrift „Lehrerzimmer I" entdeckte. Ich klopfte, doch es kam keine Antwort. Die Tür ließ sich öffnen. Ich erkannte den riesigen holzgetäfelten Raum wieder, den ich bei meiner Führung als ziemlich nobel empfunden hatte. An einem Regal am anderen Ende des Raums stand jemand mit dem Rücken zu mir. Ich räusperte mich so laut ich konnte. Die Person drehte sich um, und ich sah in das erschrockene Gesicht einer Frau, ungefähr in meinem Alter. Ich versuchte möglichst ungefährlich auszusehen, um nicht den Anschein zu erwecken, ich wolle zwanzig Mark aus der Kaffeekasse klauen.

„Guten Tag, ich bin Vincent Jakobs! Ich soll hier nach den Ferien Geschichte und Deutsch unterrichten." Das Gesicht entspannte sich.

„Haben Sie mich aber erschreckt!" sagte die Frau mit einer tiefen Stimme und kam auf mich zu. „Wissen Sie, man kennt sonst eigentlich jeden, der hier in der Schule herumläuft. Und wenn man jemanden nicht kennt, hat er meistens einen Arbeitskittel an und ist zu Handwerksarbeiten hier."

„Dann bin ich natürlich verdächtig", entgegnete ich, „soll ich mich ausweisen?" Mein Gegenüber lächelte.

„Nicht nötig. Ich glaube Ihnen auch so. Mein Name ist Roswitha Breding, Bio und Mathe." Roswitha streckte mir freundlich eine Hand entgegen. Als sie meine Hand drückte, ging ich beinahe in die Knie. Wie Schwester Dorothea war Roswitha ganz offensichtlich von der kernigen Sorte. Sie war nicht allzu groß, aber kräftig und trug ihr dunkelblondes Haar in einem Kurzhaarschnitt.

„Sie sind bestimmt der Nachfolger von Bruno Langensiep, oder?"

„Bis gestern wußte ich zwar auch noch nichts davon. Aber es scheint so zu sein."

„Eine ziemlich tragische Geschichte."

„Und eine geheimnisvolle obendrein", setzte ich hinzu. „Schwester Dorothea deutete gestern an, daß sie sich durchaus auch einen Mord vorstellen könnte."

„Einen Mord?" Roswitha platzte heraus. „Da lachen ja die Hühner! In dieser Stadt gehören Kirchenaustritte und wilde Ehen zu den spektakulärsten Ereignissen des Jahres. Ein Mord ist hier einfach undenkbar." Als gewiefter Krimileser wollte ich meiner neuen Kollegin gerade mitteilen, daß die meisten Morde in malerischen Pfarreien und auf einsam gelegenen Landsitzen passieren und daß ich mir auch ihre geschätzte Stadt durchaus als Ort des Verbrechens vorstellen könnte, doch Roswitha Breding ließ mich nicht zu Wort kommen.

„Wenn Sie mich fragen oder besser – wenn du mich fragst – wir duzen uns nämlich unter den jungen Kollegen – dann leidet Schwester Dorothea unter Schüben übersteigerter Phantasie. Sie liest eindeutig zu viele Krimis. Aber die sind ja als Alternative zur Bibel auch eine gelungene Abwechslung."

„Was war dieser Langensiep denn für ein Mensch?" Nachdem ich schon einmal mit Friederike Glöckner darüber gesprochen hatte, interessierte mich diesmal das Urteil einer Kollegin. „Warst du mit ihm näher bekannt?"

„Mit Langensiep? Gott bewahre! Im Vertrauen, der Typ war ein wirkliches Ekel. Er machte Kollegen runter, wo er nur konnte, schaffte es aber andererseits, sich bei der Schulleitung lieb Kind zu machen. Ein wirklich unangenehmer Mensch, mit dem keiner im Kollegium viel zu tun hatte. Wenn es danach ginge, könnte ich mir schon vorstellen, daß ein Mord möglich wäre. Aber wechseln wir lieber das Thema."

„Ja, vielleicht kannst du mir helfen", lenkte ich ein. „Hast du eine Ahnung, wo ich Unterlagen finden kann, die für mich hinterlegt worden sind?"

„Die müßten in den namenlosen Fächern liegen", antwortete Roswitha und steuerte auf die Wand mit einer Unmenge von Fächern zu. „Hier werden die Unterlagen für alle reingelegt, die kein festes Fach haben oder noch eins bekommen sollen – Referendare und so." Roswitha stöberte durch die Blätter, die

45

,in drei unbeschrifteten Fächern abgelegt waren. „Hier ist nichts." Sie ließ ihren Blick über die restlichen Fächer schweifen. „Ah, man hat dir schon ein eigenes Fach eingerichtet." Roswitha hatte recht. 'JAKOBS' stand in dicken handgeschriebenen Lettern auf einem Papieraufkleber. Leider war das Fach absolut leer.

„Hm, ich will ja nicht unken", sagte Roswitha grinsend, „aber ich schätze, Wulfhilde hat dich einfach vergessen. Das kommt schon mal vor, wenn sie auf Fahrt geht. Am besten fragst du mal bei Schwester Gertrudis nach. Sie arbeitet im Sekretariat und hat den besten Überblick."

Enttäuscht verabschiedete ich mich von Roswitha und machte mich wieder auf den Weg zum Sekretariat. Es fiel nicht schwer, den Weg zurückzufinden, denn die Musik schallte mir schon im Treppenhaus entgegen. Als ich näher kam, hörte ich auch, daß die Musik von nicht minder lautem Gesang begleitet wurde.

„Rote Lippen, roter Wein – ja, die Welt, sie ist so klein", trällerte eine Frauenstimme und stellte dabei den eigentlichen Sänger in den Schatten. Da hatte ich es wohl mit einer eingefleischten WDR 4 – Hörerin zu tun. „Und wir zwei sind ganz allein", schmetterte es mir entgegen, als ich gerade durch die offene Bürotür trat (Klopfen wäre sinnlos gewesen!).

„Guten Morgen", sagte ich unsicher. Auf dem Boden kniete eine runde, grau gewandete Schwester mit üppigen Körpermaßen und packte Kopierpapier aus einem Karton in einen Schrank.

„Und wir zwei sind ganz allein –"

„Guten Morgen!" schrie ich diesmal, um die Musik und die holde Sängerin zu übertönen. Ihr Kopf schoß nach oben. Einen Augenblick lang dachte ich, die Sache sei ihr peinlich, weil sie so rot im Gesicht war, aber das war ein Irrtum. Die Arbeit und der Gesang schienen ihr das Blut in den Kopf getrieben zu haben. Die Schwester sagte etwas, das ich nicht verstand. Stöhnend hievte sie sich hoch und stellte das Transistorradio aus, das auf einem Regal deponiert war.

„Guten Morgen!" flötete mir die Sängerin entgegen, „kann ich etwas für Sie tun?"

„Ja, ich glaube schon", antwortete ich, „mein Name ist Vincent Jakobs, ich bin bei Ihnen als Lehrer eingestellt worden."

„Ach, Sie sind das? Herzlich willkommen!" sagte die Schwester. „Ich bin Schwester Gertrudis, ich arbeite hier im Sekretariat." Das runde Gesicht strahlte mich an. „Ich soll Ihnen etwas ausrichten. Schwester Wulfhilde hat gestern aus dem Urlaub angerufen. Sie möchten vielmals entschuldigen, aber sie hat vergessen, Ihnen die versprochenen Unterlagen zurecht-zulegen."

„Oh nein!" stöhnte ich. „Ich brauche unbedingt irgend etwas, um mich in den drei Ferienwochen auf den Unterricht vorbereiten zu können. Ich weiß ja gar nicht, was mich erwartet – welche Klassen, welcher Stoff – ich weiß wirklich überhaupt nichts."

Schwester Gertrudis schaute mich verständnisvoll an. „Hm, was machen wir denn da? Ich glaube, ich rufe in dem Fall mal bei Herrn Radebach an. Er ist der stellvertretende Schulleiter. Er soll Ihnen alles Nötige raussuchen."

Auf dem Weg zurück zu meiner Pension hatte ich die Zusicherung, am kommenden Tag „irgend etwas" in meinem Fach zu finden. Immerhin. Schwester Gertrudis hatte den genervten Herrn Radebach mit ihrer süßlichsten Stimme dazu gebracht, sich darum zu kümmern.

Ich überlegte, wie ich die Zeit bis zum nächsten Tag nutzen konnte. Natürlich könnte ich es mit der Wohungsanzeige versuchen, bei der ich vorher niemanden erreicht hatte. Als ich bei den Dreisams ankam und mich ihr kleiner Dackel begrüßte, hatte ich aber eine viel bessere Idee.

7

Der Tag lief ganz erträglich. Am Morgen hatte sie ein paar Hausbesuche gehabt – Kälber, die geimpft werden mußten, und die Sprechstunde am Nachmittag war auch nicht überfüllt gewesen. Ein verletzter Cocker Spaniel, eine Katzenkastration, eine Routineuntersuchung bei einem verzogenen Spitz und und und. Um halb fünf verließ Karin, die Sprechstundenhilfe, mit einem geimpften Kaninchen das Behandlungszimmer, und Alexa warf einen Blick in die *Heimatpost*, um das Fernsehprogramm zu studieren. „Lustige Musikanten", „Musikantenstadl", „Wenn die Heide blüht" – man konnte den Eindruck haben, alle Sender hätten sich zusammengetan, um ein Heimatfestival durchzuziehen. Na ja, und dann natürlich noch der übliche Serienkram, bei dem Alexa dann meist hängenblieb. Mit einem Seufzer schloß sie die Zeitung, als sie Stimmen auf dem Flur hörte. Ob sie am Abend endlich mal die Briefe schreiben sollte, die sie schon so lange vor sich hergeschoben hatte? Oder ob sie für diesen dienstfreien Abend noch eine Verabredung organisieren sollte? Alexa blieb keine Zeit mehr zu überlegen, da Karin den nächsten Patienten hereinführte. Der Mann mit dem kleinen Rauhhaardackel kam Alexa sofort bekannt vor, doch ihr Gedächtnis arbeitete heute nicht gerade in Rekordzeit. „Guten Tag, Schnittler ist mein Name", sagte sie routinemäßig und schüttelte seine Hand. Der Typ hätte dabei beinahe den Hund fallengelassen.

„Guten Tag, Vincent Jakobs." Ein strahlendes Lächeln folgte, das Alexas Laune um etwa zwei Zentimeter hob. Nur ihr Gehirn schien leider auf Sparflamme zu arbeiten. Sie hatte doch sonst ein ganz gutes Personengedächtnis!

„Wie kann ich Ihrem Hund helfen?" fragte sie ganz sachlich.

„Dem Hund? Ach ja." Der junge Mann stellte das Tier ziemlich unbeholfen auf den Behandlungstisch.

„Wie ist der Name?"

„Vincent Jakobs."

„Das sagten Sie schon. Ich meine den Hund."

„Ach so, das ist Wölfi."

„Wölfi?" Alexa fragte sich, ob der Hund überhaupt ihm gehörte, weil er sich so ungeschickt mit ihm anstellte. „Wölfi, was ist denn los mit dir?" Alexa startete eine erste oberflächliche Untersuchung und wartete auf eine Antwort.

„Also, ich weiß auch nicht, was mit ihm los ist", begann Vincent Jakobs, „er benimmt sich seit zwei Tagen so seltsam. Er verkriecht sich ständig unter den Tisch, mag gar nicht nach draußen gehen, frißt wenig –"

„Was hat er denn in den letzten zwei Tagen gefressen?"

„Gefressen? Hm, also, es ist nicht so, daß er gar nichts fräße. Er frißt nur so – so unregelmäßig. Manchmal frißt er gar nichts und manchmal ganz viel." Alexa schaute den Hundebegleiter an. Der konnte einfach nicht alle Tassen im Schrank haben.

„Was tut er, wenn Sie ihn mit nach draußen nehmen wollen?"

„Er blockiert sich, er legt sich einfach auf den Bauch. Ich muß dazu sagen, der Hund gehört mir überhaupt nicht. Es ist der Hund von Bekannten, die aber leider verhindert sind. Sie haben mich hierher geschickt, weil sie sich solche Sorgen machen – weil wir alle uns solche Sorgen machen." In Alexas Kopf stieg eine Ahnung auf.

„Sind in letzter Zeit irgendwelche Veränderungen im Haushalt aufgetreten? Sind die Besitzer nicht zu Hause gewesen oder ähnliches?"

„Eigentlich nicht – ach doch! Ich bin als Neuling in den Haushalt gekommen. Nicht, daß ich viel im Haus wäre, aber vielleicht ist es ein sehr sensibles Tier. Übrigens, ich glaube, wir haben uns schon mal gesehen."

Alexa reagierte kühl. „Nicht, daß ich wüßte."

„Doch, gestern abend in einer Kneipe."

Jetzt ratterte es in Alexas grauen Zellen. Natürlich, der Typ, der sich mit Lutz unterhalten hatte.

„Ach ja, im Q, jetzt fällt's mir wieder ein!" Im selben Moment ärgerte sie sich, daß sie auf sein Anbändeln eingegangen war.

„Im Q?" erkundigte sich Vincent, „ach ja, *Quatsch*! hieß die Kneipe. Ist es nicht schön –"

„Was ist nun mit dem Hund?" unterbrach Alexa ihn. Sie fand es albern, daß sie ihn überhaupt noch untersuchen sollte. Der Dackel war putzmunter. Sie legte ihn diesem Vincent Jakobs in den Arm. „Ich würde sagen, Wölfi leidet an einer vorübergehenden psychischen Depression, die durch ungewohnte Veränderungen im Alltag hervorgerufen wurde", sagte sie ernst. „Versuchen Sie, ihm nicht Ihre Bekanntschaft aufzudrängen! Halten Sie sich etwas zurück! Dann wird er sich schon an Sie gewöhnen und sich wieder normal verhalten."

Eine Sekunde zu spät fiel Alexa ein, daß sie ihm noch gut hätte mitgeben können, daß er es auch bei Menschen so halten solle, aber dieser Jakobs war schneller. „Vielen Dank für Ihre Hilfe! Hätten Sie nicht Lust, heute abend mit mir essen zu gehen? Ich bin neu hier in der Stadt. Vielleicht können Sie mir etwas darüber erzählen – oder über Hundepsychologie. Ich bin da ganz offen …" Dabei schaute er sie noch netter an als der Rauhhaardackel, so daß ihr intuitives „Tut mir leid, ich hab schon was vor!" irgendwo zwischen Gehirn und Stimmbändern steckenblieb.

„Ich glaube nicht, daß Sie nach meiner Rechnung für die Behandlung noch Geld zum Essengehen haben. Bei psychologischen Beratungen haben wir ziemlich hohe Behandlungskosten."

Ihr Gegenüber grinste, so daß sich zwei tiefe Grübchen zeigten. „Vielleicht kann ich meine Schulden ja nach und nach ableisten. Fangen wir doch heute abend an! Wie wäre es mit *Da Bajazzo* – um halb acht?"

Alexa überlegte nur noch einen kleinen Moment. „Überredet. Um halb acht. Ich werde da sein."

Gutgelaunt hob Vincent Jakobs den Hund vom Tisch. „Ich freu mich schon. Bis dann!"

„Ich auch", sagte Alexa noch, aber er war schon weg.

Alexa war noch ganz in sich versunken, als Karin hereinkam und sie aufschreckte. Die Sprechstundenhilfe stutzte, als sie Alexas abwesenden Gesichtsausdruck sah.

„Was war denn los? Ein hoffnungsloser Fall?"

„Hoffnungslos?" stotterte Alexa. „Hoffnungslos kann man eigentlich nicht sagen."

8

„Was strahlen Sie denn so?" fragte Frau Dreisam, als ich mit Wölfi zur Tür hereinkam.

„Ich strahle?" fragte ich erstaunt. Ich erläuterte weitschweifig, daß ich gerade meine Liebe zu den Vierbeinern neu entdeckt hatte.

„Seitdem wir unsern Wölfi haben", fuhr meine Wirtin fort, „kommen wir auch wieder viel mehr an die frische Luft."

„Apropos frische Luft", warf ich ein, „ich möchte gerne noch ein bißchen joggen. Können Sie mir eine Strecke empfehlen?"

Ich hatte wirklich Lust bekommen, mich zu bewegen. Und außerdem war wieder einmal der Ehrgeiz in mir entstanden, etwas für meinen Körper zu tun – vor allem für meine Problemzonen. Frau Dreisam stellte mir zunächst eine Grundsatzfrage. „Möchten Sie lieber in den wilden Wald oder in den aufgeräumten?" Ich verstand nicht recht. Wild oder aufgeräumt? Ich entschied mich natürlich für den wilden Wald. Das hat ja schließlich auch etwas mit dem entsprechenden Männerbild zu tun. Natürlich sehe ich mich mehr als Robert Redford denn als Klaus Maria Brandauer. Frau Dreisam beschrieb mir daraufhin mehrere Strecken. Als ihr Mann noch hinzukam, um sie in ihren Ausführungen zu verbessern, verstand ich überhaupt nichts mehr. Während sie mir noch diverse Wegbeschreibungen zu geben versuchten, hatte ich in Gedanken schon beschlossen, einfach drauflos zu laufen. Ich legte mich zunächst noch ein Stündchen mit einem Buch aufs Bett und machte mich um fünf Uhr endlich auf die Socken. Den Weg zum Wald fand ich ziemlich schnell. Zunächst Richtung Krankenhaus, dann noch einen äußerst steilen Berg hinauf und in den Wald hinein, in den wilden Wald. Ich war ganz begeistert von meiner körperlichen Verfassung. Nachdem ich nun lange Zeit mit dem Laufen geschludert hatte, hatte ich befürchtet, schon nach fünf Minuten aus der Puste zu sein. Doch es ging überraschend gut. In mir stieg die Hoffnung, daß ich eine ganze Stunde durchhalten würde, wie damals, als ich noch regelmäßig mit Robert um den Decksteiner Weiher gelaufen war. Im Wald merkte ich allerdings die sauerländischen Steigungen ganz deutlich. Ich mußte mein Tempo immer wieder verlangsamen, um nicht ganz ins Gehen zu verfallen. Dennoch – ich war wirklich zufrieden. Ich wollte eine halbe Stunde in den Wald hineinlaufen, um anschließend dieselbe Strecke zurückzunehmen. Kurz nach halb sechs drehte ich daher um und machte mich auf den Rückweg. Das Desaster begann schon an der zweiten Weggabelung. Plötzlich wußte ich nicht mehr, aus welcher Richtung ich gekommen war. Von links oder geradeaus? Ich entschied mich für links, war mir aber schon nach kurzer Zeit wieder unsicher. Ich kehrte um, und hatte an der nächsten Weggabelung dann völlig die Orientierung verloren. War ich nicht eben an einer Menge gefällter Bäume vorbeigekommen? Die waren nirgendwo zu finden. Zu allem Überfluß machte ich plötzlich schlapp und mußte gehen. Als ich wieder zu laufen begann, stellten sich heftige Seitenstiche ein. Inzwischen war es längst sechs Uhr und im Wald wurde es von Minute zu Minute dusterer. Um diese Zeit hatte ich eigentlich schon in meinem Zimmer sein wollen. Ich versuchte mich zu konzentrieren und meine Strecke zu suchen. Mal hatte ich das Gefühl, ich war richtig, dann kam ich an einer Stelle vorbei, die ich vorher sicher noch nicht passiert hatte. Es war zum Verzweifeln. Die Zeit verrann, und ich hatte das Gefühl, ständig im Kreis zu laufen. Zudem kam mir auch nicht eine einzige Person entgegen. Ich sah mich bereits in einem sauerländischen Zauberwald, der bevorzugt Nicht-Einheimische verschluckt. Es wurde halb sieben, es wurde sieben, und im Wald war es mittlerweile richtig dunkel. Jetzt konnte ich auch den wilden Wald so richtig genießen. Ich stolperte ständig über liegengebliebene Äste, trat in Erdlöcher oder fiel Wurzeln zum Opfer, die aus dem Boden ragten. Von im Weg hängenden Zweigen, die mir mehr und mehr das Gesicht zerkratzten, ganz zu schweigen. Ich verfluchte inzwischen meine Idee, mich allein in den Wald zu wagen. Ich verfluchte meine Uhr, die immer weiterraste. Ich verfluchte mich selbst, weil ich die Kondition eines verwöhnten Schoßhundes hatte und weil ich nicht auf die vielen Rundwegschilder geachtet hatte, die die Stadtverwaltung für Trottel wie mich angelegt hatte. Kurz vor halb acht hörte ich plötzlich Straßengeräusche in der Nähe; ich befand mich also am Waldrand. Voller Hoffnung stolperte ich weiter, bis ich endlich an der Straße anlangte. Leider war nicht ersichtlich, wohin sie führte, aber ich lief in die Richtung, wo ich in einiger Entfernung eine Häusersiedlung entdeckt hatte. Ich schöpfte nicht nur Hoffnung, sondern auch neue Kraft und verfiel in einen Trab. Plötzlich hörte ich ein Auto hinter mir. Ich ruderte heftig mit den Armen, um es zum Halten zu bewegen. Vergeblich. Eine Frau mit einem erschrockenen Gesichtsausdruck gab nochmal extra Gas, damit ich bloß nicht in ihr fahrendes Vehikel hechten konnte. Ich schimpfte hinter ihr her und lief weiter. Schon hörte ich das nächste Fahrzeug. Diesmal stellte ich mich mitten auf die Straße, und während ich noch überlegte, in welchem amerikanischen Spielfilm ich kürzlich erst eine solche Szene gesehen hatte, bremste das Auto. Ich ging auf die Beifahrertür zu. Natürlich war es ein Actionthriller gewesen. Allerdings hatte in diesem Streifen das gehetzte Opfer einer Verfolgungsjagd heftig geblutet und war daher irgendwie eher legitimiert zu solch einer spektakulären Halteaktion. Ich öffnete die Beifahrertür und wollte gerade zu einer kurzen, aber eindrucksvollen Entschuldigungs- und Bettelrede ansetzen, als mir eine verführerische Stimme entgegenschallte: „Oh Vinci, welch ein Zufall! Na, wenn das kein Schicksal ist!" Ich erstarrte. Im Auto saß Friederike Glöckner und blickte mich mit ihren Bassetsaugen verheißungsvoll an. Mit einem Schlag fiel mir ein, wie der Film weiterging. Als der gepeinigte Held sich erleichtert in den Autositz hatte fallen lassen, grinste ihn von der Seite sein Verfolger an. Oh Mann, wäre mir das doch schon eher eingefallen!

Als ich nach verschiedensten Ausreden und Scheinerklärungen endlich aus Friederike Glöckners Wagen flüchten konnte, mit dem sie mich netterweise zum *Bajazzo* gefahren hatte, war es viertel vor acht. Ich übersah das Naserümpfen, das der Kellner angesichts meines verschwitzten Outfits an den Tag legte, und schaute mich hektisch im Innern des Restaurants um.

„Kann ich Ihnen behilflich sein?" näselte der Kellner arrogant.

„Ich suche eine Frau!"

Ich ignorierte das Grinsen meines Gegenübers.

„Sie hat lange, rotbraune Haare und –"

Der aalglatte Typ unterbrach mich. „Sie ist vor fünf Minuten gegangen und – wirkte ziemlich verärgert."

Ich stöhnte und ging zur Tür, um für den Kellner und die restlichen Gäste nicht noch länger der Unterhaltungsknüller des Abends zu sein.

„Den reservierten Tisch benötigen Sie dann wohl nicht mehr?" Ich warf Luigi Arroganto noch einen bösen Blick zu und verließ das Lokal. Bei den Dreisams angekommen suchte ich im Telefonbuch nach der Privatnummer von Alexa Schnittler. „Schnittler A., An der Bresche 3 – 35343." Herr Dreisam ließ mich zum Glück allein, als ich die Nummer wählte. Besetzt. Ich versuchte es mehrfach, nach einer Viertelstunde nochmal, nach einer halben Stunde. Immer besetzt. Schnittler, A. hatte offensichtlich den Hörer danebengelegt, und ich konnte sie gut verstehen.

Am nächsten Morgen versuchte ich es dann in der Tierarztpraxis.

„Frau Schnittler ist nicht zu sprechen", wies man mich ab. Sie sei „heute überhaupt nicht mehr zu sprechen." Klar, so hätte ich auch reagiert. Ich wartete bis Mittag ab, weil ich hoffte, sie zum Mittagessen einladen zu können. Um zwölf kaufte ich einen Strauß Tulpen – Rosen wären zu kitschig gewesen – und marschierte zum zweiten Mal in die Tierarztpraxis hinein. Als ich bei der Sprechstundenhilfe nach Frau Schnittler fragte, zeigte man mir offen die kalte Schulter. „Frau Schnittler möchte nicht gestört werden. Können Sie das denn nicht verstehen?"

„Aber es ist wichtig", beharrte ich, „ich muß ein Mißverständnis aufklären." Etwas Besseres fiel mir einfach nicht ein.

„Frau Schnittler ist beschäftigt, und dabei bleibt es." Im selben Moment ging eine Tür auf und Alexa Schnittler trat aus dem Behandlungszimmer. Als sie mich wahrnahm, verdunkelte sich ihre Miene. Ich trat ihr entgegen.

„Ich möchte mich entschuldigen. Es war so –"

„Es tut mir leid", unterbrach sie mich, „aber ich habe leider im Moment keine Zeit für Sie oder Ihren neurotischen Hund. Vielleicht wenden Sie sich besser an Herrn Dr. Hasenkötter persönlich!"

Auf eine solche Abfuhr war ich nicht vorbereitet gewesen. Noch während ich nach Worten rang, kam jemand aus dem Wartezimmer. Natürlich, es war der Schönling, den sie auch in der Kneipe im Schlepptau gehabt hatte. Er half Alexa in die Jacke, und beide gingen an mir vorbei nach draußen. Ich war zu perplex, um noch irgendetwas zu sagen.

„Selbst schuld!" meinte die Sprechstundenhilfe.

„Ich weiß", sagte ich trotzig, „aber es war wirklich ein dummes Mißgeschick. Ach, was rede ich überhaupt! Es hat ja doch keinen Sinn." Ich drückte der Frau hinter der Rezeption den Blumenstrauß in die Hand. „Hier, dann haben Sie wenigstens etwas davon!"

Als ich auf den Bürgersteig trat, sah ich gerade noch, wie Alexa Schnittler auf dem Beifahrersitz eines Sportcabrios davonbrauste. Ihre rötlichen Haare flatterten im Wind, als wollten sie mir höhnisch zuwinken.

9

„Jetzt erzähl erstmal, was überhaupt los ist!"
Alexa plapperte seit drei Minuten wilde Flüche durcheinander, ohne daß er etwas verstanden hatte. „Woher kennst du den Kerl überhaupt?"

„Das ist es ja", schimpfte Alexa wütend, „ich kenne ihn eigentlich gar nicht. Er kam gestern einfach frech weg mit irgendeinem ausgeliehenen Dackel in die Praxis und schwafelte irgendetwas von psychischen Problemen seines Hundes. Zunächst dachte ich, der hat einfach nicht alle Tassen im Schrank. Dann merkte ich, daß er nur einen Vorwand gesucht hatte, um mich zu einer Verabredung zu bewegen."

„Woher kannte er dich denn überhaupt?" fragte Hendrik dazwischen.

„Aus dem Q. Er war vorgestern auch da, als wir uns dort getroffen haben." Hendrik nickte.

„Auf jeden Fall fand ich seine Art ganz originell. Er hat mich zum Abendessen eingeladen, und ich habe zugesagt."

„Ist ja sonst nicht gerade deine Art, wenn du jemanden gar nicht kennst."

„Ich weiß. Aber mein Gefühl sagte mir, daß er wirklich ein netter Kerl ist. Außerdem wollten wir uns im *Bajazzo* treffen. Dort kann er mich ja nicht so ohne weiteres unter den Tisch zerren und vor Ort skalpieren."

„Weißt du denn wenigstens seinen Namen?"

„Ja klar. Vincent Jakobs heißt er. Er hat sich vorgestellt. Außerdem hat er erwähnt, daß er gerade erst hierher gezogen ist. Er sucht einfach Kontakt."

„Na reizend! Und dann hat er dich versetzt?"

Jetzt kam Alexa wieder richtig in Fahrt. „Und nicht nur das! Stell dir vor: Ich hetze mich ab, damit ich pünktlich bei – guck nicht so, es stimmt, ich war wirklich pünktlich –"

„Dann mußt du ja tatsächlich auf ihn stehen."

„Vergiß es! Also, ich kam völlig abgehetzt, aber echt in Schale geworfen dort an, aber er ließ sich einfach nicht blicken. Meine Wut stieg mit jeder Minute, die verstrich. Ach was, sie potenzierte sich. Schließlich hatte er mich unbekannterweise eingeladen! Nach einer Viertelstunde bin ich dann wutentbrannt abgedampft. Und jetzt kommt das Beste. Unterwegs habe ich ihn getroffen. Ich bin ihm im Auto entgegengekommen, und weißt du, mit welcher Schnecke er da durch die Gegend juckelte, während ich wie eine Doofe auf ihn gewartet hatte?"

„Ich kenne mich unter den heimischen Schnecken nicht so gut aus."

„Mit Friederike Glöckner, dieser überkandidelten Theatergans. Das ist ja wohl der Hammer!"

„Kenne ich die?" fragte Hendrik.

„Natürlich kennst du die. Sie hat in dem Theaterstück, in dem wir vor ein paar Monaten zusammen waren, die Hauptrolle gespielt."

„Ach, die vom Theater am Turm? Über deren Getue hast du dich damals schon so aufgeregt."

„Stimmt! Aber die Tucke kann mir ja wirklich egal sein. Nur, daß dieser unverschämte Typ mich derart veräppelt hat, das werde ich ihm nie verzeihen. Ach, was sage ich. Daß ich so blöd war, mich auf so etwas mit einem Wildfremden überhaupt einzulassen, das werde ich mir selbst nie verzeihen."

„Ach, Alexa", Hendrik streichelte ihr behutsam über die Hand, „das passiert uns allen mal. Beim nächsten Mal bist du schlauer. Komm, laß uns zum Trost etwas Schönes unternehmen!"

Alexa seufzte. „Weißt du was? Laß uns zu Strebens fahren!"

„Zu Strebens?" Hendrik pfiff durch die Zähne. Alexa war eine der sparsamsten Frauen, die er kannte, und Strebens war das beste und teuerste Restaurant der gesamten Umgebung.

10

Von der Tierarztpraxis aus ging ich in die nächste Telefonzelle und wählte Roberts Nummer. Ich mußte ihm unbedingt sagen, wie beschissen ich dieses sauerländische Nest fand. Nach zweimaligem Klingeln ertönte das Klicken des Anrufbeantworters. Es folgte die Eingangsmelodie von „Spiel mir das Lied vom Tod". Ich stöhnte. Robert hatte schon wieder seine Ansage geändert.

'Sehr geehrter Anrufer, sehr geehrte Anruferin! Es ist wirklich allzu schade, daß ich Sie nicht persönlich begrüßen und ein nettes Wort mit Ihnen wechseln kann. Vielleicht ließe sich dieses ja bei einer anderen schönen Gelegenheit nachholen. Hinterlassen Sie mir doch bitte zum Zwecke einer Kontaktaufnahme Ihre Telefonnummer. Mit den allerbesten Wünschen verbleibe ich Ihr Robert Weinand.' Es folgte erneut die Filmmusik und dann ein Pfeifton.

„Robert, deine Sprüche werden immer schlechter", begann ich, „meld dich trotzdem mal bei mir!" Ich nannte die Telefonnummer der Dreisams. „Es läuft einfach alles schief. Ruf heute abend an, wenn du dich an meinen neuesten Mißerfolgen laben willst! Wenn ich nicht da bin, bin ich wahrscheinlich gerade damit beschäftigt, meinen Frust in irgendeiner dämlichen sauerländischen Biersorte zu ertränken." Ich legte auf. Dennoch wollte ich diesen vergeigten Tag noch irgendwie sinnvoll nutzen und beschloß, zur Schule zu fahren. Auf dem Lehrerparkplatz standen diesmal zwei Autos. Schlechtgelaunt trottete ich zum Haupteingang. Er war offen, doch als ich um die Ecke guckte, war die Tür zum Sekretariat geschlossen. Auch nach mehrmaligem Klopfen tat sich nichts. Ich machte mich daher auf den Weg zum Lehrerzimmer. Als ich eintrat, störte ich eine kleine Gruppe auf, die in einer Besprechung war. Die vier Leute, drei Männer und eine Frau, saßen ziemlich dicht an der Tür und brachen ihr Gespräch abrupt ab, als ich hereinkam. Überrascht nahm ich wahr, daß HeSieda dabei war.

Also doch nicht ein übergeschnappter Hausmeister, sondern ein neurotischer Lehrer.

„Guten Morgen!" sagte ich selbstbewußt. „Mein Name ist Jakobs. Ich fange nach den Ferien hier als Geschichts- und Deutschlehrer an."

Ich sah mit Wohlgefallen, daß HeSiedas Gesichtsfarbe sich deutlich änderte.

„Ach, Herr Jakobs!" Einer der Männer stand auf, um mich zu begrüßen. „Radebach. Wir hatten indirekt schon miteinander zu tun. Schwester Gertrudis rief mich gestern an, um nach Ihren Unterlagen zu fragen. Darf ich Ihnen vorstellen: Frau Erkens, Herr Brussner und Herr Sondermann. Wir basteln gerade an der Stundenverteilung fürs nächste Halbjahr. Dabei hatten wir natürlich auch mit Ihnen zu tun."

Frau Erkens war eine hochaufgeschossene Frau, irgendwo zwischen vierzig und fünfzig. Ihre glatten Haare, deren Farbe sich undefinierbar zwischen dunkelblond, braun und grau bewegte, waren kurz und einfallslos geschnitten. Dazu paßte eine altmodische Brille und ihre ernsten Gesichtszüge. Sie musterte mich kritisch, doch ich versuchte, mich nicht verunsichern zu lassen. Herr Brussner war ein junger Kollege, klein, drahtig und mit einem Kopf voller brauner Locken. Am auffälligsten an ihm war seine lange Nase, die alle Aufmerksamkeit unweigerlich auf sich zog. Er grinste mich freundlich an. HeSieda, der mir unter seinem bürgerlichen Namen Sondermann vorgestellt worden war, nickte mir nur kurz zu.

Ich lächelte ihn herausfordernd an. „Wir hatten ja schon das Vergnügen", sagte ich hämisch.

„Alle Unterlagen, die ich zusammentragen konnte, habe ich in Ihr Fach gelegt. Ich habe Ihnen auch einige Sätze dazugeschrieben", sagte Herr Radebach und deutete auf mein Fach. „Vielleicht schauen Sie sich erst einmal alles an und fragen mich nochmal, wenn Sie Hilfe brauchen!"

Ich schien wirklich zu stören. Dieser Herr Radebach, der stellvertretende Schulleiter, hatte es eilig, mich wieder loszuwerden. Er wirkte eigentlich ganz sympathisch, ein ziemlich bulliger Typ mit Halbglatze und runder Brille. Ich dankte ihm und machte mich daran, die Blätter und Bücher durchzusehen, die er mir zurechtgelegt hatte. Eine Aufstellung der Klassen, die ich unterrichten sollte, lag zuoberst. Ich sah mit Erleichterung, daß ich fast ausschließlich in der Unter- und Mittelstufe eingesetzt war, in der Oberstufe hatte ich es vorerst nur mit einem Grundkurs der Jahrgangsstufe 11 zu tun. Ich errechnete vierzehn Stunden Deutsch und zehn Stunden Geschichte. Verschiedene Deutsch- und Geschichtsbücher waren zusammengestellt worden. Es waren die Bände, mit denen ich im kommenden Schuljahr arbeiten mußte. An die Aufstellung der Klassen war ein Auszug aus dem Lehrplan geheftet, in dem die relevanten Stellen angestrichen waren. Handschriftlich war hinzugefügt worden „Lieber Herr Jakobs, der Lehrplan wird Ihnen nicht allzu hilfreich sein. Am besten wäre es, wenn Sie sich mit der Frau des verstorbenen Herrn Langensiep in Verbindung setzten. Sie kann Ihnen sicherlich die Unterlagen Ihres Vorgängers ausleihen. Daran können Sie dann sehen, was die Klassen bisher gemacht haben. Die Anschrift von Frau Langensiep ist im Sekretariat zu erfragen. Mit freundlichen Grüßen, Radebach."

Ich blickte zu Radebach hinüber. Er hatte sich ja richtig Gedanken in meiner Angelegenheit gemacht. Im Moment war er halblaut in ein Gespräch mit den Kollegen vertieft, wobei nur manchmal Sondermanns tiefe Stimme zu vernehmen war. „– sehe ich gar nicht ein – macht der auch nicht – dann muß er die Konsequenzen eben tragen", waren einige Fetzen, die ich verstehen konnte. Ich nahm den Stapel mit Unterlagen und Büchern und wollte mich auf den Weg nach Hause machen. Als ich am Tisch mit meinen zukünftigen Kollegen vorbeikam, unterbrachen diese ihr Gespräch.

„Herr Jakobs, es tut mir leid, daß ich im Moment nicht mehr Zeit für Sie habe, aber wir sehen uns in der nächsten Zeit ja sicher noch häufiger." Radebach stand auf, blieb aber an seinem Platz stehen. „Wenn Sie Fragen haben, wenden Sie sich ruhig an mich. Ich stehe im Telefonbuch."

„Ja, gerne. Vielen Dank schon mal." Ich zeigte auf den Stapel, den ich unter einen Arm geklemmt hatte.

Einer der Kollegen – der, der Brussner hieß – schob seine Papiere zusammen. „Ich werde mich auch mal auf den Weg machen. Die Sportstunden sind ja jetzt geklärt. Mich brauchen Sie also nicht mehr." Er warf bei diesen Worten einen genervten Blick in die Runde und stand auf.

„Warten Sie, ich begleite Sie nach unten", sagte er zu mir und hielt mir die Tür auf. Wir verabschiedeten uns von den anderen und traten auf den Flur hinaus.

„Viel länger hätte ich es nicht ausgehalten", murmelte Brussner.

„Was war denn los?"

„Ach, diese Stundenbesprechungen sind unerträglich. Jedesmal werden dieselben Fragen durchgekaut. Sollten Kollegen, die von weit her kommen, bei der Stundenplanung begünstigt werden? Kann ein Lehrer acht Stunden am Stück unterrichten und und und. Aber ich will Sie nicht mit diesen Dingen belämmern. Sonst haben Sie schon im vorhinein keine Lust mehr auf diesen Laden."

„Gibt es denn hier soviel Ärger?" fragte ich vorsichtig.

„Eigentlich nicht. Ich habe nur, ehrlich gesagt, keine Lust, mich auch in den Ferien mit Stundenplänen zu beschäftigen. Noch dazu schon jetzt zu Ostern! Leider mußte ich an dieser Vorbesprechung teilnehmen, weil ich in diesem Schuljahr Fachvorsitzender in Sport bin. Unsere Stundenplanung wird meist eigenständig von uns Sportkollegen zusammengestellt und muß dann rechtzeitig an die Zentrale weitergegeben werden. Die Zentrale, das sind die Schulleitung, Sondermann und Erkens." Wir schlenderten nebeneinander die Treppe hinunter.

„Und Sie übernehmen die Stelle von Langensiep? Darf ich fragen – ist das Ihre erste Stelle?" Es war mir unangenehm, daß ich mich zu meiner völligen Unerfahrenheit bekennen mußte.

„Ja, ist es. Ich habe nach dem Referendariat bei verschiedenen Zeitungen gearbeitet. Na ja, und jetzt bin ich hier."

„Ich finde es gut, wenn die Leute nicht frisch von der Uni oder aus dem Referendariat an die Schule gehen. Lehrer sollten schließlich ausreichend Welterfahrung mitbringen." Brussner grinste.

„So habe ich das noch gar nicht gesehen. Auf jeden Fall werde ich in den nächsten Wochen viel Arbeit haben. Ich muß mich mit allem erst wieder vertraut machen." Der Lockenkopf nickte. Wir standen jetzt neben der Tür zum Sekretariat.

„Jedenfalls haben Sie bei den Schülern einen Bonus. Langensiep war mehr als unbeliebt. Da können Sie eigentlich nur gewinnen."

„Die Sache mit seinem Unfall ist mir schon zu Ohren gekommen. Meinen Sie, ich kann mich bei seiner Frau melden, um nach seinen Unterlagen zu fragen? Sie ist doch sicher noch ganz verstört."

„Hm. Das Ganze ist jetzt drei Monate her. Ich glaube, da können Sie einen Besuch bei der schönen Regine schon wagen."

„Sie scheinen ja die ganze Familie zu kennen", warf ich ein.

„Na, bei Regine endet die Familie auch schon. Kinder sind nämlich nicht vorhanden. Und Dr. Regine Langensiep kennt in der Stadt eigentlich jeder. Sie ist Ärztin am hiesigen Krankenhaus und bekannt für ihr atemberaubendes Aussehen. Kurz: sie ist eine Schönheit."

„Na, dann werde ich mir mal ihre Adresse besorgen", sagte ich und ging auf die Sekretariatstür zu.

„Sie wohnt irgendwo Richtung Bieringsen, ziemlich weit außerhalb, soweit ich weiß. Da in der Gegend geh ich schon mal joggen. Laufen Sie auch? Ich suche immer mal jemanden, der mitläuft."

„Hören Sie damit auf!" sagte ich, da die ganze Erinnerung an den gestrigen Abend wieder hochkam. „Ich habe mich gestern im Wald schrecklich verlaufen. So wurden aus einer Stunde Laufen ungefähr drei."

„Ein Grund mehr, sich mir anzuschließen", folgerte Brussner, „ich sprech Sie nochmal drauf an." Er winkte mir zu und ging dann zu seinem Auto.

Im Sekretariat saß Schwester Gertrudis und hatte ihren Kopf in einen Arm gestützt. Sie sah deutlich mißgelaunt aus. Als ich hereinkam, lächelte sie einmal kurz.

„Welche Laus ist Ihnen denn über die Leber gelaufen?" fragte ich aufmunternd.

„Sie können Fragen stellen. Haben Sie es denn noch nicht gehört?"

Ich überlegte einen Augenblick, ob vielleicht der Papst das Zeitliche gesegnet hatte. „Hat es etwas mit Kirche zu tun?" fragte ich, als würde ich an einem Fernsehquiz teilnehmen.

Schwester Gertrudis stöhnte. „Unsinn! Dortmund hat gestern abend gegen Arsenal London verloren. Stellen Sie sich das vor!"

Ich glaubte meinen Ohren nicht zu trauen. „Schwester Gertrudis, sind Sie etwa ein echter Dortmund-Fan?"

„Ja, was meinen Sie denn? Glauben Sie, ich halte zu Schalke?"

Ich hielt wohl besser den Mund. Meine Vorstellungen über Nonnen mußte ich jedenfalls grundlegend revidieren. Ich fragte nach der Adresse der Langensieps. Während Schwester Gertrudis mir auseinanderlegte, warum die Mannschaftsaufstellung am Vorabend nicht zum Erfolg hatte führen können, schob sie mir einen Zettel mit Anschrift und Telefonnummer meines Vorgängers über den Tisch. Plötzlich fiel mir ein, daß ich den Telefonanruf gut von der Schule aus führen konnte. Schwester Gertrudis hielt mir den Hörer hin, und ich wählte Frau Langensieps Nummer. Es schellte sicherlich zehnmal, bevor jemand abnahm.

„Ja?" meldete sich eine verschlafene Stimme. Ich war verunsichert.

„Entschuldigen Sie bitte die Störung! Hier ist Vincent Jakobs. Ich übernehme am Elisabeth-Gymnasium die Klassen Ihres verstorbenen Mannes und wollte Sie daher bitten – Entschuldigung, aber habe ich Sie gestört?"

„Ich habe geschlafen", sagte Frau Langensiep leise, „ich komme gerade erst aus dem Krankenhaus. Ich hatte Nachtdienst."

„Das tut mir furchtbar leid! Am besten melde ich mich ein andermal wieder."

„Jetzt bin ich wach. Was kann ich für Sie tun?" Frau Langensieps Stimme gewann an Festigkeit.

„Nun, ich muß mich in den Stoff der Klassen einarbeiten, die Ihr Mann unterrichtet hat. Es wäre mir eine große Hilfe, wenn ich Einblick in die Unterlagen Ihres Mannes nehmen könnte, um zu sehen, was er an Themen gemacht hat. Natürlich nur, wenn es Ihnen nichts ausmacht."

„Ich habe die Schulsachen selbst noch nicht angeschaut", sagte Frau Langensiep ruhig, „aber wenn Sie allein zurechtkommen, können Sie sich heraussuchen, was Sie brauchen."

Wir verabredeten einen Termin am Nachmittag, und ich legte auf. Ich bin nicht gerade jemand, der sich auf die Interpretation von Stimmen versteht, aber irgendetwas in der Stimme von Frau Dr. Regine Langensiep machte mich ungeheuer gespannt auf sie.

11

Die Fahrt zum Hause der Langensieps war eine Odyssee, und das einzig und allein, weil ich versucht hatte, mich nach Schwester Gertrudis' Anweisungen zu richten. Sie hatte mir eine Skizze gemalt, die an den Lageplan einer Schatzsuche erinnerte. Hier und da waren Bäume eingezeichnet, die besonders auffällig sein sollten, auch ein Seniorenwohnheim sowie der Name eines Obsthändlers fehlten nicht. Straßen, Kreuzungen und Ampeln waren dagegen nur andeutungsweise hingemalt worden. Fluchend graste ich ein Wohngebiet nach dem anderen ab, bei jeder Bodenwelle, die zur Verkehrsberuhigung angelegt war, ein Prosit auf Schwester Gertrudis ausstoßend. Ich hätte daran denken sollen, daß die WDR4-Nonne die Welt nur aus Fußgängerperspektive kannte. Während ich eine scheintote Straße entlangfuhr, fragte ich mich sogar, ob Schwester Gertrudis bis zu diesem Teil der Außenwelt überhaupt jemals vorgedrungen war. Wahrscheinlich kannte sie die Gegend nur vom Hörensagen, und der Besitzer des eingezeichneten Obstladens war ein Vereinskamerad aus dem Dortmund-Fan-Club. Da endlich war die gesuchte Straße. Ich atmete erleichtert auf und pfefferte Gertrudis' Gekritzel in den hinteren Wagenteil, wo es das Schicksal des langsamen Verfalls nehmen würde. Ich hielt vor der Hausnummer 10 und stand vor einem modernen, großen Haus mit einem verwilderten Vorgarten. Eins war auf den ersten Blick klar. Das Ehepaar Langensiep war durchaus wohlhabend. Nicht ohne Neid marschierte ich an einem schwarzen Golf Cabrio vorbei, das in der Einfahrt parkte, und schellte. Erst nach dem zweiten Klingeln wurde mir geöffnet. Die Frau vor mir hielt den Türgriff in der Hand, als wolle sie sich noch überlegen, ob sie mich hereinließe.

„Guten Tag." Ich erkannte ihre markante Stimme sofort wieder. Die Stimme gehörte zu einer Person, die man nur als makellos bezeichnen konnte. Regine Langensiep, die ich auf etwa vierzig schätzte, hatte eine olivbraune Haut, dunkle Augen und ein irgendwie römisch geformtes Gesicht. Dunkelbraune, glatte Haare fielen ihr locker auf die Schultern. Sie war schlank und groß und hätte ohne Probleme als Model arbeiten können.

„Guten Tag", stammelte ich – wieder mal so, als fragte mich die Lehrerin am ersten Schultag, wie ich kleiner Wutz mich denn in ein Klassenzimmer verirrt hätte. Ich schluckte gerade ein Räuspern herunter, als Frau Langensiep mich hereinbat.

„Ich will Sie wirklich nicht lange stören", versuchte ich meine Gegenwart irgendwie einzuschränken.

„Kein Problem", Frau Langensiep winkte ab, „möchten Sie einen Kaffee?" Ich bejahte und folgte ihr in die Küche. „Ich bin gerade beim Aufräumen", erklärte sie beim Gehen, „fallen Sie ja nicht über die Kartons." Sie deutete mit ihrem nackten, sonnengebräunten Fuß auf ein paar Kisten, die in einer Ecke standen.

„Ziehen Sie um?"

„Nein, das nicht, aber –" sie stockte „– ich möchte ein paar zu deutliche Erinnerungen an meinen Mann auslagern. Es ist einfach nicht so toll, wenn seine Jacken noch im Schrank hängen, als wolle er sie morgen anziehen."

„Das kann ich gut verstehen". Die Situation war angespannt. „Ich habe vom Unfall Ihres Mannes gehört. Es tut mir sehr leid." Wir waren inzwischen in der Küche angekommen, und Frau Langensiep goß Kaffee in zwei große blaue Tassen. Sie reichte mir eine. „Nehmen Sie Milch oder Zucker?" Ich goß mir etwas Milch ein.

Dann folgte ich ihr von der Küche aus ins Eßzimmer, das einen Blick auf einen wunderschönen, urigen Garten erlaubte. Dahinter schloß sich sofort der Wald an. Ich blieb an der zweiflügligen Terrassentür stehen und staunte. Frau Langensiep stand neben mir und nippte an ihrer Tasse. Sie schien den Blick ebenfalls zu genießen.

„Kommen Sie von hier?" wollte sie wissen.

Ich erzählte ihr, wie es mich an die Schule verschlagen hatte.

„Oh je", da werden Sie sich erstmal einleben müssen", entgegnete Regine Langensiep.

„Ist das so schwer?"

„Nun, ganz leicht ist das sicher nicht immer. Obwohl ich da gar nicht mitreden kann. Ich bin hier aufgewachsen und habe die Stadt nie großartig verlassen, außer zum Studium natürlich. Aber da habe ich es auch nur bis Münster geschafft." Regine Langensiep lachte verlegen.

„Dann sind Sie also ein echtes Sauerländer Kind!" sagte ich und fand die Bemerkung im selben Augenblick dämlich.

„Na ja, geboren bin ich woanders, aber das ist eine andere Geschichte." Regine schien nicht länger darüber sprechen zu wollen.

„Mein Mann, der hat wirklich schon immer hier gewohnt. Er stammt aus einer alten Handwerkerfamilie hier am Ort. Wir haben gemeinsam in Münster studiert, danach bekam Bruno dann eine Stelle am Elisabeth-Gymnasium. Es war auch damals nicht leicht, eine Stelle als Lehrer zu bekommen. Ich bewarb mich auf gut Glück bei den umliegenden Krankenhäusern und wurde tatsächlich in Arnsberg genommen – das ist ja nicht weit von hier. Später bin ich dann hierhin gewechselt. Es klappte sozusagen alles optimal. Bis das große Glück dann plötzlich endete." Bei diesen Worten schaute Regine Langensiep mich direkt an, und ich bekam ein verspanntes, müdes Gesicht zu sehen.

„Ich halte Sie wohl viel zu lange auf." Mein Gegenüber stellte hastig die Kaffeetasse auf den Tisch. „Ich zeige Ihnen jetzt mal das Arbeitszimmer meines Mannes."

Ich trank hastig meinen letzten Schluck Kaffee aus und folgte ihr in den Flur. Das Arbeitszimmer lag im hinteren Teil des Hauses, aber auf derselben Etage. Als ich eintrat, war ich hingerissen von seiner Größe. Ein riesiger Eichenschreibtisch stand vor dem großen Fenster und lud mehr zum Hinausschauen als zum Arbeiten ein. Die Regale an den Wänden waren allerdings ziemlich unaufgeräumt, sogar auf dem Boden standen verschiedene Stapel mit Büchern und Mappen herum.

„Die Polizeibeamten haben das ganze Haus auf den Kopf gestellt", erklärte Regine Langensiep, „der Unfallhergang war anfangs nicht ganz klar. Man hat vor allem nach einem Abschiedsbrief gesucht, weil man zunächst annahm, daß Bruno Selbstmord begangen hat. Na ja, die Durchsuchung der Polizei erklärt nicht allein, warum hier alles herumliegt. Bruno war ziemlich unordentlich. Das meiste dürfte er wohl selbst zu diesem Chaos beigetragen haben."

„Bei mir sieht's schlimmer aus", warf ich ein.

„Ich war seit seinem Tod kaum mehr hier drin", sagte Regine leise, „hier werde ich wohl ganz zum Schluß aufräumen."

„Ich finde mich schon zurecht", sagte ich und ging zielstrebig auf ein Geschichtsbuch zu, das mir bekannt vorkam. Die Unterlagen für die Unterrichtsvorbereitung werden ja vielleicht noch beisammenliegen."

„Wenn es Ihnen nichts ausmacht, gehe ich nach oben und miste weiter aus", schlug Regine vor. „Wenn Sie mich brauchen, rufen Sie mich."

Ich ließ mich auf dem behäbigen Lederstuhl nieder und blickte unweigerlich auf ein Foto, das in einem goldenen Bilderrahmen auf dem Schreibtisch stand. Das Ehepaar Langensiep zweifelsohne. Er, groß und dünn mit ziemlich lichtem Haar und Brille. Nicht gerade der Mann, den ich mir bei solch einer attraktiven Frau vorgestellt hatte. Er wirkte ernst, ja, er machte auf mich sogar einen ausgesprochen humorlosen Eindruck. Er hatte seinen Arm durch den seiner Frau geschoben. Sie, Regine, schaute zur Seite. Sie lächelte, wirkte aber trotzdem distanziert. Ich blickte lange auf das Bild und stellte es dann seufzend weg. Arbeitsam zog ich den Stapel mit Papieren heran, den ich zuerst durchschauen wollte. Leider war Bruno Langensiep beileibe kein Pedant gewesen. Es fanden sich zwar nach einigem Suchen Mappen, die bestimmten Klassen zugeordnet waren, doch waren daraus offenbar etliche Blätter zum Kopieren entnommen worden, die nun verstreut herumlagen. Ich machte mir auf dem Fußboden Platz und ordnete alles Brauchbare verschiedenen Stapeln zu. Zwischendurch vertiefte ich mich in ein paar Texte, weil es mich interessierte, was für einen Unterricht mein Vorgänger gemacht hatte. Anmerkungen zu Max von der Grüns *Vorstadtkrokodile,* wahrscheinlich Stoff der fünften oder sechsten Klasse. Kurzgeschichten von Gabriele Wohmann. Klasse 9 oder 10, schätzte ich. Barocke Lyrik, wahrscheinlich für die Stufe 11. Gryphius, natürlich. Ein paar eingesammelte Hausaufgabenblätter als Interpretation zu einer Barockparodie. Dazwischen eine Zahnarztrechnung von einem Dr. Braun. Dann ein paar getippte Seiten über Rechtschreibregeln. Ein paar Sachen waren mit einem Textmarker gekennzeichnet worden. Ich überflog den Inhalt, bis ich unter den Regeln eine handschriftliche Notiz entdeckte: *Auf Leben und Tod. Entscheidung bis März. Sonst Ende.* Ich stockte. Auf Leben und Tod. Was das wohl zu bedeuten hatte? Ob Bruno Langensiep seinen Unfall im vorhinein erahnt hatte? Spiritistische Sitzungen fegten mir durch den Kopf, bis ich mich selbst zur Vernunft rief. Dann kam mir ein anderer Gedanke. „Sonst Ende" – ob der Sonst-Fall vielleicht eingetreten war? Kurz: Hatte mein Vorgänger Selbstmord begangen, weil irgendetwas nicht eingetroffen war, wie er es erhofft hatte? Tausend Dinge waren möglich. Vielleicht war Langensiep bedroht worden und diese Notiz deutete auf einen Mord hin. Ich fragte mich, ob die Polizei auf diese Aufzeichnungen gestoßen war. Natürlich, sagte ich mir. Schließlich war es ihr Job, solche Dinge zu untersuchen. Andererseits waren diese paar Worte inmitten der Unterrichtsunterlagen mehr als unauffällig. Neugierig geworden blätterte ich weiter in den Papieren. Die Sachthemen interessierten mich nun nur noch am Rande. Ich schaute vor allem nach handschriftlichen Bemerkungen. Bruno Langensiep schien öfter banale Alltäglichkeiten auf seine Arbeitsblätter gekritzelt zu haben. *Wein holen!* stand gleich zweimal auf einem Übungsdiktatzettel. Am Rande einer geschichtlichen Quelle über Ludwig XIV. war eine komplette Einkaufsliste zu finden. Zum Nachdenken veranlaßte mich allerdings nur noch eine Bemerkung, die unter den Notenspiegel einer Klassenarbeit gekritzelt war: *15 Uhr Dr. E. anrufen wegen „Befund".* Warum war Befund in Anführungszeichen gesetzt, fragte ich mich als

Journalist sofort. Um was für einen Befund handelte es sich wohl? Fast gleichzeitig mit der Frage schoß mir eine komplette Schicksalsgeschichte in den Kopf. Bruno Langensiep hatte von einem Krebsleiden erfahren, mit dem er nur noch kurze Zeit zu leben hatte. Um sich ein schmerzhaftes Ende zu ersparen, hatte er sich das Leben genommen, allerdings so, daß es wie ein Unfall aussah. Wahrscheinlich, um seine Frau zu schonen. Ich blickte das Foto erneut an und überlegte, ob diese Frau geschont werden mußte.

„Sie kommen zurecht?" ertönte es plötzlich hinter mir. Ich fuhr herum. Regine Langensiep war so leise hereingekommen, daß ich nichts bemerkt hatte.

„Danke", stotterte ich, „ich bin sowieso jetzt fertig." Ich packte die Stapel zusammen, die ich mir aussortiert hatte. „Kann ich die Unterlagen mitnehmen und mir Teile daraus kopieren?" fragte ich.

„Behalten Sie sie!" war die Antwort. „Ich werde nie anfangen, mich für den Unterrichtsstoff der Klasse 7 zu interessieren. Ich kann daher nichts damit anfangen." Ich dankte ihr und entschuldigte mich für mein Stören.

„Nicht der Rede wert", sagte Regine Langensiep, „wenn Sie nochmal etwas brauchen, melden Sie sich ruhig."

Auf der Rückfahrt zur Pension überlegte ich lange, ob ich Regine Langensiep von meinem Fund hätte berichten sollen. Ich schob vor, daß es sich um eine leicht erklärbare Bagatelle gehandelt haben könnte, mit der ich mich geradezu lächerlich gemacht hätte, wenn ich sie ihr vorgetragen hätte. Aber das, so entdeckte ich, war nicht der Grund für mein Schweigen gewesen. Regine Langensiep hatte auf mich ungeheuer verletzlich gewirkt, was sie durch eine gewisse Kühle zu überspielen schien. Ich stimmte wohl mit Bruno Langensiep darin überein, daß seine Frau geschont werden sollte.

12

Die Dreisams kannten die Familie Langensiep natürlich auch. „Der Alte war ein schlimmer Mensch", sagte Hilde Dreisam, und sie sprach mit soviel Überzeugung, daß man es schlichtweg glauben mußte. „Ein Mann so breit wie die Kleiderschränke, die er selbst gezimmert hat, mit einer Stimme, lauter als alle seine Kreissägen."

„Und der Lehrer, der mein Vorgänger war, war der das einzige Kind?"

„Bruno Langensiep war der einzige Nachkomme", nickte Ludwig Dreisam, „abgesehen von der Ziehtochter natürlich. Der Bruno hat was zu hören gekriegt, als er den Betrieb nicht übernehmen wollte. Studieren wollte er. Ich glaube, der Alte hätte ihn totgeschlagen, wenn die Mutter nicht gewesen wäre."

„Am Ende war er ein Tyrann wie sein Vater", brummte meine Wirtin, „die Schüler haben ihn nicht gern gehabt."

„Der war schon in Ordnung, der Junge", konterte Ludwig, „der hat doch nur unter seinem Vater gelitten."

„Jaja, das sind so Familienschicksale", sagte Hilde Dreisam nachdenklich, „und das von den Langensieps, das scheint gar kein Ende zu nehmen.". Plötzlich wurde sie hektisch. „Ludwig, es ist schon sieben. Der plattdeutsche Abend beginnt jeden Moment."

Die beiden alten Leute zogen sich hastig ihre Mäntel über und drückten mir einen Zettel in die Hand.

„Da waren noch Anrufe für Sie. Sie können ruhig unser Telefon benutzen, schreiben Sie nur die Einheiten auf."

Ich winkte den beiden nach und las dann die Nachrichten, die mit spitzer Handschrift aufgeschrieben waren.

1. *Anruf von einem Herrn Weinand. Bitte Rückruf.*
2. *Max Schneidt hat sich wegen Wohnung gemeldet.*
   Erreichbar unter 2525.

Zunächst versuchte ich es bei Robert. Kaum hatte ich mich gemeldet, fing er direkt an zu frotzeln. „Vincent, mein liebes Kind. Was ist passiert? Hat dich ein unartiger Schüler mit einer Mistgabel verfolgt?"

„Es sind Ferien", erinnerte ich ihn griesgrämig, „bisher habe ich noch keinen Schüler zu Gesicht bekommen."

Es war mir etwas peinlich zu erzählen, daß ich mich bei Alexa Schnittler dümmer angestellt hatte als Donald Duck, wenn er um Daisy wirbt. Ich hielt mich damit deshalb nicht länger auf als nötig und berichtete vielmehr, daß ich im Hause meines Vorgängers 007-mäßige Entdeckungen gemacht hatte. Robert schäumte weder vor Mitgefühl noch hatten ihm meine James-Bond-Abenteuer imponiert. Statt dessen hielt er mir eine Standpauke, die sich gewaschen hatte.

„Also, was diese supernette, sympathische, aufregende, patente Frau angeht – vergiß es! So, wie du dich danebenbenommen hast, würde ich mich nicht mehr unter ihre Augen trauen. Schreib ihr einen netten Entschuldigungsbrief und hör auf, sie zu nerven! Außerdem ist es doch sonst nicht deine Art, dich in wildfremde Frauen zu vergucken und ihnen nachzustöbern. Die sauerländische Luft scheint dich ja ziemlich abenteuerlustig zu machen. Auch bezüglich dieses Paukers, dessen Stelle du gekriegt hast, bist du etwas überdreht. Die paar Worte, die du da aufgetan hast, müssen überhaupt nichts bedeuten. Die Polizei scheint sich ja schließlich mit diesem Fall beschäftigt zu haben. Ich gebe zu, daß dort nicht immer Intelligenzbestien herumirren. Aber etwas Vertrauen könntest du schon haben. Also, laß den Knaben ruhen und freu dich, daß er dir sein Monatsgehalt überlassen hat!"

Nach einem viertelstündigen Gespräch hatte mein Freund mich überzeugt – sowohl was meine allzu phantasievollen Ideen hinsichtlich Bruno Langensieps Tod anging als auch was die Aussicht auf ein weiteres Treffen mit Alexa Schnittler betraf. Ich versprach, mich zu melden, sobald ich die wichtigsten Dinge hier vor Ort hintereinander hatte. Danach versuchte ich es bei Max Schneidt, der wohl der Lebensretter-und-Biersorten-Max sein mußte. Es hob gleich jemand ab. „Taxi Bern. Guten Abend", meldete sich eine leicht gelangweilte Frauenstimme.

„Vincent Jakobs. Ich möchte gerne Max Schneidt sprechen. Bin ich da –"

„Max!" brüllte die Stimme, ohne noch ein weiteres Wort an mich zu verschwenden. Ich wartete einen Moment.

„Ja", vernahm ich dann eine etwas heisere, junge Stimme.

„Vincent Jakobs hier", sagte ich, „du hast dich eben bei mir wegen einer Wohnung gemeldet?"

„Ach so, du bist das." Die Stimme wurde verbindlicher. „Mein Chef hat hier im Haus eine Wohnung leerstehen. Und da Lutz mir erzählt hat, daß du eine Wohnung suchst, dachte ich mir, es wäre ja ein netter Zug, wenn ich mich mal melde."

„Wirklich ein netter Zug", antwortete ich. „Wann kann ich mir die Wohnung denn mal ansehen?"

„Jetzt zum Beispiel", sagte Max, „der Schlüssel hängt hier, und ich habe gerade Fahrpause. Ich kann sie dir zeigen."

„In Ordnung, ich hab jetzt Zeit!" sagte ich. „Wo muß ich denn hin?"

„Borkeallee. Kennst du die?" Ich verneinte.

„Also, wenn du aus der Fußgängerzone kommst an der alten Post links, dann an der nächsten Ampel rechts, weil man nur über die Kaiserstraße –"

„Moment, Moment", unterbrach ich ihn, „ich muß mir das aufschreiben." Ich wollte gerade nach Block und Stift kramen, als Max Schneidt mich unterbrach.

„Bevor ich hier lange rumfasele, hole ich dich eben bei den Dreisams ab. Bis gleich." Ich konnte mich kaum über soviel Entgegenkommen wundern und gerade noch meine Jacke aus dem Zimmer holen, als es schon schellte. Vor der Tür stand Max und grinste.

„Hallo? Ist dir der Abend bekommen?"

Ich grummelte irgend etwas und ging mit ihm zum Taxi, das direkt vor der Tür in der Fußgängerzone stand.

Im Auto zündete sich Max eine Zigarette an. Ich fragte ihn nochmal nach der Wohnung.

„Also, die gehört Bern, meinem Chef. Sie ist in dem Haus, in dem im Erdgeschoß die Taxizentrale untergebracht ist. Im Haus wohnen außerdem noch zwei ältere Damen, die beide exzellent backen, wie ich aus eigener Erfahrung bestätigen kann." Max grinste. „Das Dachgeschoß steht seit zwei Monaten leer. Eigentlich wollte mein Chef es für seine Eisenbahn nutzen, aber jetzt hat er sich doch fürs liebe Geld entschieden. Heute hat er mir erzählt, daß sie möglichst schnell vermietet werden soll. Mein Chef hatte bisher nur noch keine Zeit, sich drum zu kümmern."

Ein paar Minuten später standen wir vor der Taxizentrale. Ich folgte Max in ein schäbiges Büro im Erdgeschoß, das nach kaltem Rauch stank.

„Hey Tina", grüßte Max, „ich geh mal nach oben."

„Schon klar." Unverkennbar dieselbe gelangweilte Stimme wie eben am Telefon. Tina hockte auf einem Barhocker an einer Art Arbeitstheke vor dem Telefon und war über eine Illustrierte gebeugt. Sie hatte etwas ausgehangene Locken, die unmißverständlich auf eine neue Dauerwelle warteten. Ihr Gesicht war lang und stark geschminkt. Den einen Ellenbogen hatte sie auf den Tisch gestützt. Offensichtlich löste sie gerade ein Kreuzworträtsel, denn mit der anderen hielt sie einen Kuli in den Mund und nuckelte nachdenklich daran herum. Ihre Fingernägel waren feuerrot lackiert und ihre Haut zeugte von einem Abo auf der Sonnenbank.

„Musikinstrument mit sieben Buchstaben", murmelte sie plötzlich mit einer fast beängstigenden Monotonie, als wir schon fast wieder aus dem Zimmer waren. Ich schaute noch einmal zur Tür herein.

„Klavier." Tina blickte erstaunt auf und sah beinahe wie ein lebendiger Mensch aus.

Das Treppenhaus war ziemlich bieder eingerichtet. Die Stufen waren mit einem pflegeleichten, aber häßlichen Teppich überzogen, und vor den beiden Wohnungstüren, an denen wir vorbeigingen, stand je ein Blumenständer mit einer unecht aussehenden Pflanze darauf. Im ganzen Flur muffelte es ein wenig sonderbar. Ganz oben angelangt öffnete Max die Wohnungstür und ließ mir den Vortritt. Der erste Eindruck war nicht gerade einladend. Überall hing die Tapete in Fetzen herunter, und der Teppichboden war in allen Räumen so fleckig, daß man an ein Muster glauben konnte. Die Fenster waren geradezu blind vor Schmutz.

„Ich glaube, es ist gar nicht so schlimm, wie es aussieht", ermunterte mich Max, „tapezieren muß man ja sowieso meistens. Na ja, ein neuer Teppich muß auch rein, aber guck mal hier – ein super Blick auf die Borke." Max hatte an einem Fenster ein Guckloch freigewischt und tatsächlich – man hatte eine fabelhafte Aussicht auf den Fluß, der von wunderschönen alten Trauerweiden eingefaßt war. Ein Fußweg führte unmittelbar am Fluß vorbei. Ich schaute mich wieder in der Wohnung um und versuchte mir vorzustellen, wie ich sie einteilen würde. Zwei Zimmer, eins riesig und eins mittelgroß, eine kleine Küche und ein Bad.

„Irgendwas fehlt hier", bemerkte ich.

„Richtig, die Toilette", antwortete Max. Er führte mich wieder aus der Wohnung heraus, ein halbes Stockwerk nach unten. „Die ist hier", er öffnete die Tür, „etwas abseits, aber immerhin ganz für dich alleine."

Wir gingen wieder nach oben, und ich schaute mir alles noch einmal in Ruhe an. Die Fenster waren doppelverglast, so daß man nicht jedes Taxi schon am Motorgeräusch erkennen würde. Leitungen und Armaturen wirkten in Ordnung.

„Was will dein Chef denn dafür haben?" fragte ich beiläufig.

„400 plus Nebenkosten", antwortete Max. Ich schaute ungläubig. Ich hatte mit dem Doppelten gerechnet.

„Aber du mußt selber renovieren."

„Kein Problem!" antwortete ich, „ich nehme die Wohnung."

Als wir zurück ins Büro kamen, hatte ich das Vergnügen mit Max' Chef. Wir setzten uns auf eine ausgediente Couch und füllten einen Mietvertrag aus. Bern hatte ihn sich wohl kurz vorher in einem Schreibwarenladen besorgt, fand aber bei näherem Hinsehen das meiste darin überflüssig. Nach einer Viertelstunde hatten wir alles Nötige geregelt und den Mietbeginn auf sofort festgelegt. Bern händigte mir die Schlüssel aus und vergaß nicht, mir seine Kontonummer zum Überweisen der Miete aufzuschreiben. Ich bedankte mich bei Max für seine Hilfe und verabredete mich mit ihm für einen der nächsten Tage im *Quatsch*.

Als ich hinausging, ließ ich es mir nicht nehmen, mich von Tina zu verabschieden, die immer noch in ihr Kreuzworträtsel vertieft war.

„Tschüß", murmelte sie halblaut, blickte aber nicht nach oben. Als ich schon fast aus der Tür war, kam der Nachsatz.

„Nicht Klavier, sondern Violine." Tina hatte noch immer nicht den Blick von ihrer Illustrierten gewandt, während sie das sagte, aber ich meinte doch einen Hauch von Grinsen auf ihrem Gesicht entdeckt zu haben.

13

Die folgenden Tage waren für das Renovieren meiner neuen Wohnung eingeplant. Alle Räume mußten neu tapeziert und gestrichen werden. Der alte Teppichboden mußte raus, und der Untergrund darunter wirkte nicht gerade eben. Mir wurde schnell klar, daß ich all das bis zum Schulbeginn allein nicht schaffen konnte, vor allem da mir meine altbewährten Freunde fehlten. Max als Alteingesessener gab mir deshalb den hundertprozentigen Tip. Er ging mit mir am nächsten Tag zum ortsansässigen Teppichmarkt, und dort erlebte ich meine erste Überraschung. Der Inhaber entpuppte sich als der Lockenkopf, der mir bei meinem ersten Besuch im Bistro den Weg zu den Dreisams beschrieben hatte. Der Teppichmensch namens Erwin Grote schickte mir nach einem kurzen Gespräch mit Max noch am selben Abend eine Truppe von fünf Alleskönnern, die sich meine neue Wohnung anguckten und nach zwei Minuten und vier Zigaretten pro Kopf meinten, sie bräuchten zwei Tage. Mir sollte es recht sein. Ich überließ den Experten das Feld und versuchte lediglich, ihnen möglichst wenig im Wege zu stehen. So langsam bekam ich eine Ahnung von dem, was Laura mir damals über diese Stadt prophezeit hatte.

Ich gewann mehr und mehr den Eindruck, daß mir immer dieselben Menschen unter die Augen traten. Oder besser: Denen, die ich kannte, begegnete ich immer wieder. So traf ich den Teppichbodenverkäufer, den ich im Bistro kennengelernt hatte, nicht nur in seinem Laden wieder, sondern zwei Tage später schon in einem Möbelhaus, wo er mich prompt mit seiner Freundin, einer Heilpraktikerin, bekannt machte. Dieser begegnete ich gleich am nächsten Tag wieder, als sie auf der Straße in ein Gespräch mit Roswitha Breding, meiner neuen Kollegin, vertieft war. Roswitha lud mich bei dieser Begegnung zu einer Party in der kommenden Woche ein. Max sah ich täglich mindestens dreimal, wenn er mit dem Taxi zur Zentrale kam. Er besuchte mich sogar am Freitag abend, als ich gerade dabei war, die Wohnung von den Hinterlassenschaften der Expertentruppe zu befreien. Während ich die Abdeckfolie im Bad entfernte, erläuterte er mir als langjähriger Sauerlandkenner die eine oder andere Beziehung im städtischen Verwandtschafts- und Bekanntschaftsgeflecht. So war die genervte Bibliothekarin, die mir bei meiner Lyrikrecherche in der Stadtbücherei aufgefallen war, eine Nichte der Dreisams. Außerdem erfuhr ich, daß der Mann von Laura, die im Café als Bedienung arbeitete, innerhalb von zwei Monaten an Krebs gestorben war, so daß sie ihr Kind jetzt allein großzog, aber mittlerweile ganz gut über die Runden kam. Ich fragte Max auch nach den Kollegen vom Elisabeth-Gymnasium. Von denen kannte er allerdings nur wenige. Er nannte einige Namen, die ich bisher noch nicht gehört hatte. Als der Name Bruno Langensiep fiel, spitzte ich die Ohren.

„Hast du etwas über seinen Unfall gehört?" fragte ich ihn neugierig, während ich einen Streifen Abklebeband vom Badewannenrand zog.

„Allerdings", entgegnete Max zu meiner Überraschung, „schließlich fahre ich den Chef der hiesigen Polizeistation, den Bockmann, jeden Freitag vom Kegeln nach Hause. Und damals, als die Sache gerade passiert war, hat er mich ein- oder zweimal damit vollgelabert. Es gab da so ein paar Unklarheiten, z.B. warum der Langensiep sich überhaupt an den Rand des Steinbruchs gewagt hat. Kein normaler Mensch klettert doch so nahe am Rande eines Steinbruchs herum, wenn er Gefahr läuft hineinzufallen. Wenn er sich einen getrunken hätte, hätte man das Ganze ja noch verstehen können. Aber laut Bockmann war keinerlei Alkohol oder anderes Zeugs im Blut nachzuweisen. Auffällig war auch, daß der Langensiep mit steter Regelmäßigkeit sonntags immer so gegen zehn Uhr in den Wald stiefelte. An seinem Todestag jedoch war er schon um acht unterwegs. Jedenfalls sagte das seine Frau, die erst erwachte, als er schon weg war. Kannst du mir mal sagen, warum überhaupt jemand in dieser Herrgottsfrühe im Wald herumrennt?" Max stellte einen Besen zur Seite und setzte sich für eine Zigarettenpause auf den Badewannenrand.

„Irgendwie erschien dem Bockmann das alles etwas spanisch. Andererseits gab es keinen direkten Hinweis auf Mord oder Selbstmord. Es war knochentrocken und eiskalt, so daß noch nicht einmal die Fußspuren von dem Lehrer selbst nachzuweisen waren. Mord war es wohl wirklich nicht. Denn, so wie Bockmann sagte, hat man niemanden, aber auch wirklich niemanden mit einem Motiv gefunden. Ich glaube, Bockmann war unzufrieden mit der Arbeit der Kripo und wollte den Fall nutzen, um seinerseits Karriere zu machen. Aber er hat sich daran heftigst die Zähne ausgebissen. Am Ende hat er sogar Ärger gekriegt, weil er sich in die Angelegenheiten der Kripo gemischt hat. Daraufhin hat er dann lieber die Finger davon gelassen. Also, wenn du mich fragst, hat dieser Langensiep Selbstmord begangen, aber keinen Abschiedsbrief hinterlassen."

Ich war mit den Gedanken bei einem anderen Punkt. „Es wundert mich, daß bei niemandem ein Motiv zu finden war. Wie man mir versicherte, war Bruno Langensiep ein echter Ekelpickel."

„Na und?" fragte Max und zog genüßlich an seiner Zigarette. „Ist das etwa ein Grund, jemanden abzumurksen?" Er sah mich aufmerksam an. „Sag mal, warum interessierst du dich überhaupt für diesen Fall? Du hast den Typen doch gar nicht mehr kennengelernt." Ich erklärte, daß Langensiep mein Vorgänger am Elli gewesen war. Damit war das Thema beendet.

„Was ist eigentlich mit dir, Max?" fragte ich nach einer Weile aus einer unerklärlichen Neugier heraus. „Bist du eigentlich schon als Taxifahrer auf die Welt gekommen?"

Max sah mich durch seinen Zigarettenqualm nachdenklich an. Er zögerte einen Augenblick. „Da war mal etwas anderes", murmelte er, „erzähl ich dir vielleicht später."

Kurz danach ging Max, und ich wußte, daß ich etwas angerührt hatte, was sehr weh tat.

Ich sah Max vom Fenster aus nach, wie er seinen Dienst begann. Dann ließ ich meinen Blick über die Silhouetten der Stadt schweifen. In einiger Entfernung war deutlich der Kirchturm zu sehen, der den Mittelpunkt der Stadt bildete. Mein Blick glitt über die Häuser hinweg in Richtung Stadtforst, und zu meiner Überraschung konnte ich das Elisabeth-Gymnasium erkennen. Das Türmchen der schulischen Kapelle mit seinem grünen Dach war angestrahlt.

Ich fühlte mich plötzlich sehr einsam. Mein Leben würde sich ändern. Ich spürte es ganz genau. Die Straße, auf die ich hier blickte, sprudelte nicht gerade über vor Menschen. Kein Student fuhr mit einem Rucksack auf dem Fahrrad vorbei. Mein Leben, auch das Leben als Journalist, war sehr studentisch gewesen. Ich war in Studentenkneipen gegangen. Ich hatte noch immer Freunde an der Uni gehabt. Mein Leben in der Großstadt war bunt und unruhig gewesen. In dem Haus, in dem ich in Köln meine winzige Wohnung gehabt hatte, hatte außer mir noch eine WG gewohnt, deren Bewohner ständig gewechselt hatten, mal ein Kleinkünstler, dann ein Dauer-student, der von seiner Mutter mit unerschöpflichen Toiletten-papiervorräten überschwemmt wurde, eine fanatische Salsatänzerin, die jeden Abend einen anderen Typen abge-schleppt hatte und und und. Der einzige Dauerbewohner war ein wenig erfolgreicher Gitarrist gewesen, der mich zwar häufig mit seinem Gejaule genervt, aber dafür mein Leben mit einer Menge verrückter Geschichten bereichert hatte. Das Ambiente im Haus wurde außerdem nicht unwesentlich durch den heruntergekommenen Copy-Shop bestimmt, der sich im Erdgeschoß befand. Jetzt wohnte ich mit zwei zugegebener-maßen netten alten Damen in einem Haus. Oh ja, mein Leben hatte sich geändert. Ich schaute nach unten. Die Straße war still und leer. Ich würde mich noch an vieles gewöhnen müssen. Aber solange es Typen wie Max gab, würde man es wahr-scheinlich überall aushalten können.

14

„Na, da ist ja unser neuer Kollege." Ganz ohne Zweifel war Bernhard Sondermann alias HeSieda ziemlich betrunken. „Freuen Sie sich denn schon mächtig auf Ihre verantwortungsvolle Aufgabe an unserem ehrenwerten Institut?"

Man mußte kein Psychologe sein, um die Verbitterung in seiner zynischen Rede heraushören zu können.

„Bernie, komm, laß uns jetzt nach Hause gehen, ja?" Bernies Gattin schien gar nicht begeistert davon zu sein, daß Bernie mir ein Gespräch aufzwingen wollte. „Ach, wissen Sie, wir müssen dringend nach Hause, mein Mann ist müde", wandte sie sich entschuldigend an mich. Sie schob ihrem Mann kurzerhand den Arm unter und führte ihn zur Tür.

„Jetzt laß mich doch mal ein Wort mit unserem jungen Kollegiumsmitglied wechseln. Ich muß ihm sagen, wie gut sich Engagement bei uns auszahlt", schimpfte HeSieda und versuchte, den lästigen Arm loszuwerden. Keine Chance. Seine Frau war eisern. Sie verabschiedete sich artig von der Gastgeberin und verließ dann mit ihrem Mann im Geleit schleunigst die Party.

Ich starrte dem seltsamen Paar nach. HeSieda entpuppte sich ja mehr und mehr als schillernder Charakter. Roswitha, die Gastgeberin, war offensichtlich froh, daß sie den nervigen Gast endlich los war. Jedenfalls stand sie nun mit einer anderen jungen Frau zusammen, und ihre heftigen Gesten in Richtung Wohnungstür deuteten darauf hin, daß man sich über den gerade entschwundenen Sondermann unterhielt.

Diese Party schien auf jeden Fall ziemlich spannend zu werden. Roswitha Breding, die nette, pummelige Biolehrerin, hatte eine Planstelle am Elli bekommen und aus diesem Grund eine Einladung zur Planstellen-Party ans Schwarze Brett geklemmt.

„Na, hast du den guten Sondermann nun auch mal von einer anderen Seite kennengelernt?" Leo Brussner, der pfiffige Sportlehrer, mit dem ich mittlerweile per du war, hatte mich von der

Seite aus angesprochen. Er versuchte gerade, mit einem Käsepiekser eine Frucht aus seinem Bowleglas zu fischen. „Verflixt, ich sollte doch lieber beim Bier bleiben."

„Was war denn mit dem los?"

„Sondermann?" Leo sah mich amüsiert an. Wegen seiner gewaltigen Nase sah er plötzlich aus wie Gerard Depardieus kleiner Bruder.

„Tja, der gute Sondermann. Ich vermute, daß sein Groll auf die Schule mit der Beförderung von Frau Erkens zusammenhängt." Leo hatte endlich das Stück Ananas in seinem Glas erwischt und betrachtete es mit Anglerstolz, bevor er es sich in den Mund schob.

„Frau Erkens?" Ich blickte mich suchend um, als müßte unweigerlich eine Person mit einem dicken Namensschild auf der Stirn auftauchen.

„Gib dir keine Mühe, sie ist nicht hier", unterbrach mich Leo und stellte sein Glas zur Seite. „Aber du hast sie schon kennengelernt. Die einzige Frau, die bei unserer Stundenplanbesprechung zugegen war. Wahrscheinlich erinnerst du dich nicht, weil sie die Unauffälligkeit in Person ist. Wenn sie vor einer grauen Hauswand steht, hat man keine Chance, sie zu bemerken. Allerdings", Leo sprach jetzt etwas leiser, „unterschätzt man sie manchmal. In Schuldingen kann sie ganz schön energisch werden. Sie opfert ihr ganzes Leben der Schule, soviel ich weiß, und sie fordert von allen Kollegen denselben Einsatz und dieselbe Perfektion."

„Um was für eine Beförderung ging es denn?"

„Um eine Stelle als Studiendirektor. Bruno Langensieps Platz ist ja vor einigen Wochen frei geworden. Dadurch wird demnächst einer unserer langjährigen Oberstudienräte eine Position nach oben rutschen. Das passiert selten genug, und deshalb waren natürlich einige unserer lieben Kollegen ziemlich scharf auf die Stelle. Von Feldhausen, der Französisch- und Spanischlehrer, war im Gespräch, aber er ist, glaube ich, nicht ehrgeizig genug dafür. Die Hauptkandidaten waren dann eben die Erkens und der Sondermann."

„Und warum ist Frau Erkens vorgezogen worden?"

„Ganz einfach: weil sie eine Frau ist. Wir haben zwar keine Quotenregelung an der Schule. Aber man hielt es im Orden für sinnvoll, auch mal wieder eine Frau zu befördern. Der zwischengeschlechtlichen Harmonie willen."

„Und Sondermann ist leer ausgegangen."

„Oh ja, und es wird beileibe lange keine Stelle mehr in der oberen Etage frei werden. Es sei denn, es passiert mal wieder solch ein unerwarteter Zwischenfall wie mit Bruno Langensiep."

„Was hältst du denn eigentlich von der Sache?" fragte ich Leo, während wir uns gleichzeitig eine Salzstange in den Mund schoben. „Meinst du, der Unfall von Langensiep war wirklich ein Unfall?"

„Aber natürlich, was denkst du denn? Glaubst du etwa, jemand hat ihn umgebracht?" Leo war ernsthaft entrüstet.

„Ich mein ja nur so", sagte ich kleinlaut. Leo schien dagegen den Gedanken weiterzuspinnen.

„Mord? Ich habe noch nie ernsthaft darüber nachgedacht. Wie genau hätte man ihn denn dann umgebracht?"

„Jemand könnte ihn in den Steinbruch geworfen haben", entgegnete ich, als würde ich so etwas alle Tage erleben.

„Du kanntest Bruno Langensiep nicht", warf Leo ein, „das war kein Büblein, das man mal eben unter den Arm nimmt und in einen Abgrund befördert. Er war zwar alles andere als muskulös, aber immerhin ziemlich groß. Es hätte sicherlich einen Kampf gegeben, und der wiederum hätte Spuren hinterlassen. Die gab es aber nicht – weder an Langensiep selbst noch an der Stelle, wo er heruntergefallen ist. Soviel ich weiß, war das auch der Grund für die Polizei, von einem Unfall auszugehen."

„Aber wenn Langensiep den Mörder kannte und von ihm zum Steinbruch geführt wurde, wäre ein leichter Schubs in die richtige Richtung sicherlich ausreichend gewesen."

„Jemand, der ihn kannte?" Leo begann zu grübeln. „Warum bringt man überhaupt jemanden um?" Mein Sportkollege schien in seinem gesammelten Fernsehkrimiwissen zu kramen.

„Um sich dadurch einen Vorteil zu verschaffen", sagte ich nüchtern, „zum Beispiel, um eine Erbschaft zu machen."

„Oder aus Rache", warf Leo ein. Er wurde jetzt richtig aufgeregt. „Vielleicht hat Langensiep etwas getan, wofür ihn jemand strafen wollte. Zuzutrauen wäre es ihm ja."

„Vielleicht war es auch –" Ich konnte meinen Satz nicht zu Ende sprechen, weil Leo von links in die Seite geknufft wurde.

„Leo, du bist auch da! Wie schön! Und wer ist das?" Ein Blick auf mich.

„Das ist Petra Werms, meine Sportkollegin", stellte Leo zuerst die kurzhaarige, fröhlich aussehende Frau vor, „und das ist Vincent Jakobs. Er kommt nach den Ferien mit Deutsch und Geschichte. Ich kann dir nur sagen, ein echter Mordskerl."

Leider kam ich an diesem Abend nicht mehr dazu, meine Theorien mit Leo Brussner zu erörtern. Ich lernte eine Menge meiner zukünftigen Kollegen kennen, die zum Glück nicht alle so skurril waren wie Bernhard Sondermann oder diese Frau Erkens. Die meisten waren nett und ganz normal, so daß ich dem Schulanfang mit nicht allzu großem Schrecken entgegensehen konnte.

Inzwischen hatte ich übrigens auch ein wenig Ruhe in meine Schulvorbereitung bringen können. Meine neue Wohnung war ja nun schon in der ersten Woche fertig geworden. In einer Hauruckaktion hatte ich dann am Wochenende mit einem Mietbulli meine spärlichen Möbel ins neue Zuhause transportiert. Natürlich war noch alles ziemlich provisorisch. Keine Lampe war aufgehängt, die Waschmaschine nicht angeschlossen und die Bücher standen noch in Kisten. Ich rödelte jeden Tag ein bißchen daran herum und konzentrierte mich ansonsten ganz auf die Unterrichtsvorbereitung. Diese Arbeit fiel mir nicht gerade leicht. Schließlich war ich nicht in Übung, aber ich hatte schnell herausgefunden, daß man getrost Hilfe bei den Kollegen am Elli suchen konnte. Besonders Leo, der mit mir das Fach Deutsch gemeinsam hatte, war mir eine große Stütze. Er war es auch, der mich eines Tages zum Joggen einlud, „um den Kopf frei zu kriegen", wie er sagte. Wir verabredeten uns bei mir und fuhren von dort aus mit Leos Wagen weiter. Wir kurvten eine ganze Weile herum, so daß ich Leo ausführlich von meinem Unterrichtsvorhaben in der siebten Klasse erzählen konnte.

„Sieh dich mal um", unterbrach Leo mich nach zehn Minuten. „Nicht schlecht, woll?"

Wir hatten inzwischen Brechlingsen hinter uns gelassen, einen eingemeindeten Ort, der von seiner Größe her zwischen Dorf und Kleinstadt anzusiedeln war, und der ganz offensichtlich an dem Schicksal einer Durchgangsstraße bitter zu tragen hatte. Jetzt fuhren wir auf einer Straße, die auf einer Seite von hohen Felsen umsäumt war. Zur Rechten plätscherte ein Fluß in einem wild bewachsenen Flußbett. Die Bäume waren mit einem hellen Grün versehen, die ersten Boten des Frühlings.

„Dies ist das Borketal", sagte Leo. „Ich geh hier gerne joggen, wenn ich mal ein bißchen aus der Stadt raus will und nicht hinter jeder Wegbiegung einen Schüler treffen möchte."

Ich stellte mir vor, wie ich mit Alexa am Fluß entlangwanderte, und diese Vorstellung machte mich glücklich. „Es ist wunderschön!" murmelte ich.

„Ja, wenn man einen Fotokalender vom Sauerland anfertigen wollte, wäre man hier genau richtig. In meinen wilden Zeiten bin ich hier in den Felsen herumgeklettert, obwohl es verboten war. Ein bißchen vielleicht auch, weil es verboten war."

Wir schwiegen und genossen. Vor allem, als wir unter einer wunderschönen alten Bruchsteinbrücke hindurchfuhren, die die Eisenbahnstrecke zu unserer Rechten links in einen Tunnel führte. Leo bog dann irgendwann links ab, und die Landschaft öffnete sich. Weite Wiesen und leichte Hügel säumten die Straßen, und wir genossen weiter. Leo fuhr im Bogen dieser Landstraße nach, durch zwei Ortschaften hindurch, bis er irgendwann links in eine Seitenstraße einbog und von dort auf einen schmalen Feldweg stieß. Nach einigen hundert Metern hielt er den Wagen an.

„Wir könnten auch noch ein paar Stunden rumfahren und gucken", schlug ich vor.

„Nichts da. Das kannst du machen, wenn du neunzig bist."

Ich seufzte, und wir setzten uns in Bewegung.

Mein drahtiger Sportkollege legte ein schnelles Tempo an den Tag, und ich hatte Mühe mitzukommen. Wir liefen zunächst an einigen Ackerflächen vorbei und erreichten dann einen luftigen Mischwald.

„Da unten an der Straße liegt eine wunderschöne, kleine Kirche!" erklärte Leo. Tatsächlich konnte ich die Turmspitze erkennen. Im Hintergrund war Straßenlärm zu hören.

„Ein Geheimtip, wenn du mal heiraten willst."

„Schönen Dank auch."

„Ich habe diese Strecke nicht umsonst gewählt", sagte Leo, während wir parallel zur Kirche einen Waldpfad entlangjoggten. Ich schaute ihn verdutzt an.

„Sieh mal da!" Leo zeigte mit einem Finger auf einen Stacheldrahtzaun, auf den wir geradewegs zusteuerten.

„Dahinten ist Bruno Langensiep abgestürzt."

Ich blieb abrupt stehen. „Kannst du mich nicht ein bißchen langsamer darauf vorbereiten?" keuchte ich völlig außer Atem. „Das ist ja richtig unheimlich."

„Weißt du", ignorierte Leo kurzerhand meinen Protest, indem er einfach weiterlief, „seitdem wir uns auf Roswithas Party darüber unterhalten haben, hat mich der Gedanke an einen Mord nicht mehr losgelassen. Laß uns doch mal nachschauen, ob es wirklich so gewesen sein könnte!"

Wir näherten uns jetzt einem Zaun, den man mit etwas Geschick leicht hätte überqueren können. Dies war jedoch gar nicht nötig, da der Zaun schon nach kurzem eine fast vier Meter große Öffnung aufwies. Wir liefen hindurch und erreichten ein großes Plateau, an dessen anderem Ende sich ein riesiger Steinbruch auftat. Leo und ich sprachen nicht mehr, sondern schritten wortlos auf die Kante zu. Zwei Meter davor blieb ich stehen. Ich kannte meine Höhenangst nur zu gut. Dennoch konnte ich erkennen, wie der Abhang beschaffen war. Während weiter links und rechts der Hang bewachsen war, führte hier der Steinbruch gnadenlos felsig und steil in die Tiefe, nach meiner Schätzung etwa fünfzig Meter tief. Ich konnte es kaum fassen.

„Warum ist hier gar nichts abgesichert?" fragte ich irritiert. „Ich denke, wir leben in Deutschland."

„Vielleicht werden von dieser Lichtung aus gefällte Bäume abtransportiert", Leo zeigte auf ein paar Stämme, die an der Seite lagen. „Im übrigen wird hier Kalk abgebaut!" Leo stand so souverän am Abgrund, als sei er der amtlich berufene Steinbruchaufseher, der bald fünfundzwanzigjähriges Betriebsjubiläum feiern würde und für mich eine Sonderführung abhielt.

Mutig wagte ich einen Schritt auf ihn zu, da er mit seinen Erklärungen noch nicht am Ende zu sein schien.

„Vom Borketal aus hat sich der Abbau bis weit ins Land hineingefressen."

Tatsächlich standen wir unmittelbar vor der riesigen Schlucht, die den Abbau längst hinter sich hatte. Maschinen waren jetzt nur noch im linken Flügel in etwa einem Kilometer Entfernung zu sehen. Man hatte nur teilweise Einblick in dieses Gebiet. Doch soweit ich sehen konnte, wurden die Wände dort terrassenförmig abgetragen. Erst jetzt entdeckte ich ein Förderband, das wohl bei Betrieb den Kalk über eine kilometerlange Strecke aus dem Steinbruch in Richtung Borketal abtransportierte. Über den Steinbruch hinweg hatte man eine phantastische Aussicht auf die hügelige Landschaft. Zwei kleine Dörfer in der Ferne wirkten, als wären sie wie Nester in diese Idylle hineingelegt worden.

„Sehr beeindruckend!"

„Stimmt. Aber was uns ja eigentlich interessiert, ist der Hergang des Mordes." Leo war so in Fahrt, daß ich keinen Einspruch erhob, sondern brav zuhörte.

„Also, es muß so gewesen sein: Langensiep kam diesen Spazierweg dahinten entlang." Leo deutete auf den Weg, auf dem wir eben gekommen waren.

„Dort kam er also an – natürlich nicht allein, sondern in Begleitung seines Mörders." Leo verlieh seiner Darstellung Nachdruck, indem er bis zum Weg zurückhuschte und dann demonstrativ die Strecke bis zur Kante abschritt. „Wahrscheinlich gab sein Mörder vor, ihm irgendetwas zeigen zu wollen – ein Tier oder, oder – na, was weiß ich, was man in einem Steinbruch so alles finden kann."

Im Moment war dort unten nichts als Geröll und ein paar widerstandsfähige Pflanzen zu sehen. Leo ließ sich nicht aus dem Konzept bringen.

„Und als sich Bruno ganz an den Rand begeben hatte", Leo faßte zur Untermalung meinen Arm, „brauchte man nur einmal kurz anzustoßen, und schon hatte man alle Probleme gelöst." Leo ruckte einmal an meinem Arm, so daß mir fast das Herz stehengeblieben wäre, bevor ich mich durch einen rasanten Schritt nach hinten in sicherer Entfernung von der Abgrundkante postieren konnte.

„Bist du verrückt, mich so zu erschrecken?" schimpfte ich. „Ich bin nicht schwindelfrei."

Wie immer schien Leo mein zartes Stimmchen gar nicht wahrzunehmen. „Ja, so könnte es gewesen sein", sinnierte mein Sportpartner.

„Ja, *könnte* es", sagte ich trocken, „das Ganze ist nur mit einem kleinen Problem behaftet. Wie du schon sagtest, es *könnte* so gewesen sein. Aber es gibt nicht den geringsten Hinweis, *daß* es so gewesen ist. Sonst hätte sich die Polizei nämlich darauf gestürzt, wie der Geier auf die in der Wüste zurückgelassene Schwiegermutter."

„Du hast recht. Wir haben bisher keinerlei Hinweise auf einen Mord", antwortete Leo und stutzte einen Augenblick. Er tat mir in seinem gebremsten Aktionismus ein klein wenig leid. „Aber es gibt vielleicht doch eine Möglichkeit, der Wahrheit auf die Spur zu kommen."

Mein Mitleid verschwand, meine Stimmung sank. Ich ließ mich auf einem Baumstumpf in sicherer Entfernung des Steinbruchs nieder und starrte auf eine Buche, die direkt an der

Kante stand. Der Ort mit dieser phantastischen Aussicht schien ein wahrer Treffpunkt für wandernde Liebespaare zu sein, da etliche Buchstaben im Stile von „R.K. + L.H." in die Rinde eingeritzt waren. Untendrunter hatte jemand „Achtung Lebensgefahr" geschnitzt. Wie wahr!

„Wir könnten versuchen herauszufinden, warum jemand Bruno Langensiep umbringen wollte. Mal abgesehen davon, daß er schrecklich arrogant war und man es nicht ertragen konnte, im Lehrerzimmer noch einen Tag länger neben ihm zu sitzen, gibt es doch sicherlich noch andere Gründe."

„Ich weiß aus sicherer Quelle, daß die Polizei im gesamten Umfeld von Langensiep niemanden mit einem Motiv gefunden hat", entgegnete ich.

„Das wundert mich nicht", warf Leo ein. Ich stand auf und wandte mich zum Gehen. Leo folgte mir brav in Richtung Waldweg, sprach aber unentwegt weiter. „Ich bin ja selbst befragt worden, weil ich seit drei Jahren die Ehre hatte, an Langensieps linker Seite zu sitzen. Man hat meine Personalien aufgenommen und mich gefragt, ob mir irgendwas an Langensieps Verhalten aufgefallen wäre. Das war dann aber auch schon alles."

Auf dem Waldweg fielen wir in einen gesprächsfreundlichen Trab.

„Die Polizei hat sich einfach nicht genug Mühe gegeben", resümierte Leo, „wir sollten nochmal neu anfangen mit der Ermittlungsarbeit."

„Sag mal, spinnst du eigentlich", schoß es aus mir heraus, „meinst du, ich habe nichts Besseres zu tun, als hinter irgendwelchen Gartenhecken zu kauern und unschuldige Leute zu beobachten, um mich dann vom Gärtner fragen zu lassen, ob ich irgendwas verloren habe? Ich habe genug zu tun. Ich muß mir zurechtlegen, wie ich meinen Schülern eine Lektüre schmackhaft machen soll, die ich selbst zum Weglaufen finde. Außerdem hast du völlig falsche Vorstellungen von Ermittlungsarbeit. Kriminalistische Arbeit ist nicht wie bei Miss Marple, wo wir uns als Putzhilfen in den Haushalt der Frau

Langensiep einschleichen können, um herauszufinden, daß der böse Neffe des verstorbenen Ekels sich etwas schneller zu seinem Erbe verhelfen wollte."

Inzwischen waren wir vom breiten Weg auf einen Waldpfad abgebogen. Mehrmals kamen wir an einem Kasten vorbei, der als Borkenkäferfalle markiert war. Der Weg war uneben, und man mußte höllisch auf seine Knöchel aufpassen, doch Leo ließ trotzdem sein Anliegen nicht ruhen.

„Mensch, Vincent, du selbst hast mich doch auf die Idee mit diesem Mord gebracht. Reg dich doch jetzt nicht so auf. Das Ganze könnte doch ein großer Spaß werden. Wir fragen einfach mal ein bißchen rum, vielleicht ergibt sich was, vielleicht auch nicht."

„Ach, an der Sache ist mit Sicherheit überhaupt nichts dran", murrte ich. Schließlich hatte Robert bei mir ganze Überzeugungsarbeit geleistet.

„Ach nein?" Leo guckte mich von der Seite herausfordernd an. „Du glaubst also auch, daß Bruno Langensiep in aller Herrgottsfrühe hier in der Natur herumgetapert ist, um durch ein ach wie unglückliches Mißgeschick in diese Grube zu fallen?" Leo regte sich ein bißchen auf und kam beim Laufen aus dem Rhythmus. Das verhalf mir netterweise zu einem verbalen Einschub.

„Wahrscheinlich hat er sich selbst umgebracht", spekulierte ich.

„Niemals", japste Leo, „ich kannte Bruno Langensiep. Der hätte aus seinem Selbstmord eine Riesenshow gemacht und auch seiner Grundschullehrerin noch einen verbitterten Abschiedsbrief geschrieben, weil er im zweiten Schuljahr ungerechtfertigt eine schlechte Schriftnote erhalten hat. Niemals wäre dieser Kerl still und sensationslos aus dem Leben geschieden. Ach was, einen Selbstmord traue ich dem gar nicht zu. Er war einfach zu selbstverliebt und im Grunde auch zu feige für sowas."

Ich sagte nichts, sondern joggte still neben Leo her, bis wir urplötzlich zu einer Häusersiedlung kamen.

„Bieringsen!" erklärte Leo knapp. Wir liefen in eine Straße hinein, als ich plötzlich das Haus der Langensieps erkannte. Vor der Tür stand das Cabrio der Hausbesitzerin. Wir bogen links ab und ertappten uns, als wir uns beide nochmal nach dem Haus umdrehten. Die Tür war aufgegangen, und Regine Langensiep, in ein schlichtes, aber umwerfend dunkelrotes Kleid gewandet, stieg in ihr Auto. Sie wirkte ernst und in sich selbst versunken. Ich fragte mich, wie ich zu dieser Frau stand. Irgendwie erweckte sie bei mir Anziehung und Ablehnung zugleich. Leo und ich guckten uns an.

„Eine faszinierende Frau, nicht wahr? Zu schade nur, daß sie in ewiger Unsicherheit über den Tod ihres Mannes schmoren muß."

Ich seufzte. „Okay, ich halte die Ohren offen."

Leo grinste und setzte zu einem Sprint an.

15

Warum sie in diesem Fall zu einem Hausbesuch hatte anrücken sollen, war ihr immer noch nicht ganz klar. Hasenkötter hatte etwas von „ein wenig eigen" gemurmelt, aber das schien eher untertrieben. Als Alexa geklingelt hatte, war schon einige Sekunden später die Tür von einer verklemmt aussehenden Frau geöffnet worden. Zunächst hatte Alexa gedacht, es handle sich vielleicht um eine Hausangestellte, weil die Person sie so professionell hereinbat, gleichzeitig aber einen irgendwie schüchternen Eindruck machte: „Frau Schnittler? So kommen Sie doch bitte herein!"

Die Frau war nicht alt, aber sie wirkte wie aus einem vergangenen Jahrhundert. Ihr grauer Rock, ihre rosa Bluse sowie ihr schmuckloser Haarschnitt hätten Hendrik mit Sicherheit zu dem Urteil „alte Jungfer" veranlaßt. Alexa fühlte sich an eine Gouvernante aus einem viktorianischen Roman erinnert. Na ja, die waren ja auch meist alte Jungfern. Als Alexa in das Innere der Wohnung eintrat, stellte sie fest, daß die Einrichtung völlig in Einklang mit dem Äußeren der Wohnungseigentümerin war – altmodisch, eingerichtet mit dunklen, fast schwarzen Möbeln. Das Wohnzimmer war mit hochlehnigen Stühlen ausstaffiert, der Tisch mit einer feinen Spitzendecke bedeckt, die Vorhänge aus dunklem Samt, so als hätten sie früher einmal in einem alten Schloß gehangen. Eine Wanduhr tickte so durchdringend laut, daß die sonstige Stille im Zimmer noch mehr hervortrat. Alexa fragte sich, ob im nächsten Moment wohl ein Butler zur Tür hereintreten würde. Statt dessen bot ihr die Dame im unschätzbaren Alter eine Tasse Tee an. Alexa nahm dankend an, froh allein deshalb, weil sonst nichts zu passieren schien. Während ihr in eine filigrane Tasse eingeschenkt wurde, ertönte plötzlich ein Klingeln, nicht von der Wohnungsschelle, sondern eher wie von einer Klingel, wie man sie gelegentlich in alten Filmen an Hotelrezeptionen sah.

„Einen Moment bitte, meine Mutter ruft mich." Alexa schaute erstaunt hinter der Gouvernante her. Sie stand wieder auf, als sie allein war, und blickte sich noch einmal um in diesem Zimmer mit seiner gespenstischen Atmosphäre. Sie mußte sich erneut bewußt machen, daß sie nicht versehentlich in die Requisite eines Agatha-Christie-Films getapert war, sondern sich in einer Eigentumswohnung in der Innenstadt befand. Wie um sich zu vergewissern, trat sie einen Schritt ans Fenster und sah direkt auf die Fußgängerzone hinunter, wo, wie immer um diese Uhrzeit, ein reges Treiben herrschte. Als die Tür mit einem Stoß aufging, zuckte Alexa zusammen. Sie fühlte sich ertappt, so als wäre sie unartig gewesen. Schnell stellte sie ihre Tasse auf den Tisch, um einer alten Frau im Rollstuhl entgegenzutreten, die von ihrer Tochter hereingeschoben wurde. Die alte Frau war sicherlich weit über achtzig, saß jedoch kerzengerade in ihrem Stuhl. Sie trug die grauen Haare ebenfalls kurz und glatt und hatte ähnliche Züge wie die Tochter. Nur die Augen unterschieden sich deutlich. Die der Tochter waren groß und ernst, die der Mutter hart wie zwei Steine. Die Mutter musterte Alexa mit einem kurzen Blick und hielt dann eine Katze hoch, die Alexa vorher noch gar nicht auf ihrem Schoß bemerkt hatte.

„Das ist sie", sagte die Alte mit einer klaren, scharfen Stimme.

„Ich habe euch noch gar nicht vorgestellt", versuchte die Tochter zu vermitteln, „Mutter, das ist Frau Schnittler. Das ist meine Mutter."

„Hör auf mit dem Geschwätz", fuhr die Alte sie an. „Hier ist die Katze", wandte sie sich jetzt nun wieder an Alexa.

„Na, dann wollen wir mal." Alexa versuchte sich nicht anmerken zu lassen, wie unwohl sie sich mittlerweile fühlte. Sie nahm der Alten die Katze ab und ging damit zu einem kleinen Beistelltisch. Der Einfachheit halber kniete sie sich davor und setzte die Katze auf dem Tischchen ab, um sie besser untersuchen zu können. Das Tier miaute fragend, als Alexa es hinlegte. Es dauerte nicht lange, bis Alexa das Geschwulst im

Bauchraum getastet hatte. Es lag in unmittelbarer Nähe der Säugeleiste.

„Sie ißt und trinkt weniger als sonst", sagte die Tochter, die nun hinter Alexa getreten war. „Das haben wir schon vor längerer Zeit beobachtet, aber Mutter war sicher, daß es vorübergehen würde."

„Wie heißt sie denn?" fragte Alexa, während sie das schwarze Tier vorsichtig streichelte.

„Rolande."

Alexa drehte sich um und wandte sich gleichermaßen an Mutter und Tochter. „Ich habe hier am Gesäuge ein kleines Geschwür ertastet. Ohne weitere Röntgenuntersuchungen kann ich dazu leider nichts sagen. Es könnte sich einerseits um eine Leukose handeln, eine infektiöse Erkrankung, die in vielen Fällen relativ leicht zu behandeln ist. Aber es könnte eben auch ein bösartiger Tumor sein. In beiden Fällen müßten wir herausfinden, wie weit die Krankheit fortgeschritten ist, im letzteren natürlich, ob sich Metastasen gebildet haben. Ihr Allgemeinzustand ist ja nicht allzu schlecht und, soweit ich sehe, ist sie auch noch nicht sehr alt. Andererseits kann ich Ihnen für nichts garantieren."

„Röntgen?" Die Stimme der Alten ertönte schrill von der Tür her. „Das kommt gar nicht in Frage! Nehmen Sie sie mit, und – Sie wissen schon!"

„Mutter!" Die Tochter war entsetzt. „Ich würde nicht sagen, daß –"

„Haben Sie nicht gehört? Schicken Sie uns die Rechnung!"

„Mutter, laß es uns doch versuchen! Frau Schnittler meint doch –"

„Hast du mich nicht verstanden, Gisela?" Die Alte wandte sich jetzt wieder an Alexa. „Nehmen Sie das Tier mit, Sie brauchen es nicht länger zu untersuchen! Und jetzt bring mich nach nebenan, Gisela! Ich bin erschöpft."

Die Tochter, Gisela mit Namen, ging langsam auf ihre Mutter zu, als überlegte sie, ob Widerstand angebracht sei. Im Schneckentempo drehte sie dann den Rollstuhl um und fuhr ihn aus dem Zimmer heraus. Alexa kniete vor dem Tisch mit dem mitleiderregenden Geschöpf darauf und war sprachlos. Sie packte ihre Tasche und nahm das Tier auf den Arm. Dann sah sie neben dem Tischchen einen Transportkorb für Katzen. Alexa legte das Tier vorsichtig hinein. Einen Moment überlegte sie, was jetzt zu tun sei. In der einen Hand den Katzenkorb, in der anderen ihre Tasche, öffnete sie mit dem Ellbogen die Tür zum Flur, doch überall war es gespenstisch still. Es war, als hätten alle Bewohner die Wohnung verlassen. Plötzlich hatte Alexa nur noch das Bedürfnis, hier heraus zu wollen. Sie drückte die Wohnungstür auf, schob sie mit dem Fuß hinter sich zu und hastete die Treppe hinunter. Als sie fast unten angekommen war, hörte sie eine Tür oben wieder aufgehen und die Stimme der Tochter. Sie war aufgeregt.

„Hallo? Frau Schnittler? Sind Sie noch da?" Alexa überlegte einen Augenblick, ob sie antworten sollte.

„Ja, ich bin hier unten."

Die Tochter hastete die Treppe herunter.

„Bitte entschuldigen Sie!" brachte sie heraus, mehr vor Aufregung, nicht weil sie außer Atem war. „Meine Mutter ist sehr, sehr – Sie ist nicht wirklich so. Sie hat viel mitgemacht im Leben. Im Grunde liebt sie die Katze."

Alexa schaute ihr direkt in die Augen. Die Tochter wich dem Blick aus und guckte zu den Briefkästen, die im Flur angebracht waren. Alexa folgte ihrem Blick, der auf ein Namensschild gerichtet war.

„Untersuchen Sie die Katze, bitte, und behalten Sie sie da. Ich werde Sie anrufen und dann besprechen wir, wie es weitergehen soll. Machen Sie sich keine Sorgen, ich werde alles bezahlen."

Ihr Blick wandte sich wieder dem Namen der Mutter zu, als helfe er ihr beim Formen ihrer Gedanken. Dann sagte sie langsam, fast bedächtig: „Wissen Sie, manchmal könnte ich sie umbringen!"

Ohne ein weiteres Wort drehte sie sich um und stieg langsam die Treppe hinauf. Alexa suchte noch einmal mit dem

Blick das Namensschild der alten Mutter. Es war aus Messing, oval geformt. „Antonia Erkens" stand dort in geschwungener Schrift. Der Name der Tochter fehlte.

16

„Und Sie fangen jetzt am Elisabeth-Gymnasium an?" Ich schaute verdutzt hoch. Die Stimme gehörte dem Buchhändler, der bis gerade in einem dicken Nachschlagewerk geblättert hatte.

„Woher wissen Sie, ich meine, kennen wir uns?" Der Mann grinste mich vergnügt an. Meine Verwirrung machte ihm sichtlich Spaß.

„Sie leben hier nicht in einer Großstadt wie Köln."

„Allerdings. Ich hatte schon mehrfach Gelegenheit, das festzustellen."

Ich schaute mir den Mann genauer an. Er war groß und schlank, hatte lichtes, leicht gewelltes Haar und eine schwarze Brille. Er hatte etwas Verschmitztes im Blick, das einem das zwiespältige Gefühl vermittelte, er mache sich über einen lustig. Ich schätzte ihn auf Anfang fünfzig. Seine Gesichtszüge kamen mir irgendwie bekannt vor, aber ich konnte sie nicht einordnen.

„Was wissen Sie denn noch so über mich?" fragte ich skeptisch.

„Keine Angst", griemelte der Buchhändler und schlug das Buch zu, mit dem er sich jetzt lange genug beschäftigt hatte. „Ich bin verschwiegen wie eine ägyptische Mumie. Kann ich Ihnen denn sonst irgendwie weiterhelfen?"

Damit schien das Thema für ihn erledigt zu sein. Ich dagegen wurde das Gefühl nicht los, daß die ganze Stadt meine Schuhgröße zu kennen schien, während ich selbst noch über die wenigsten Dinge im Bilde war. Ich ließ mir eine Schullektürefassung zu Schillers *Die Räuber* zeigen und stöberte dann noch ein wenig in den Regalen. Der Laden war ausgezeichnet sortiert und gut aufgemacht. Die angenehme Ruhe im Geschäft währte jedoch nicht lange. Als ich mich gerade in einen Ratgeber über Rückenleiden vertieft hatte, schallte wiederum die ironische Stimme des Buchhändlers an mein Ohr. „Oh, da ist ja auch unser Herr Dr. von Feldhausen. Na, wie bekommen Ihnen die Ferien? Gut? Hatten Sie schon das Vergnügen mit Ihrem neuen Kollegen, Herrn Jakobs?"

Wurde ich jetzt auch noch unbekannterweise weitervermittelt? Es blieb mir nichts anderes übrig, als nach oben zu schauen. Herr Dr. von Feldhausen, ein Mann im Alter des Buchhändlers, wirkte auch ein wenig verunsichert. Nachdem ich nun geoutet war, wandte er sich gezwungenermaßen an mich. Er war ein mittelgroßer, feingliedriger Mann, der in edelste Klamotten gekleidet war. Eine braune Cordhose, die dezent glänzte, eine braun gemusterte Weste über dem Hemd und ein wahrscheinlich sündhaft teurer Blazer zeugten von feinster Lebensart. Mein neuer Kollege trug eine goldene Brille, durch die er mich halb verlegen, halb neugierig anlächelte.

„So lernt man sich kennen", brachte er heraus und reichte mir die Hand. Der Buchhändler zog sich dezent zu einer anderen Kundin zurück.

„Was werden Sie denn bei uns unterrichten?" fragte Herr Dr. von Feldhausen, um die Situation zu retten. Wir führten ein bißchen Small Talk, bis von Feldhausen hinter mir jemand anders gesichtet hatte. Er grüßte jemanden und entschuldigte sich dann bei mir. „Wir sehen uns ja bald in der Schule. Bis dann." Als er an mir vorbeiging, sah ich, an wen er sich gewandt hatte – Alexa Schnittler. Sie war mit Feldhausen in ein lockeres Gespräch verwickelt, und über das Buch gebeugt überlegte ich krampfhaft, wie ich sie ansprechen könnte. Wie immer in solchen Momenten fiel mir nichts Intelligentes ein. Warum konnte jetzt nicht der Buchhändler kommen und sagen: „Oh, da ist ja Frau Schnittler, haben Sie denn schon den neuen Lehrer vom Elisabeth-Gymnasium kennengelernt?" Natürlich geschah nichts. Im Gegenteil – der Buchhändler war zu Feldhausen und Alexa Schnittler gestoßen und hatte sich in das Gespräch eingeschaltet. Womöglich war er ein weiterer Konkurrent um die Gunst meiner Traumfrau. Seine ganze Person sprühte plötzlich vor Charme. Ich legte das Buch beiseite, ohne zu wissen, was ich jetzt tun wollte, und ging direkt auf die drei zu, bis Alexa Schnittlers Blick endlich auf mich fiel.

„Hallo, da bist du ja endlich!" rief ich ihr zu. „Ich habe schon so lange auf dich gewartet!"

Alexa Schnittler starrte mich an, als wäre ich von allen guten Geistern verlassen. Wahrscheinlich war ich das auch. Alexa war so verdutzt, um nicht zu sagen entsetzt, daß sie keinen Ton herausbrachte. Auch die anderen beiden waren überrascht, daß wir uns so gut zu kennen schienen.

„Entschuldigen Sie uns bitte, aber wir sind zum Essen verabredet", sagte ich in Richtung von Feldhausen, nahm Alexa Schnittler an den Arm und führte sie aus dem Buchladen heraus. Ein paar Meter vor der Tür erwachte sie schließlich aus ihrer Schockstarre.

„Sind Sie eigentlich noch ganz normal?" Sie riß sich von meinem Arm los.

„Hören Sie mich bitte an", flehte ich, „nur ein paar Minuten. Wenn Sie dann nie wieder ein Wort mit mir wechseln wollen, ist es auch in Ordnung. Aber hören Sie mir bitte zuerst zu."

„Ich wüßte nicht, warum –"

„Bitte!" Ich versuchte, meinen treuherzigsten Blick aufzulegen. Sie verdrehte die Augen und verschränkte die Arme vor ihrem Körper.

„Na gut. Aber bitte schnell!"

„Sollen wir uns nicht irgendwo hinsetzen?" schlug ich vor. „Nein, das dauert länger als ein paar Minuten, und mehr bin ich nicht bereit zu investieren."

Ich seufzte und versuchte meine Gedanken zu sammeln. Dann begann ich, die Geschichte von unserer Verabredung zu erzählen – wie ich mich verirrt hatte, stundenlang durch den Wald gerannt war und mich dann in Sportkleidung auf den Weg zur Pizzeria gemacht hatte. Als ich berichtete, wie naserümpfend mich der Kellner behandelt hatte, fing Alexa an zu lachen. Ich merkte, daß der Damm brach.

„Was sollte ich denn machen?" fragte ich verzweifelt. „Ich habe versucht anzurufen, aber Sie haben den Hörer danebengelegt. Meine Entschuldigung am nächsten Tag wollten Sie nicht akzeptieren. Was soll ich denn noch tun?"

Alexa war jetzt um einiges freundlicher. „Darf ich Sie mal etwas fragen?" Ich legte meinen ganzen Charme in ein bejahendes Lächeln.

„Was wollen Sie überhaupt von mir?"

Ein tiefer Graben lag zwischen uns. Ein Graben, der sauerländische Direktheit von rheinländischer Umschreibungstechnik trennte. Ich holte tief Luft und versuchte einen großen Sprung.

„Ich möchte mit Ihnen die nächsten 45 Jahre verbringen!" Gott sei Dank hatte ich nur in mich hineingemurmelt, die durchschnittliche männliche Lebenserwartung fest im Blick.

„Die langfristigen Ziele sollten zunächst eine eher nebensächliche Rolle spielen", holte ich aus. „Ich möchte Sie gerne zum Essen einladen."

Alexa Schnittler lachte und willigte ein.

Wir landeten schließlich in einem chinesischen Restaurant in der Fußgängerzone, wo es laut handgeschriebener Tafel für fünfzehn Mark „Frei Buffet ohne Stop" geben sollte. Ich aß langsam und tatsächlich „ohne Stop", um das Essen möglichst in die Länge zu ziehen.

Freimütig erzählte ich von mir und bemerkte nicht zum ersten Mal, wie eng und langweilig mein Lebenslauf war. Ich hatte die heile Welt seit meiner Kindheit nie verlassen müssen, war von bewegenden Schicksalsschlägen verschont geblieben und hatte es sogar beinahe geschafft, den Rest meines Lebens in ein und derselben Stadt zuzubringen. Ein toller Held war ich, der sich anmaßte, über Provinz und Nicht-Provinz zu urteilen.

Alexas Werdegang war etwas bunter. Sie hatte in Gießen Tiermedizin studiert und während des Studiums ein Praktikum bei einem Landtierarzt in Schottland verbracht. Dort hatte sie sich in einen schottischen Schafhirten verliebt und ihm geschworen, für immer bei ihm zu bleiben. Als der Winter begann, waren nicht nur die Füße, sondern auch die

Leidenschaft abgekühlt. Alexa hatte dann ihr Studium schnell beendet und war nach etlichen vergeblichen Bewerbungsschreiben im Sauerland gelandet, dort wo sie auch geboren war, nur zwanzig Kilometer vom Haus ihrer Eltern entfernt.

„Im Studium hätte ich mir nie träumen lassen, daß es mich nochmal hierhin verschlägt. Mittlerweile bin ich hier sehr zufrieden, und daß meine Familie so nah ist, ist manchmal sehr aufbauend. Der Job schlaucht einfach zu sehr."

„Früher wollte ich auch mal Tierarzt werden", warf ich ein, „ich muß ungefähr zehn gewesen sein und ich glaube, das war, als die Serie mit dem Doktor und dem lieben Vieh lief."

Alexa winkte ab. „Das erzählt mir jeder. Ich muß ja zugeben, ich war damals auch ganz begeistert von der Vorstellung, von Hof zu Hof zu fahren, um dieser Kuh zu helfen und mit jenem schrulligen Bauern ein Schwätzchen zu halten. Aber als ich dann die Realität kennengelernt habe, ist mir nicht nur einmal die Frage in den Sinn gekommen, ob ich vielleicht den falschen Beruf gewählt habe. Mittlerweile überlege ich schon, mich in der Wirtschaft oder Forschung zu bewerben. Aber dort sind die Aussichten auch nicht gerade rosig."

Ich erkundigte mich, mit welchen Tieren eine Tierärztin in dieser Region zu tun hatte.

„Mit allen", erwiderte Alexa zu meinem Erstaunen, „eine Trennung zwischen Kleintieren und Großvieh haben wir nicht. Ich behandele, alles was in Häusern und Ställen so rumläuft und rumkriecht. Daher kenne ich übrigens auch Dr. von Feldhausen. Er wohnt auf dem alten Gutshof seiner Eltern und betreibt dort einen Reitstall. Oder besser: er hat betrieben, denn mittlerweile hat er den gesamten Stall verkauft."

Ich schmunzelte: „Und warum?"

„Es wurde ihm angeblich zuviel Arbeit. Aber eigentlich hat es mich schon stark gewundert, denn er hängt mit seiner ganzen Seele daran."

„Brauchte er Geld?" Mir fielen als erstes immer die ganz praktischen Aspekte ein. Wenn ich etwas verkaufe, brauche ich Geld.

„Um Gottes willen! Ignaz von Feldhausen hat ein Riesenvermögen geerbt. Schauen Sie sich mal den Gutshof an, auf dem er residiert. Der sieht nicht gerade nach Geldmangel aus."

„Warum arbeitet er dann überhaupt als Lehrer? Sollte ich mal einen schicken Gutshof erben, werde ich noch am selben Tag kündigen und den lieben langen Tag meine Kontoauszüge betrachten."

„Das sagt man so. Allein auf so einem Gut ist es doch mehr als öde. Ich glaube, von Feldhausen liebt die Sprachen, die er studiert hat. Er wollte auch ursprünglich an der Uni arbeiten, an der er promoviert wurde, aber die Verantwortung für das elterliche Anwesen hat ihn dann doch zurück in die Heimat getrieben. Und dort blieb nur die Schule, um nicht ganz einzurosten."

„Ein interessanter Bursche", bemerkte ich, „Intellekt, viel Geld, Pferde, ein netter Titel – eine wirklich gute Partie."

„Allerdings!" setzte Alexa hinzu und grinste. „Und mehr noch: er hat sogar ein gutes Benehmen. Er ist bei jedem Impftermin pünktlich im Stall."

So gerügt, beschäftigte ich mich lieber mit meinem Fleischspieß, als mich weiter in dieses Thema zu vertiefen. Es war Alexa, die das Thema wieder aufgriff. „Dr. von Feldhausen ist übrigens nicht der einzige Ihrer zukünftigen Kollegen, den ich kenne. Vor ein paar Tagen wurde ich zu einem Hausbesuch bei Mutter und Tochter Erkens geschickt. Sagt Ihnen der Name etwas?"

„Ich habe Frau Erkens erst einmal kurz gesehen, aber schon häufiger von ihr gehört."

„Auf jeden Fall führen die beiden Damen ein sehr seltsames Zusammenleben. Die Tochter hat nichts zu lachen, weil sie unter dem Pantoffel ihrer Mutter vegetiert. Die Katze übrigens auch nicht. Sie sollte nach Mutterns Ansicht eingeschläfert werden. Kurz vor meiner Flucht aus diesem schaurigen Haus hat mich die Tochter dann doch noch abgefangen und der Katze zu einer Operation verholfen. Ein merkwürdiges Paar."

Ich schmunzelte. „Allerdings. An meiner zukünftigen Arbeitsstätte scheint es einige skurrile Gestalten zu geben."

Alexa hob ihr Glas. „Aller Voraussicht nach gibt es ja demnächst noch eine mehr."

Skurril. Konnte man dem irgend etwas Positives abgewinnen? Auf dem Weg zur Schule durchdachte ich jeden Satz, jedes Wort, das Alexa Schnittler eben gesagt hatte. Hatte sie sich nicht an einer Stelle negativ über Rheinländer geäußert? Auf jeden Fall hatte sie sich gut amüsiert. Sie hatte mehrmals gelacht und nur zweimal kurz auf die Uhr geguckt. Ich mußte grinsen. Wenn Robert mich so sehen würde! Als fürsorglicher Freund hatte er mir nach Angie Beziehungsverbot erteilt und ausschließlich Kontakt zu den Schulschwestern gestattet. Wie kam es, daß ich mich schon nach etwa zweieinhalb Sekunden in diese Frau verliebt hatte, damals im *Quatsch*? Sonst war das nicht gerade meine Art. Allein der Gedanke an sie, an Alexa, jagte alle meine Organe in meinem Inneren durcheinander. Ich seufzte. Schließlich hatte ich etwas Erfahrung. Wahrscheinlich war ich nicht der einzige Mann auf der Welt, der Alexa Schnittler für unwiderstehlich hielt. Vermutlich saß sie gerade jetzt in der Tierarztpraxis vor einem gerahmten Foto ihres Auserwählten. Vielleicht war es sogar dieser Schnösel, mit dem ich sie in der Kneipe gesehen hatte. *Skurril.* Ob das ein Scherz war? Oder fand sie mich wirklich skurril? Wollte ich skurril sein? Mein Gott, ich war wirklich ziemlich durch den Wind. Aber immerhin hatte mein Auto seinen Weg zur Schule gefunden. Ich parkte auf dem Lehrerparkplatz und schaute hämisch, ob HeSieda irgendwo lauerte. Als ich auf den Haupteingang zuschlenderte, kam ich an einem kleinen Lieferwagen vorbei. Ein Mann räumte im hinteren Teil des Wagens herum. Als er seinen Kopf zur Tür herausstreckte, erschrak ich fast. Der Buchhändler. Er lächelte mich freundlich an.

„Na, Herr Jakobs, können Sie es gar nicht abwarten, bis der Unterricht endlich beginnt?" Mir fiel keine intelligente Antwort ein, und ich versuchte, mit einem kurzen Nicken vorbeizugehen.

„Es würde Ihnen doch sicher nichts ausmachen, wenn –", der Buchhändler kramte weiter in seinem Lieferwagen herum, „wenn Sie diesen Karton im Lehrerzimmer auf Herrn Sondermanns Platz stellen würden?"

Die Frage war keine wirkliche Frage. Der Buchhändler drückte mir das Paket in den Arm, schlug die Tür zu und ging freundlich winkend zur Fahrertür. „Mit den besten Grüßen!"

Ich bekam den Mund erst wieder zu, als er mir beim Zurücksetzen zuwinkte. Bei der Gelegenheit sah ich die Aufschrift, die am Wagen angebracht war. *Gustav Radebach. Buchhandlung.* Radebach, natürlich. Jetzt wußte ich, warum mir das Gesicht bekannt vorgekommen war. Ich hatte es mit dem Bruder des stellvertretenden Direktors zu tun gehabt. Ich nahm das Paket und machte mich auf den Weg zum Lehrerzimmer. Mir diesen Brocken in die Hand zu drücken! Und dann noch für meinen speziellen Freund HeSieda! Das wurde ja immer schöner. Der Buchhändler hatte es einfach raus, und das verschmitzte Grinsen zwischen seinen Ohren war mir natürlich nicht entgangen.. Eins zu null für ihn, aber ich würde mich revanchieren! Grummelnd stapfte ich am Sekretariat vorbei in Richtung Lehrerzimmer.

„Herr Jakobs, Sie sind das! Ich dachte schon, die Möbelpacker wären unterwegs." Ich schaffte es, einen Blick über den Karton zu werfen. Allerdings ließ schon das nun einsetzende helle Lachen keinen Zweifel daran, daß ich es mit Schwester Dorothea zu tun hatte. Wie ein Leuchtturm stand die großgewachsene Schwester vor mir und schien auf ein Schwätzchen aus zu sein.

„Haben Sie es denn noch nicht gehört?" überkam es mich. „Ich beziehe ein Zimmer im Schwesterntrakt."

Das saß. Schwester Dorothea blieb vor Erstaunen der Mund offenstehen, so daß ich an ihr vorbei meinen Weg zum Lehrerzimmer fortsetzen konnte. Ich schob mich rückwärts durch die Holztür und ließ den Karton dann wutschnaubend auf einen Tisch fallen. Ich schaute mich um. Woher sollte ich wissen, wo HeSiedas Platz war? In sein Fach würde ich diese Sendung wohl kaum hineinquetschen können. Nun, irgendwann würde schon jemand auftauchen und mir helfen.

Indessen machte ich mich auf die Suche nach einer Liste der Geschichtskarten. Schließlich mußte ich den Kids der zehnten Klasse zeigen, welche Gebiete Deutschland durch den Versailler Vertrag verloren hatte. Leo hatte mir beschrieben, daß alles Nötige in der obersten Schublade am Sideboard zu finden sei. Unter einer Kakaobestellung fand ich tatsächlich die Landkartenliste. Daneben lag der Schlüssel des Kartenraums. *Raum U 02* stand auf dem Schlüsselanhänger. Ich nahm beides und machte mich auf die Suche nach Raum U 02. Ich fand ihn im Keller des Hauptgebäudes, genau wie Leo es beschrieben hatte. Nachdem ich aufgeschlossen hatte, tastete ich vergeblich nach dem Lichtschalter. Kein Wunder. Er war außen, an der Flurwand, angebracht. Endlich wurde es hell im Inneren. Zumindest warfen zwei Glühbirnen ihr spärliches Licht auf einen großen Kellerraum, der mit einer Vielzahl von Ständern vollgestellt war, die wiederum eine Unmenge von Karten beherbergten. Ich wettete hundert zu eins, daß zumindest in diesem Teil der Schule kein durchschaubares System ausfindig zu machen war. Seufzend ließ ich mich auf einen staubigen Holzstuhl fallen und blätterte die Liste durch. Es muß mindestens eine Stunde gedauert haben, bis ich eine Karte mit dem Titel „Weimarer Zeit" in der hintersten Ecke gefunden hatte. Natürlich war das Objekt meiner Begierde bei weitem nicht so übersichtlich, wie ich es mir erhofft hatte. Ich war gerade dabei, es wieder zu verstauen, als das Licht ausging. Der Raum war stockduster. Mich beschlich auf der Stelle eine leichte Panik. Ob jemand mit mir im Raum war? Ich lauschte. Nichts. Dennoch rechnete ich fest damit, daß mir im nächsten Moment eine Weltkarte auf den Kopf gedonnert würde. Hatte man es auf mich abgesehen? Bruno Langensiep schoß mir durch den Kopf. Vielleicht gab es irgendeine psychopathische Gestalt in dieser Schule, die es speziell auf Lehrer mit meiner Fächerkombination abgesehen hatte. Wahrscheinlich ein Kindheitstrauma. Der Sproß einer übermächtigen Mutter, die

Deutsch und Geschichte unterrichtet und in ihrer Freizeit das eigene Kind damit gequält hatte. Kein Wunder, daß man zum Mörder wurde, wenn man eine solche Kindheit hinter sich hatte. Ich nahm mich zusammen. Meine überdrehte Phantasie ging schon wieder mit mir durch. Immer noch umgab mich totale Finsternis. Plötzlich hörte ich, daß sich langsam Schritte entfernten. Dies war der Moment, wo ich hätte um Hilfe schreien müssen. Ich tat nichts dergleichen. Lieber drei Wochen allein und ohne Essen in der Finsternis hocken, als dem gepeinigten, inzwischen erwachsenen Deutsch- und Geschichtspsychopathen begegnen! Unter der Tür nahm ich einen kleinen Lichtstreifen wahr. Im Flur war also noch das Licht an. Schließlich hörte ich eine Tür ins Schloß fallen, wahrscheinlich die Tür, die ins Erdgeschoß führte. Der Übeltäter war also fürs erste verschwunden, es sei denn, er hätte mich durch einen hinterlistigen Trick getäuscht. Ich blendete sämtliche schaurigen Szenen aus, die in meinem Kopf herumschwirrten, und versuchte, mich in Richtung Lichtstreifen in Bewegung zu setzen.

Der Schlag vor den Kopf war heftig. Panisch hielt ich die Arme vors Gesicht, um alles Weitere abzuwehren. War der Peiniger doch noch im Raum? Mir schoß Bruno Langensiep in den Sinn. Hatte es sich herumgesprochen, daß Leo und ich seinen Tod untersuchten? Womöglich hatte Leo schon Staub aufgewirbelt, und ich mußte es jetzt ausbaden. Während ich mir noch die Hand vor das Auge preßte, um den pochenden Schmerz zu überspielen, wurde mir bewußt, daß ich lediglich vor einen dämlichen Kartenständer gelaufen war. Meine Phantasie war mit mir durchgegangen! Man hatte mir bestenfalls einen bösen Streich gespielt! Ich fluchte leise vor mich hin und überlegte mir dann, daß der Weg zur Tür auf allen Vieren sicherer war. Tatsächlich brauchte ich nur eine einzige Bücherkiste zu übersteigen und diverse Staubbüschel wegzuwischen, bevor ich den Lichtstrahl unter der Tür erreichte. Die Tür ließ sich zum Glück öffnen. Ich war also bei allem Unglück nicht eingeschlossen worden. Schwitzend und immer noch mit einem pulsierenden Schmerz in der Schläfe stieg ich die Stufen zum Erdgeschoß hinauf. Nirgendwo war eine Menschenseele zu sehen. Ich machte mir nicht die Mühe, den Staub von meinen Kleidern abzuklopfen, sondern stapfte wutentbrannt weiter nach oben und auf das Lehrerzimmer zu. Ich pfefferte die Tür auf und blickte in die zornigen Augen meines alten Bekannten HeSieda.

„Herr Jakobs, wie schön, Sie zu sehen!" Sondermann kochte fast über vor Wut. „Können Sie mir bitte erklären, warum diese Büchersendung, die eigens für mich geliefert wurde, auf diesem Platz steht, so als wäre der Inhalt für jedermann zugänglich?" Ich traute meinen Ohren nicht.

„Wie mir Herr Radebach vor zwei Minuten am Telefon versicherte, hat er die Sendung vertrauensselig in Ihre Hände gegeben, ohne zu ahnen, daß sie in der Mülltonne sicherer aufgehoben wäre."

„Soll ich Ihnen mal was sagen?" Meine Stimme stand hinter Sondermanns Ausbruch nicht zurück. „Seitdem ich hier bin, habe ich nicht –"

„Herr Jakobs, was ist denn mit Ihnen los?" Eine besorgte Schwester Dorothea steuerte von der Seitentür auf mich zu und verhinderte alle verbalen Tiefschläge.

„Sie haben sich doch nicht etwa verletzt?" Besorgt musterte sie mein Gesicht.

„Verletzt?" Ich nahm mich zusammen. „Keineswegs. Es hat mir nichts ausgemacht, für meinen lieben Kollegen Sondermann ein Bücherpaket heraufzuschleppen. Noch weniger hat es mich gestört, daß mich irgendwer in der Dunkelheit des Kartenraums zurückgelassen hat, was zu einer unliebsamen Begegnung mit einem Kartenständer führte."

Sondermann starrte mich feindselig an, Schwester Dorothea war das blanke Entsetzen.

„Sie waren im Kartenraum? Aber warum haben Sie denn nichts gesagt?" Ihr war diesmal gar nicht nach Kichern zumute. Statt dessen blickte sie mich halb verständnislos, halb besorgt an.

„Wollen Sie damit etwa sagen, daß *Sie* das Licht ausgeschaltet haben?" Dorothea ging zur Verteidigung über.

„Ich dachte natürlich, daß wieder jemand das Licht einfach angelassen hat. Das passiert ja schließlich dauernd hier."

„Aber warum haben Sie sich nicht wenigstens rückversichert?" Ich war der Verzweiflung nahe, während mein Auge pochte.

„Nun, ich nahm an, wenn sich keiner lautstark meldete, würde auch niemand im Raum sein. Das ist doch naheliegend, oder?"

Ich dachte an meine Horrorphantasien. „Ja, vielleicht. Aber was Sie angeht", ich wandte mich an Sondermann, „ich werde Ihnen die Rechnung über den Zustellservice schriftlich zukommen lassen!" Mit diesen Worten wandte ich mich zum Gehen. Schwester Dorothea kicherte leise und schloß sich mir an.

„Dann ziehen Sie wohl doch nicht bei uns ein, was?"

„Um Gottes willen, meinen Sie, ich möchte in Zukunft noch öfter hier im Dunkeln sitzen?"

Schwester Dorothea kam richtig in Fahrt, während sie mit mir die Treppen hinabstieg. „Eigentlich schade. Sie hätten sicher frischen Wind in unsere Abteilung gebracht." Dorothea gluckste in der mir schon bekannten Weise, während ich dem Ausgang zusteuerte. „Aber vielleicht überlegen Sie es sich ja noch anders. Bis dahin ein schönes Osterfest!"

17

Die Ostertage verbrachte ich bei meinen Eltern in dem kleinen Dörfchen an der holländischen Grenze, in dem ich aufgewachsen bin. Ich war schon einige Monate nicht zu Hause gewesen und wurde sehnlichst erwartet. Wegen der täglich wechselnden Farbschattierungen an meinem Auge wurde ich ausreichend bemitleidet. Zum Ausgleich mähte ich den elterlichen Rasen.

In Gedanken war ich häufig bei Alexa, die über die Feiertage Bereitschaftsdienst schieben mußte. Ich war vor meiner Abfahrt noch einmal mit ihr spazieren gewesen. Wir waren durch Wiesen und Wälder gewandert, und Alexa war für mich ein Teil dieser Gegend, des Sauerlandes, geworden. Jeder Moment, den ich mit ihr verbracht hatte, jedes Wort, das wir gewechselt hatten, hatte mich ihr näher gebracht. Es war daher kein Wunder, daß ich während der ganzen Ostertage nur darauf wartete, sie wiederzusehen.

Am Ostermontagabend endlich brach ich auf und kam spätabends im Sauerland an. Ich überlegte, ob ich mich noch bei Alexa melden konnte, entschied mich dann aber dagegen. Unsere Bekanntschaft war noch zu frisch, um allzeit und ohne Grund anrufen zu können.

Am nächsten Morgen wurde um acht bei mir Sturm geschellt. Ich drückte auf den Türdrücker – eine Sprechanlage war leider nicht vorhanden – und überlegte krampfhaft, was ich mir schnell überziehen konnte. Mangels passender Alternativen griff ich nach einer Wolldecke, die ich mir wurstartig umlegte, als auch schon Leo Brussner gutgelaunt, tatendurstig und fröhlich die Treppe heraufeilte. Seine ganze Person stellte das genaue Gegenteil von mir selbst dar.

„Guten Morgen!" rief er mir in einer zu hohen Tonlage entgegen. Er schwenkte eine Papiertüte. „Ich habe Brötchen mitgebracht."

„Konntest du die nicht vor die Tür legen?"

„Sei nicht so träge. Ich muß dir etwas erzählen, es geht um unsere Ermittlungen."

„Oh nein, verschwinde!" Ich versuchte, ihm den Weg in die Wohnung zu versperren. Leo ignorierte mein Bemühen, drängte sich an mir vorbei und beäugte dabei meine gewagte Umhüllung.

„Betätigst du dich hobbymäßig als Exhibitionist oder stehst du auf römische Gelage?" Mir entrann nur noch ein Stöhnen.

„Hier, die Zeitung habe ich dir auch mitgebracht. Soll ich schon mal Kaffee machen?" Ich gab mich geschlagen und machte mich auf den Weg ins Bad. Noch unter der Dusche mußte ich mir durch die offene Badezimmertür Leos hyperaktive Bemerkungen anhören.

„Du solltest dich schon mal an das frühe Aufstehen gewöhnen. In genau sechs Tagen beginnt der graue Schulalltag, und wie Roswitha Breding mir gestern am Telefon erzählte, hat Radebach dir bereits einen Stundenplan gemacht. Er liegt in deinem Fach im Lehrerzimmer."

„Warum stöbert Roswitha Breding in meinem Fach herum?" Die Frage war mir eine Unterbrechung beim Duschen wert.

„Schwester Wulfhilde ist wieder da, und die packt grundsätzlich die richtigen Unterlagen in die falschen Fächer. Wenn man mal auf etwas Bestimmtes wartet, lohnt es sich immer, auch die umliegenden Fächer grob in Augenschein zu nehmen. Dein Fach liegt direkt unter Roswithas, sie wird also auch weiterhin einen guten Überblick behalten."

„Ist ja reizend", brummte ich, während ich mich abtrocknete. „Liebesbriefe sollte man also besser nicht dort hinterlegen lassen?"

„Oh!" Leo wurde neugierig. „Hast du da Ambitionen?"

„Quatsch!" Ich lief durch den Flur an Leo vorbei, um mich anzuziehen.

„Ich dachte schon! Hätte den Alltagstrott endlich mal belebt, wenn du eine aufregende Liaison mit Gisela Erkens eingegangen wärst."

„Wie kommst du denn auf die?" Ich streckte meinen stirn-gerunzelten Kopf aus meinem Schlafzimmer heraus, während ich in meine Jeans schlüpfte.

„Eine unserer wenigen unverheirateten Lehrerinnen. Aber ein bißchen zu alt für dich. Wie wär's statt dessen mit Annette Brinkschulte?"

„Kenne ich nicht!"

„Ist auch besser so! Die labert einem den ganzen Tag die Hucke voll. Bio und Erdkunde."

„Ehrlich gesagt habe ich auch keinerlei Interesse an einer Verkupplung." Ich trottete halbwegs angezogen in die Küche.

„Hast du eine Freundin in Köln?" Leo tat, als blättere er nebenbei in der Zeitung, doch man sah ihm seine Neugier an der Nasenspitze an, die immerhin einige Zentimeter zu weit herausragte.

„Nicht mehr." Leo schaute kurz hoch und merkte wohl, daß er nicht weiterfragen sollte. Statt dessen packte er die Brötchen aus.

Angie. Warum hatte Leo bloß danach gefragt. Damals, als Angie sich derart über meine Sauerland-Entscheidung aufge-regt hatte, hatte ich zunächst den Abend verstreichen lassen und sie dann am nächsten Tag im Studio abgeholt. Bei dieser Begegnung war sie ganz ruhig, aber sehr distanziert gewesen. Ich wollte mit ihr nach Hause gehen, aber sie zog ein gemein-sames Abendessen vor. Als wir uns endlich bei unserem Lieblingsitaliener niedergelassen hatten, hatte ich das Wort ergriffen.

„Angie, laß uns nochmal in Ruhe über alles reden. Wenn du eine berufliche Chance bei einem anderen Sender in einer anderen Stadt bekämest, wäre das doch auch nicht das Ende." Ich hatte über den Tisch hinweg Angies Hand gestreichelt.

„Sicher."

„Laß mich die Sache doch einfach mal austesten. Ich –"

„Vincent. Ich glaube, ich bin nicht ganz fair gewesen." Der Ton in ihrer Stimme hatte mein Herz in die Magengegend rutschen lassen. Ich kannte diesen Tonfall. Ich kannte ihn von

Moni, als sie sich vor etlichen Jahren von mir verabschiedet hatte. Ich kannte ihn von mir selbst bei verschiedenen Gelegenheiten. Alle Trennungsgespräche meines Lebens steckten in diesem Ton, in diesem Satz, den Angie gerade gesagt hatte. Mir war flau gewesen, und ich hatte das Folgende wie durch einen Lautsprecher gehört.

„Als ich von deiner Entscheidung hörte, diese Lehrerstelle anzunehmen, war das für mich nur ein schmerzhafter Auslöser, um mit dir über Trennung zu sprechen."

Warum? Warum so plötzlich? Ich wollte es wissen, aber ein Kloß steckte in meinem Hals, und ich kriegte kein Wort heraus.

„In unserer Beziehung ist ein Stillstand eingetreten. Klar, es ist nett, wenn wir zusammen sind. Aber es fehlt etwas. Mir fehlt etwas, das am Anfang da war."

Was? Ich wollte es wissen, aber andererseits war mir klar, daß in diesem Stadium jede Diskussion sinnlos war.

„Sag du doch auch mal was!" Angies Stimme klang erstickt.

„Ich – ich kann es einfach nicht fassen. Ich – Warum?"

„Vincent. Du hast es doch auch gemerkt. Es war der Wurm drin. Wir haben uns immer gefreut, wenn der andere mal eine Zeitlang weg war, wenn man etwas allein für sich hatte. Das ist nicht normal. Wir brauchen unsere Freiheit wieder."

„Aber –" Ich wußte, daß jedes „aber" überflüssig war.

„Wenn du mich fragst, sollten wir eine Zeitlang Abstand voneinander gewinnen." Oh, wie haßte ich diese Sprüche.

„Dein Umzug gibt uns die richtige Gelegenheit dazu." Angies Worte klangen gequält, als hätte sie sie auswendig gelernt und müßte sie jetzt nur noch aufsagen. Nur noch dieses eine Mal.

„Ich glaube", Angie stocherte mit der Gabel herum, dann schaute sie mich an, „ich glaube, wir sind sehr verschieden."

„Ja, ich weiß." Meine Stimme erstarb. Wir aßen nicht weiter, sondern bezahlten stumm. Das Schlimmste kam noch. Ich wußte es. Draußen.

„Ja dann." Angie litt wie ich. In diesem Moment litt sie genauso wie ich.

„Angie." Ich streichelte ihre Wange, und sie schmiegte ihren Kopf in meine Hand.

„Mach's gut." Die Tränen traten uns in die Augen. „Wir hören voneinander."

„Angie?" Ich mußte die Frage stellen. „Gibt es da einen anderen Mann?" Sie schaute mich durch ein paar Tränen an.

„Ich weiß es nicht." Sie strich mir über den Arm und ging. Aber ich, ich wußte es. Ich wußte es ganz genau.

„Vincent. Vincent!" Ich schreckte hoch. „Es tut mir leid, daß ich in alten Wunden rumgerührt habe." Leo Brussner sah mich halb verlegen, halb mitleidvoll an.

„Schon gut! Ich bin nur etwas abgerutscht. Jetzt schieß los! Was wolltest du mir erzählen? Hast du das Programmheft vom Bochumer Schauspielhaus mitgebracht?"

Ich wollte es haben, um eventuell eine Theaterfahrt für meinen Elferkurs zu organisieren.

„Oh, das habe ich ganz vergessen." Leo war etwa eine halbe Sekunde lang betreten. „Aber ich habe etwas wirklich Neues." Schon war seine Begeisterung wieder da. „Wie du weißt, habe ich mit Roswitha gesprochen. Und dabei habe ich per Zufall einen echten Knaller aufgedeckt. Sie hat mir nämlich erzählt, daß Doc Feldhausen bei seiner Vernehmung über Langensiep nicht die Wahrheit gesagt hat."

„Mal langsam! Was hat er ausgesagt? Und was weiß Roswitha?"

„Also, Feldhausen ist wie wir alle gefragt worden, wann er Langensiep zum letzten Mal gesehen habe. Der Unfall passierte an einem Sonntag morgen, und zwar genau am siebzehnten Januar. Feldhausen behauptete in meiner Anwesenheit, er habe Langensiep zum letzten Mal am Samstag morgen in der Schule getroffen, wie wir alle. Tatsächlich aber hat Roswitha Langensieps Audi am Samstag abend auf Feldhausens Gutshof gesehen."

„Und warum hat sie nichts gesagt? Ich meine, zur Polizei?"

„Das habe ich sie auch gefragt. Sie wußte überhaupt nicht, was Feldhausen ausgesagt hatte, und war stillschweigend davon ausgegangen, daß er von seinem Treffen am Samstag abend erzählt hat."

„Hm, interessant ist das schon. Wie war denn überhaupt das Verhältnis zwischen Feldhausen und Langensiep?"

„Schwer zu sagen. Sie hatten eigentlich gar nichts miteinander zu tun. Feldhausen ist sowieso ein Einzelgänger, und Langensiep lag für ihn ein paar Klassen zu niedrig. Du weißt ja, Feldhausens Lebensart ist ziemlich exquisit."

„Hast du eine Ahnung, was die beiden trotzdem miteinander zu besprechen hatten?"

„Genaugenommen: nein. Sie hatten unterschiedliche Fächer. Auch sonst waren sie nicht zusammen in einem Ausschuß oder einer Kommission. Feldhausen hält sich aus allem Organisatorischem raus. Er will seinen Unterricht machen und fertig. Auf Kontakt zu Kollegen oder Mitwirkung in irgendwelchen schulischen Gremien legt er keinen Wert."

„Trotzdem gibt es doch unter Kollegen hin und wieder etwas zu besprechen", warf ich ein. „Vielleicht ging es um einen Schüler oder so was."

„Ich bitte dich! Deshalb stattet man doch Samstag abends niemandem einen Besuch ab. Sowas läßt sich in der Schule oder am Telefon regeln."

„Es muß ja irgendeine Erklärung für das Treffen geben. Aber da fällt mir etwas ein. Es muß ja gar nicht zu einem Treffen gekommen sein. Vielleicht hat Langensiep Feldhausen an besagtem Abend gar nicht angetroffen."

„Das ist natürlich möglich. Man müßte Roswitha fragen, ob sie auch Feldhausens Wagen im Hof hat stehen sehen. Der ist ja ziemlich auffällig – ein schwarzes Oldtimermodell von Saab."

„Gehen wir einfach mal davon aus, daß Feldhausen da war", gab ich zu bedenken. „Warum wollte er dann das Treffen verheimlichen? Dieses Treffen besagt ja nicht, daß er irgend etwas mit Langensieps Tod zu tun hat."

„Eben!" stimmte mir Leo zu. „Außerdem besagt die offizielle Version ja sowieso, daß Langensiep durch einen Unfall ums Leben gekommen ist. Wenn von Mord die Rede gewesen wäre, hätte unser guter Doc vielleicht gelogen, um sich gar nicht erst in Verdacht zu bringen, auch wenn er mit der Sache nichts zu tun hatte. So aber ist nicht einsichtig, warum er die Unwahrheit gesagt hat."

„Wir können also festhalten: Entweder hat Feldhausen mit dem Mord zu tun. Oder er hat etwas in seiner Beziehung mit Langensiep zu verheimlichen, das wiederum gar nichts mit dem Tod zu tun hat."

„Da sind wir doch schon mal einen Schritt weiter", freute sich Leo und rieb sich die Hände.

„Tatsächlich? Und wie stellst du dir die weiteren Ermittlungen vor? Willst du zu Feldhausen gehen und ihn fragen, was Langensiep am Samstag abend bei ihm getrieben hat?"

„Ich lasse mir schon was einfallen", sagte Leo mit fröhlicher Stimme, „aber jetzt wird erstmal gefrühstückt."

Ich goß uns beiden Kaffee ein. „Leo, Leo", sagte ich dabei halb in Gedanken, „du darfst eins nicht vergessen: Du mischst dich in die Angelegenheiten von Kollegen ein. Wenn an der Sache nichts dran ist, möchte ich denen an deiner Stelle nicht mehr jeden Morgen über den Weg laufen."

„Und du vergißt auch etwas!" Leo schaute mich durchdringend an. „Ich bin mittlerweile sicher, daß Bruno Langensiep umgebracht worden ist, und die Vorstellung, daß einer unserer lieben Kollegen an unserer christlichen Schule der Mörder sein könnte, behagt mir ganz und gar nicht."

18

Schon am selben Nachmittag besuchte ich Leos christliche Schule erneut. Das Sekretariat hatte mich angerufen, da ich ein paar Angaben zum Arbeitsvertrag machen sollte. Schwester Gertrudis war heute bester Laune und strahlte mich mit ihrem rosigen Gesicht an.

„Oh, wie schön, haben Sie neue Hoffnung im Fall Dortmund geschöpft?" fragte ich beim Eintreten.

„Ach die!" Schwester Gertrudis machte eine abwertende Handbewegung. „Die müssen erstmal ihr Krankenlager wieder flott kriegen. Sonst gewinnen die in dieser Saison doch keinen Blumentopf mehr." Ehrfürchtig lauschte ich Gertrudis' qualifizierten Kommentaren. „Nein, was mich heute so munter stimmt, ist dieses Päckchen." Sie hielt einen geöffneten, wattierten Umschlag in der Hand. „Meine Schwester hat mir ein neues Computerspiel geschickt. Das muß ich gleich erstmal ausprobieren."

Hörte ich recht? Ballerte Schwester Gertrudis in ihren Kaffeepausen Flugzeuge an ihrem Bildschirm ab? Oder gab es vielleicht schwesterngerechte Spielesoftware, bei der man durch ein verwunschenes Labyrinth den Weg zum Allmächtigen finden sollte? Gertrudis ließ mir nicht viel Zeit zum Nachdenken. Sie nahm ein paar persönliche Daten von mir auf und widmete sich dann einer anderen Beschäftigung. Natürlich, sie hatte nicht viel Zeit, wenn sie sich gleich auf ihren spannenden Neuerwerb stürzen wollte. Ich machte mich daher auf den Weg ins Lehrerzimmer, um mir meinen Stundenplan zu holen. In der letzten Ferienwoche war der Betrieb in der Schule deutlich größer als in den ersten beiden Wochen. Hier und da begegnete ich Kollegen, einige davon hatte ich schon auf Roswithas Party kennengelernt, die meisten aber waren mir völlig unbekannt. Es liefen auch schon eine Menge älterer Schüler herum. Leo klärte mich auf, daß die meisten von ihnen sich in der Turnhalle auf ihre Abiturprüfungen in Sport vorbereiteten. Im

Lehrerzimmer stürzte sich zunächst Schwester Wulfhilde auf mich, die nach den Ostertagen aus ihrem Heimaturlaub zurückgekehrt war.

„Herr Jakobs, wie schön, Sie wiederzusehen! Ich hörte, Sie haben bereits eine Wohnung gefunden? Haben Sie sich gut eingelebt?" Ich bekam kaum Zeit für eine Antwort, da Wulfhilde sich jetzt Herrn Sondermann zuwandte, der sich in eine Ecke des großen Raumes verkrümelt hatte.

„Herr Sondermann, wenn Sie so freundlich wären, unserem neuen Kollegen zu erläutern, wie sich seine Stunden zusammensetzen?" Sondermann brummte etwas, und Wulfhilde wandte sich einem älteren Kollegen zu, der brav hinter ihr auf eine Gesprächsgelegenheit gelauert hatte. Langsam wurde mir Schwester Wulfhildes Führungsstil bewußter. Auf ihre freundliche, manchmal abschweifende Art dirigierte sie ihr Kollegium dennoch mit einem Geschick, das jedem Löwenbändiger zur Ehre gereicht hätte.

Sondermann machte sich die Mühe und kam gemächlich zu mir herüber. Belustigt stellte ich fest, daß seine Halbglatze das Licht der Deckenbeleuchtung widerspiegelte.

„Fünfundzwanzig Grundstunden minus eine Stunde Korrektur macht real 24, hinzu eine Olympiastunde, die dann als Überstunde gilt. Alles klar?"

„Natürlich. Alles klar." Ich war mir sicher, daß meine Antwort ausreichend ironisch geklungen hatte, aber Herr Sondermann schien diese Intention nicht ganz mitbekommen zu haben. Er drehte sich um und verschwand wieder in seiner Ecke, wo er in einem Ordner herumblätterte. Ich würde Leo in Kürze mal nach der Auflösung des Stundencodes fragen. Statt dessen vertiefte ich mich erst einmal in meinen Stundenplan. Zweimal hatte ich erst zur zweiten Stunde Unterricht, sonst immer zur ersten. Ich rechnete aus, wann ich dann aufstehen mußte.

„Na, alles klar?" Roswitha Breding stieß mir einen Ellenbogen in die Seite und grinste mich von der Seite freundlich an.

„Ja, ich glaube, ich habe einen ganz guten Stundenplan."

„Na, warte erstmal ab, bis du den Plan für die Pausenaufsicht bekommst. Wenn du Pech hast, macht sich Sondermann ein Späßchen daraus und teilt dich dreimal für die Toraufsicht ein."

Ich schaute Roswitha fragend an. „Wieso? Ist doch angenehm, draußen Aufsicht zu machen. Jedenfalls, wenn gutes Wetter ist."

Roswitha lachte laut auf. „Vor dem Schultor versammeln sich in den Pausen die Oberstufenschüler. Denen darfst du dann hinterherrennen, wenn sie ihre Kippen auf den Boden schmeißen. Außerdem mußt du dafür sorgen, daß die Autos der Kollegen durchgelassen werden. In einigen Fällen lassen sich die Schüler nur mit Hilfe einer Sackkarre zur Seite bewegen." Roswitha seufzte. „Alles in allem gestalten sich die Pausen am Tor so, daß man mehr als froh ist, wenn man endlich in den vergleichsweise gemütlichen Unterricht entfleuchen kann." Rosige Aussichten!

„Ganz was anderes", wechselte ich das Thema, „kannst du mir mal zeigen, wo hier eine Toilette ist?"

„Wenn du rauskommst, die dritte Tür rechts."

Als ich die Toilettentür hinter mir geschlossen hatte, ein geräumiges Ein-Mann-Klo übrigens, nahm ich einen beißenden Geruch von Reinigungsmitteln wahr. Eins war sicher: den deutschen Umweltpreis hatte man beim Reinigen des WCs nicht gerade errungen. Ich mußte mich ordentlich strecken, um das Fensterchen oberhalb der Toilette zu erreichen. Kaum hatte ich jedoch den Rahmen nach hinten geschoben, da hörte ich aufgebrachte Stimmen, offenbar aus dem Nachbarzimmer, wo das Fenster auch geöffnet sein mußte. Ich rechtfertigte mich vor mir damit, daß ich frische Luft schnappen wollte. Ich stieg auf den Toilettendeckel und streckte mein Ohr so weit wie möglich nach draußen.

„Sie haben jedesmal am Stundenplan mitgearbeitet, und ich sehe keinerlei Veranlassung, daß das in Zukunft anders sein sollte." Eine Frauenstimme schien da Überzeugungsarbeit leisten zu wollen.

„Meine Antwort bleibt: nein!" Diese Stimme war mir allerdings bekannt. Der liebe Herr Sondermann, der mir eben erst eine gar lehrreiche Lektion zum Thema Stundenverteilung erteilt hatte.

„Herr Sondermann, Sie haben in diesem Bereich immer hervorragende Arbeit geleistet. Ich kann einfach nicht verstehen –"

„Jetzt reicht's mir aber!" HeSieda schien wieder einmal einen cholerischen Anfall zu bekommen. Zum ersten Mal dachte ich an die armen Schüler, die diesem Lehrer ausgeliefert waren.

„Hören Sie doch auf mit diesem Gequatsche! Warum machen Sie nicht den gesamten Stundenplan alleine, Frau Studiendirektorin?" Die Frau im Ring schien Frau Erkens zu sein.

„Herr Sondermann, Sie sind ein schlechter Verlierer. Warum können Sie sich nicht damit abfinden, daß ich die Beförderungsstelle bekommen werde? Schließlich –"

„Warum? Das kann ich Ihnen sagen! Weil ich mich seit Jahren abstrampele in diesem Laden! Und wofür? Für einen warmen Händedruck. Statt dessen befördert man Sie, die Sie nicht die geringste Ahnung haben, wie man einen Computer auch nur anstellt, geschweige denn sich in einem Stundenplanprogramm zurechtfindet."

„Unterstehen Sie sich!" Frau Erkens kam jetzt auch in Fahrt. „Was bilden Sie sich eigentlich ein? Meinen Sie, Sie sind der einzige, der für diese Schule etwas tut? Wenn ich die Stunden zusammenrechnen würde, die ich freiwillig hier zugebracht habe, um die Oberstufenkoordination zu organisieren, würden Sie blaß werden. Oder haben Sie auch nur ein einziges Mal das Informationsgespräch für die elfte Jahrgangsstufe in die Hand genommen?"

„Hören Sie mir bloß damit auf! Das ist nichts gegen die Aufnahmegespräche für Neuzugänge. Ich glaube nicht, daß Sie, wie ich, an jedem Tag dabei waren!"

„Oh ja, wie recht Sie haben!", Frau Erkens Stimme bekam eine Schärfe, die mir Angst machte, „Ich war nicht jeden Tag von morgens bis abends dabei, weil es mich anekelt ansehen zu müssen, wie bestimmte Leute alles tun, um sich bei der Schulleitung ins rechte Licht zu rücken. Das ist ja abstoßend! Ich suche meine Aufgaben lieber in weniger aufsehenerregenden Bereichen, aber im Vergleich mit Ihnen leiste ich für diese Schule ein Mehrfaches." Die folgende kurze Gesprächspause überraschte mich. Ich hatte von Sondermann jetzt einen Frontalfaustschlag erwartet.

„Ich will Ihnen nur eins sagen!" Es kostete Sondermann hörbar Kraft, ruhig zu sprechen. „Sie werden in dieser Position nicht glücklich werden, solange ich in diesem Haus arbeite. Darauf können Sie sich verlassen! Und jetzt stecken Sie sich Ihren Stundenplan an den Hut! Suchen Sie sich doch einen anderen Dummen, der für Sie die Arbeit macht!" Eine Sekunde später hörte ich, wie die Tür zugeschlagen wurde. Der Kampf war also fürs erste vorbei. Ich atmete tief durch, verrichtete nun endlich, was man auf Toiletten so tut, und ging zurück ins Lehrerzimmer. Sondermann war nirgends zu sehen, aber Frau Erkens erschien kurz nach mir im Lehrerzimmer. Ihr strenger Gesichtsausdruck war noch ein wenig verbissener geworden, und sie war entschieden blasser als sonst. Ohne mich wahrzunehmen, ging sie an mir vorbei auf einen jungen Mann zu. In ein Papier vertieft, näherte ich mich den beiden unauffällig.

„Zwei neue Drucker könnten wir natürlich gut gebrauchen. Es wäre immerhin ein Anfang, um den Computerpool aufzurüsten", hörte ich den jungen Kollegen sagen. „Ich werde gleich morgen ein paar Angebote einholen. Dann können wir die Sache vielleicht noch vor Schulbeginn über die Bühne bringen."

„Das wäre schön! Ach, und dann wäre da noch etwas, Herr Reinke! Ich brauche da etwas Unterstützung bezüglich des Stundenplanprogramms. Sie wissen ja, da blickt im Grunde kaum ein Mensch durch. Könnten wir da vielleicht mal einen Termin vereinbaren?" Herr Reinke zückte bereitwillig seinen Lehrerkalender und handelte mit Frau Erkens einen Tag aus. Mann oh Mann, dachte ich. Frau Erkens sollte man nicht unterschätzen. Ihre Fähigkeit zu taktieren war nicht übel. Im selben Moment klopfte mir jemand auf die Schulter.

„Hunger auf Griechisch?" Leo suchte jemanden, der mit ihm essen ging.

„Nach Essen ist mir eigentlich gar nicht zumute", murmelte ich, „ich muß wohl eher etwas verdauen."

Im Auto erzählte ich von meinem Toilettenerlebnis.

„Puh, das sitzt aber tief bei denen!" meinte Leo. „Das hätte selbst ich nicht gedacht."

„Das kannst du aber laut sagen! Ich dachte schon, die schlagen sich gleich die Köpfe ein."

Leo blickte mich plötzlich aus großen Augen an.

„Guck lieber nach vorne!" murmelte ich. „Meine Schönheit ist keinen Unfall wert." Leos Fahrkünste waren mir schon dann nicht geheuer, wenn er einen optimalen Blick auf das Straßengeschehen hatte.

„Weißt du eigentlich, was du da eben gesagt hast? Das ist ein Motiv. Die beiden haben ein Motiv!" Leo bekam vor lauter Aufregung das Autofahren kaum mehr geregelt.

„Sowohl Erkens als auch Sondermann waren scharf auf Langensieps Stelle. Sie hätten beide Grund gehabt, ihn umzubringen."

„Ist das dein Ernst?" Zum Glück hielt Leo den Wagen jetzt auf dem Parkplatz vor dem Restaurant an, so daß ich nicht weiterhin einen Teil meiner grauen Zellen dem Aufsetzen eines originellen Grabspruchs widmen mußte. „Du glaubst doch wohl nicht im Ernst, daß man für eine Beförderung mit zweiMarkfünfzig mehr im Monat jemanden um die Ecke bringt?"

Leo schaute mich unwillig an. „Erstens", er konnte jetzt zu seiner Freude zum Argumentieren beide Arme benutzen, „es handelt sich nicht um zweiMarkfünfzig mehr im Monat, sondern, soviel ich weiß, um etwa sechshundert mehr plus Sonderzuschläge. Das Geld ist nicht zu verachten, vor allem wenn man sich wie Sondermann eine Villa hingesetzt hat, die eigentlich ein paar Nummern zu groß für ihn ist. Zweitens: Bei beiden geht es bei der Beförderung um mehr als um die Knete. Es geht um den Titel, und es geht um die Machtposition in der Schule. Drittens ist eine Studiendirektorenstelle ein Sprungbrett, wenn man an einer anderen Schule noch Karriere machen will. Vielleicht sah sich einer von beiden ja schon als Schulleiter eines anderen Gymnasiums."

Zwei Tage vorher hätte ich Leo wie schon so oft zur Besinnung gerufen. Aber nach dem, was ich auf der Toilette hatte mitanhören müssen, war ich mir nicht mehr so sicher, daß es sich um absoluten Schwachsinn handelte.

„Mir fällt noch etwas ein", Leo unterbrach mein Grübeln. „Bernhard Sondermann hat eine Professorentochter geheiratet. Man munkelt, daß seine Gattin ihn immer schwer unter Druck gesetzt hat, sich beruflich zu verbessern. Schon als Radebach stellvertretender Direktor geworden ist und nicht er, soll Sondermann zu Hause die Essensration gekürzt worden sein. Sondermann wollte seiner Frau und deren Familie auf jeden Fall etwas beweisen. Vielleicht hat er dabei etwas nachgeholfen. Und was die Erkens angeht, die mußte sich selbst etwas beweisen. Die hat ja nichts außer der Schule."

Ich dachte an das, was Alexa mir von ihrem Besuch bei Mutter und Tochter Erkens erzählt hatte.

„Weißt du, was mir nicht einleuchtet?" warf ich ein. „Sowohl Sondermann als auch Erkens konnten doch nicht sicher sein, daß sie Langensieps Stelle bekommen würden. Es war doch klar, daß zwei oder noch mehr Bewerber zu Felde rücken würden."

„Das sollte man denken", sagte Leo nachdenklich, „aber nach allem, was du mir eben über ihren Streit erzählt hast, war sich doch jeder sicher, daß er als einziger Nachfolger von Langensiep in Frage käme. Man hat nicht an die Konkurrenz gedacht, sondern wirklich nur an sich selbst."

„Und wenn es tatsächlich so wäre, wie wir uns hier zusammenspinnen", gab ich zu bedenken, „was könnten wir dann tun? Wenn einer von denen aus blankem Ehrgeiz zum Mörder mutiert wäre, könnten wir es trotzdem nicht beweisen."

19

Leos Vorschläge zur Ausspionierung der „Motivträger", wie er sie nannte, waren ziemlich behämmert, aber mir war selbst nichts Besseres eingefallen, und so war ich machtlos. Zu den Motivträgern gehörten natürlich Erkens und Sondermann sowie Feldhausen. Als ich am Rande erwähnte, daß uns für Feldhausen ja noch gar kein Motiv bekannt sei, teilte Leo mich prompt ein, ein solches zu finden.

„Und wie?" fragte ich wie Watson an der Grenze seiner intellektuellen Fähigkeiten.

Holmes stöhnte. „Du mußt dir halt selbst mal Gedanken machen! Ich kann doch nicht alles übernehmen." Nach dieser Bemerkung wagte ich nicht, weitere dumme Fragen zu stellen, und hoffte auf eine gnädige Eingebung oder darauf, daß Holmes einfach vergessen würde, nach Ergebnissen zu fragen.

Für den nächsten Morgen hatte ich sowieso Wichtigeres geplant und konnte so meinen Auftrag vorerst verdrängen. Alexa hatte einen freien Vormittag, und wir hatten uns zum Badminton verabredet. Nicht, daß ich diese Sportart beherrscht hätte, aber als Alexa mich danach gefragt hatte, hatte ich nicht zugeben wollen, daß ich kaum Erfahrungen aufweisen konnte. Einmal hatte ich mein Glück mit Robert versucht, aber da wir beide die Regeln nicht richtig kannten, hatten wir uns auf ein lockeres Übers-Netz-Ballern beschränkt und uns dabei gut unterhalten. Ich stand deshalb an diesem Morgen früh auf und las in meinem Sportlexikon die Kurzfassung der Badminton-regeln durch, um nicht ganz blöd dazustehen. Ganz frühzeitig machte ich mich auf den Weg zur Halle, die Alexa ausgesucht hatte (jedes Zuspätkommen wäre das Ende unserer zarten Kennenlernversuche gewesen) und lieh mir dort einen Schläger. Während ich mich umzog, ärgerte ich mich, daß ich kein Geld in einen neuen Sportanzug investiert hatte. Die kurze Hose war einfach zu eng geworden. Der erste Versuch, sie anzuziehen, endete jäh über den Knien. Ich verfluchte einmal mehr mein Hinterteil und packte die Hose schamvoll wieder ein. Meine Jogginghose, die ich zum Waldlauf trug, ließ sich zwar locker anziehen, endete aber zu meinem Entsetzen in der Mitte meiner Waden. Sie sah aus, als hätte ich sie zur Erstkommunion geschenkt bekommen. Für meine Sprints mit Leo mochte sie es ja noch tun, aber für mein Treffen mit Alexa hätte ich mir schon etwas Besseres gewünscht. Ich verfluchte meine Waschmaschine, wie ich zuvor meinen Allerwertesten verflucht hatte. Was sollte ich tun? Ich mußte mich mit meiner Knickerbocker-Jogginghose begnügen. Als ich mich auf den Weg zum Court machte, begegnete ich prompt zwei Sportlern, die mit ihrem perfekten Outfit auf mich abstoßend wirkten. Wie konnte man einen solch makellosen Körper besitzen, noch dazu als Mann? Und wenn schon, warum wirkten diese Kerle dann nicht wie zwei hirnlose Muskelprotze, sondern wie Typen, mit denen man wahrscheinlich sogar ein Gespräch führen konnte? Ich ignorierte ihre lässigen Sportklamotten, die zu den gebräunten Beinen einfach grandios wirkten, und marschierte aufs Spielfeld. Alexa war immer noch nicht da, obwohl unsere Spielzeit in zwei Minuten begann. Ich machte ein paar Aufwärmübungen, bis sie plötzlich mit wehenden Haaren in die Halle gerannt kam. Ihre Sportsachen hatte sie schon an, im Laufen zog sie ihre Jacke aus, band sich ein Gummi in die Haare und pfefferte ihre Sporttasche auf die Bank am Rande des Feldes. „Es kann losgehen", rief sie außer Atem und positionierte sich in der Mitte ihrer Hälfte. Ich schaute auf die Uhr an der Hallenwand. Die Genugtuung wollte ich mir nicht nehmen lassen. Ich zeigte stumm nach oben.

„Drei Minuten!" sagte ich grinsend.

„Okay, wir sind quitt, aber jetzt mach endlich!" Der Schwung, mit dem meine Spielpartnerin aufs Feld gelaufen war, setzte sich im Match fort. Nachdem sie mir dreimal den Ball um die Ohren geschlagen hatte und ich lässig ein „Spielen wir uns mal langsam ein!" gerufen hatte, ging es erst richtig los. Alexa war mir haushoch überlegen. Im blinden Bemühen, wenigstens den einen oder anderen Ball zurückzuspielen, wurde ich so hampelig, daß ich nicht mal mehr bei der Angabe den Ball übers Netz brachte.

„Ich bin wohl heute nicht so gut in Form", versuchte ich das Problem nun verbal anzugehen und gleichzeitig eine Verschnaufpause herauszuschinden.

„Mhm." Alexa war unerbittlich und setzte mir bei dieser Antwort einen Stoppball knapp hinters Netz. Zwischenzeitlich fragte ich mich, ob es lächerlich wirkte, daß ich trotz meiner haushohen Unterlegenheit jedem noch so aussichtslosen Ball hinterherrannte. Ich hoffte jedoch, daß ich ihr wenigstens durch meinen Ehrgeiz, wenn schon nicht durch meine Sportlichkeit, imponierte. Das Ganze wurde zu einem schrecklichen Desaster. Ich strengte mich an wie ein balzender Truthahn und mußte doch wirken wie jemand, der im Sportunterricht immer als letzter in die Völkerballmannschaft gewählt wurde. Nach einer Dreiviertelstunde war ich mit Nerven und Kräften am Ende.

„Sollen wir jetzt mal zählen?" Alexas Frage traf mich wie ein Hammer. Ich sank in die Knie.

„Bitte, ich flehe dich an! Verschone mich! Raube mir nicht auch noch mein letztes Quentchen Selbstwertgefühl!"

Alexa lachte laut und kam ans Netz. „Warum hast du denn nicht gleich gesagt, daß du gar nicht spielen kannst?"

„Weil ich kein Versager sein wollte. Weil ich ein sportlicher Held sein möchte. Und weil ich –"

– weil ich dich wiedersehen wollte. Zum Glück hatte ich es nicht ausgesprochen. Wahrscheinlich hätte mich Alexa als echte Sauerländerin gefragt, warum. Sie lachte.

„Sollen wir Schluß machen für heute?" Ich war glücklich. So konnte ich das Debakel beenden, ohne am Ende von Sanitätern vom Platz getragen zu werden. Wir setzten uns auf die Bank und plauderten ein bißchen.

„Was macht die Schule?"

„Der Countdown läuft. Noch fünf Tage bis zum Schulbeginn, aber ich habe bei weitem noch nicht alles geschafft, was ich an

Vorbereitung machen wollte. Ein bißchen habe ich auch noch an meiner neuen Wohnung zu tun – Lampen aufhängen und so. Hast du nicht mal Lust, mich zu besuchen? Kochen kann ich besser als Badminton spielen." Ich lud Alexa für den kommenden Abend ein und fragte auch, ob sie jetzt noch Zeit für ein gemeinsames Mittagessen habe.

„Tut mir leid, ich bin schon verabredet. Aber wir sehen uns ja dann morgen." Wir gingen zum Duschen, getrennt natürlich, und sahen uns nachher im Eingangsbereich. Als wir uns verabschiedeten, roch ich ihre Haare. Sie dufteten nach Bäumen, so meinte ich jedenfalls.

„Bis morgen dann und nicht traurig sein wegen der leichten sportlichen Defizite!"

„Danke, danke." Alexa verschwand nach draußen, und ich nahm das Kribbeln im Bauch deutlich wahr, das ich gespürt hatte, seitdem Alexa die Sporthalle betreten hatte. Morgen würden wir uns wiedersehen. Mein Herz hüpfte und ging mit dem Kribbeln ein harmonisches Duett ein. Ich öffnete die Tür nach draußen. Im selben Moment fuhr ein blauer Wagen mit offenem Verdeck an mir vorbei. Ich traute meinen Augen nicht. Auf dem Beifahrersitz saß Alexa und neben ihr der Typ aus dem Q. Warum all die Gedanken über eine neue Beziehung? Alexa schien glücklich liiert. Wahrscheinlich traf sie sich nur zur Abwechslung mal mit dem ein oder anderen netten Bekannten, um sich von ihm bekochen zu lassen oder ihn im Badminton zu demütigen. Wutentbrannt marschierte ich zu meinem Auto und beschloß, auch in Zukunft ein glückliches Singledasein zu führen.

Zu Hause angekommen, entschied ich, daß ich mich mit dem Fall von Feldhausen befassen wollte, um mich von der Enttäuschung abzulenken. Ich grübelte, wie ich mit dem feinen Aristokraten ins Gespräch kommen könnte. Alle Möglichkeiten schienen mir arg gekünstelt, doch plötzlich fiel mir Regine Langensiep ein. Sie mußte doch wissen, warum ihr Mann bei von Feldhausen gewesen war. Ja, sie mußte es natürlich auch der Polizei mitgeteilt haben. Die hätte dann aber bei Feldhausen nachbohren müssen. Das hieße also: Entweder wußte die Frau des Verstorbenen nichts von dem Treffen oder sie hatte ebenfalls Grund, es zu verschweigen. Die Sache machte mich neugierig, und ich suchte nach einem Vorwand, nochmal bei ihr aufzukreuzen. Ich würde einfach sagen, ich suchte noch nach einem bestimmten Manuskript für den Unterricht. Das würde sie mir schon abnehmen. Anstatt vorher anzurufen, startete ich einen Überraschungsangriff und fuhr unangemeldet zu ihr nach Hause.

Die Frühlingssonne schien ziemlich stark und machte mich zusammen mit der verschmutzten Windschutzscheibe beinahe blind. Das schöne Wetter hatte die Leute nach draußen gelockt. Überall arbeiteten Menschen im Garten, fegten die Straße oder gingen einfach nur spazieren. Die Sonnenstrahlen hatten wohl auch Regine Langensiep verführt. Sie hockte im Vorgarten und hob Erde aus, neben sich einen Strauch, dessen Wurzeln noch in Papier eingewickelt waren. Sie bemerkte mich nicht auf Anhieb, und ich hatte Gelegenheit, sie zu beobachten. Sie wirkte ernst, ja angespannt, als wolle sie die Erde bezwingen, die sie mit ihrem Spaten aushob. Ich sprach sie über das Mäuerchen hinweg an, das den Vorgarten vom Bürgersteig trennte.

„Kann ich Ihnen behilflich sein?" Regine schaute nach oben und sah im ersten Augenblick verstört aus. Dann löste sich ihr Gesicht

„Ach, Sie sind es! Ich möchte diesen Busch einpflanzen, den ich eben in der Baumschule gekauft habe. Ich hätte nie gedacht, daß Mutterboden so hart und schwer sein kann."

Ich kletterte über das Mäuerchen. „Darf ich?"

„Bitte!" Regine reichte mir den Spaten. Der Boden war tatsächlich noch ziemlich hart und außerdem nicht im besten Zustand. Regine Langensiep war sicher nicht die Frau, die ihr Gärtchen alle paar Tage jätete und harkte. Als das Loch groß genug war, rann mir der Schweiß von der Stirn. Ich versenkte die Wurzel in der Erde und füllte dann zusammen mit Regine Torf nach. Als sich unsere Hände dabei flüchtig berührten, schaute ich sie an.

„Entschuldigung!" Sie färbte sich purpurrot.

„Macht doch nichts!" Ich versuchte die Situation zu überspielen. „Was hat Sie denn in den Garten gerufen? Wollen Sie dem Frühling ein Geschenk bereiten?" Meine Frage hätte nicht blöder sein können, aber Regine Langensiep war zu nett, sich das anmerken zu lassen.

„Ja, das kann man so sehen. Außerdem möchte ich das Küchenfenster zuwachsen lassen. Es stört mich, daß Hinz und Kunz zusehen können, wie ich meinen Kaffee koche."

„Das kann ich verstehen."

„Apropos. Soll ich uns einen Kaffee machen?"

„Gern. Ich bin sowieso nicht zufällig vorbeigekommen. Ich bin auf der Suche nach einem von Schülern verfaßten Manuskript eines Theaterstücks, das in meinem Elferkurs gespielt werden soll. Ein Schüler sagte mir, er habe die Endfassung Ihrem Mann gegeben, und die hätte ich ganz gerne – selbstverständlich nur, wenn es Ihnen nichts ausmacht."

„Nein, nein, natürlich nicht. Im Arbeitszimmer herrscht immer noch dasselbe Chaos wie bei Ihrem letzten Besuch. Nehmen Sie sich nur, was Sie benötigen! Am besten gehen Sie gleich hin, und ich mache indes Kaffee." Ich verschwand im Arbeitszimmer und setzte mich an den Schreibtisch, ohne zu wissen, was ich jetzt tun sollte. Die Sachen hatte ich schließlich schon durchgeguckt, und ich hatte keine große Hoffnung, bei einem zweiten Durchgang doch noch etwas Wichtiges zu entdecken. Mein Blick fiel erneut auf das Foto von Regine und Bruno Langensiep. Warum sie wohl keine Kinder hatten? Wollten sie nicht oder hatte es nicht geklappt? War Regine ein Karrieremensch? Hatte sie zugunsten ihres Jobs auf Nachwuchs verzichtet? Nachdem ich das Bild erneut studiert hatte, fiel mein Blick auf den Bilderrahmen, in dem die Aufnahme steckte. Ich hatte ihn für einen kitschigen Goldverschnitt gehalten. Als ich den Rahmen allerdings umdrehte, war eine kleine Gravur auf der Rückseite erkennbar: 585. Das Gewicht paßte dazu. Ich pfiff durch die Zähne. Ein goldener Rahmen in dieser Größe war sicherlich kein Flohmarktschnäppchen.

Auf der Vorderseite entdeckte ich nun in dem verschnörkelten Blätterwerk, das den Rahmen verzierte, eine weitere Gravur in der rechten unteren Ecke. *FuF* stand in geschwungenen Lettern dort. „F und F" kam mir direkt in den Sinn. Vielleicht eine neckische Liebeserklärung? Vielleicht gehörte das *u* aber auch zum *F*. Ich überlegte, aber mir fiel kein Vorname ein, der mit *Fu* begann. Ich mußte mal Regine danach fragen. Ich schaute mir jetzt die übrigen Ziergegenstände im Raum an. Es interessierte mich, mit wieviel Geld mein verstorbener Gastgeber gesegnet gewesen war. Vielleicht lauerte ja doch noch irgendwo ein habgieriger, erbfreudiger Neffe – oder vielleicht sogar ein geheimnisvoller, weil unehelicher Sohn? Die Utensilien im Zimmer waren zwar stilvoll, aber nicht so kostbar wie der Bilderrahmen. Meine Aufmerksamkeit wurde erst wieder durch ein echt silbernes Tablett erregt, auf dem ein paar ausgeschnittene Briefmarken verstreut lagen. Das Tablett war unendlich schwer und daher für seinen eigentlichen Zweck völlig unbrauchbar. Interessanterweise waren auch hier die Initialen *FuF* eingraviert.

„Haben Sie gefunden, was Sie suchten?" Mein Herz rutschte wieder einmal quer an allen spürbaren Organen vorbei. Konnte diese Frau nicht ein einziges Mal mit einer normal menschlichen Lautstärke ein Zimmer betreten? Warum mußte sie immer umherschleichen wie eine Katze? Warum mußte ich auch immer so trottelig herumspionieren, als sei ich auf der Suche nach dem rosaroten Panther?

„Ich kann das Manuskript leider überhaupt nicht finden", jammerte ich, „vor lauter Verzweiflung suche ich schon hier auf dem Seitenregal."

„Ich glaube, in diesem Bereich sind überhaupt keine Schulsachen zu finden", belehrte mich Regine. Sie klopfte auf das Regal. „Hier verwahrte mein Mann ausschließlich private Sachen – Fotoalben, alte Theaterprogrammhefte und so was."

„War Ihr Mann ein Briefmarkensammler?" Ich zeigte auf das Tablett.

„Nein, gar nicht. Wir haben nur für den Nachbarjungen gesammelt. Er holte sich alle paar Wochen ab, was wir für ihn ausgeschnitten hatten."

„Darf ich Sie noch etwas fragen?"

„Bitte! Ob ich antworte, kann ich mir ja dann immer noch überlegen."

„Beginnt Ihr Mädchenname mit F?"

Regine schaute mich verdutzt an. „Mein Mädchenname? Wie kommen Sie darauf?" Sie stotterte herum „Ich bin eine geborene Seidenbach."

„Ich bin nur auf die Idee gekommen, weil die Initialen *FuF* an mehreren sehr schönen Gegenständen zu finden sind: hier auf dem Tablett und dort auf dem Bilderrahmen."

„Die Sachen gehören meinem Mann." Regine Langensieps Stimme klang plötzlich sehr hart. „Ich schätze, er hat sie bei einem Antiquitätenhändler gekauft. Vielleicht sind sie aus einem Haushalt, der als Ganzes aufgelöst wurde."

„Ja, das ist gut möglich." Ich wollte nicht weiter auf der Sache herumreiten. Sie schien Regine emotional anzurühren. Sie war plötzlich kühl und unnahbar, noch unnahbarer als sie ohnehin schon wirkte. Vielleicht hatte ihr Mann die Sachen ohne ihr Mitwissen gekauft, und sie hatte sich über die unnötigen Ausgaben geärgert. So etwas sollte ja in den besten Ehen vorkommen.

„Was das Manuskript angeht", versuchte ich mich mit einem anderen Thema, „muß ich die Hoffnung wohl aufgeben. Ich weiß zwar nicht, wie ich ohne den Text weiter vorgehen soll. – Na, vielleicht müssen wir das Projekt einfach sterben lassen." Die Doppeldeutigkeit dieses Satzes wurde mir einen Moment zu spät bewußt.

Regine räusperte sich. „Gehen wir doch jetzt unseren Kaffee trinken." Regine versuchte, aufmunternd zu klingen. Wir verließen das Zimmer und nahmen unseren Platz wieder im Eßzimmer vor dem hohen Fenster mit Blick auf den Garten ein. Regine hatte unsere Kaffeetassen schon hingestellt.

„Wie gefällt Ihnen denn eigentlich die Schule, an der Sie jetzt arbeiten?"

„Die Arbeit mit den Schülern hat ja noch gar nicht richtig begonnen. Was die Kollegen angeht, so habe ich schon viele nette kennengelernt, allerdings auch einige eher skurrile Gestalten." Ich hüstelte. „Aber das wäre mir sicherlich an jeder Schule so gegangen, oder meinen Sie nicht?"

„Ja, das glaube ich auch."

„Mit welchen Kollegen war denn Ihr Mann befreundet?" Ich sah plötzlich die Möglichkeit zu einer geschickten Überleitung.

„Um ganz ehrlich zu sein: Mein Mann war ein ziemlicher Einzelgänger. Er arbeitete so vor sich hin und war mit keinem der Kollegen wirklich befreundet. Natürlich traf man sich schon mal bei offiziellen Gelegenheiten – beim Schulball zum Beispiel. Aber ich kann mich kaum erinnern, daß einer von ihnen ganz privat bei uns gewesen wäre." Kein Wunder. Langensiep war ja in der ganzen Schule als Ekel verschrien.

„Vielleicht ist es gar nicht schlecht, seinen Bekanntenkreis außerhalb des Arbeitsplatzes zu haben.", sagte ich diplomatisch, „So gerät man nicht in Gefahr, immer nur mit Schulangelegenheiten konfrontiert zu sein. Man kommt einfach häufiger auf andere Gedanken und kann besser abschalten." Regines Gesichtsausdruck war zu entnehmen, daß der Bekanntenkreis ihres Mannes auch außerhalb der Schule nicht gerade gigantische Größen erreicht hatte, doch sie antwortete nicht.

„Allerdings wundert es mich schon, daß Ihr Mann nicht mit Dr. von Feldhausen, seinem Spanisch und Französisch-Kollegen, befreundet war." Ich hatte Regine bei dieser Bemerkung ganz bewußt beobachtet. Die Reaktion war unverkennbar. Ein Flackern ging durch ihre Augen, das sie nicht direkt unter Kontrolle bekam.

„Wieso sagen Sie das?"

„Irritiert Sie das?" Ich gab mich erstaunt. „Als ich vom Unfall Ihres Mannes erfuhr, erzählte man mir, er sei noch am Samstag abend vor seinem Tod bei seinem Kollegen von Feldhausen gewesen. Ich nahm daher an, die beiden seien gute Freunde."

„Wie bitte?" Regine Langensieps Reaktion erstaunte mich,

aber sie erschien mir echt. „Davon habe ich gar nichts gewußt. Weiß die Polizei denn davon?"

„Ich nehme es an. Wenn das gesamte Kollegium Bescheid weiß, werden die ja wohl auch einen Schimmer haben." Regine sank in sich zusammen und starrte auf ihre Hände.

„Warum sind Sie so erstaunt? Sind die beiden denn nicht miteinander bekannt gewesen?"

„Das ist es ja." In Regines Stimme klang zum ersten Mal hilflose Verzweiflung. „Die beiden haben sich in letzter Zeit häufiger gesehen, oder besser: Bruno ist gelegentlich zu ihm hingefahren, aber er hat mir nie sagen wollen, worum es ging. Wirklich befreundet waren sie jedenfalls nicht. Ganz im Gegenteil! Bruno fand den Feldhausen immer schon sehr arrogant."

„Vielleicht hatten sie schulisch mehr miteinander zu tun, als Sie dachten?"

„Nein, das hatten sie nicht." Regines Stimme war jetzt von Tränen erstickt. „Verstehen Sie denn nicht? Da stimmte etwas nicht. Bruno fuhr immer nur abends zu Feldhausen. Er blieb nicht lange, aber er war jedesmal ganz verändert anschließend. Ich habe ihn immer wieder gefragt, was denn los sei, aber er hat sich nur in Andeutungen ausgedrückt. Er habe sein persönliches Ziel bald erreicht und solche Sachen." Der Damm war gebrochen, Regine Langensiep brach in Tränen aus. Sie hielt sich die Hände vor das Gesicht und schluchzte wie ein Kind. Ich hockte mich vor ihren Stuhl und hielt ihre Schultern fest. Als ich merkte, daß ihr das nicht unangenehm war, legte ich meinen Arm um sie und hielt sie ganz still. Es dauerte einige Minuten, bis sie sich einigermaßen wieder in der Gewalt hatte. Ich konnte jetzt nicht aufhören. Ich mußte einfach mehr wissen.

„Glauben Sie, die beiden haben – nun ja, wie soll ich sagen, haben sie etwas zu verbergen gehabt?"

„Ich weiß es nicht. Ich weiß es wirklich nicht! Bruno war mir auf einmal so fremd. Er antwortete mir nicht auf meine Fragen. Die kostbaren Gegenstände, die Sie in seinem Zimmer gefunden haben, hat er von einem Besuch bei von Feldhausen mitgebracht. Ich dachte zuerst wirklich, die beiden seien irgendwo eingebrochen. Aber Bruno sagte nur, sie seien ein Geschenk. Ein Geschenk, ja, so drückte er sich aus." Regine zitterte am ganzen Körper. Ich wußte, daß sie Ruhe brauchte. Seit dem Tod ihres Mannes hatte sie genug mitgemacht, und wahrscheinlich auch schon vorher. Nur eine Frage, eine Frage mußte ich noch stellen.

„Glauben Sie, daß Ihr Mann einen Unfall hatte? Regine, glauben Sie, daß es ein Unfall war? Oder war es", ich schluckte, „war es Mord?"

Regine starrte mich an. Durch ihre tränenüberfluteten Augen und ihr verschmiertes Gesicht starrte sie mich an. „Ich weiß es nicht. Ich weiß es wirklich nicht. Ich weiß gar nichts!"

20

Der Anruf vom Reiterverein hatte gerade noch gefehlt. Erstens hatte Alexa sich schon genüßlich auf den Feierabend eingestellt. Zum anderen würde ihr die Fahrt zum Gestüt ein wie immer grauenvolles Treffen mit Peter Wüstenberg bescheren, dem Kotzbrocken unter Pferdefreunden. Wüstenberg war Sohn und Alleinerbe eines großen heimischen Fabrikanten, irgendwelche Metallteile, soweit Alexa wußte. Viel Geld, arrogant bis zum Umfallen und dabei strohdoof. Das war Alexas Standardbeschreibung, wenn es um ihn ging. Alexa blickte aus dem Fenster. Ein leichter Wind strich über die Wiese zu ihrer Rechten. An dieser Stelle war es ganz flach. Alexa ging gern hier mit ihrem Hund spazieren, wenn der mal nicht bei ihren Eltern war. Hinter den Wiesen und Feldern taten sich die unvermeidlichen sauerländischen Hügel auf. Alexa fragte sich, ob Wüstenberg sich von seinen Vereinsfreunden anrufen ließ, wenn ein Pferd krank war, nur damit er da sein konnte, wenn sie den Hof betrat. Oder ob er die Krankheiten und Verletzungen zuweilen selbst inszenierte? Alexa konnte sich nicht ein einziges Mal daran erinnern, im Stall gewesen zu sein, ohne ihn getroffen zu haben. Im übrigen mußte er ständig einen Dienstplan der Tierpraxis Hasenkötter mit sich führen, da Hasenkötter selbst praktisch nie in seinen Dienstzeiten gerufen wurde. Ob er sie heute wohl wieder zu einem kleinen Mondscheinritt einladen würde, wobei sein ekelhaftes Grinsen ihr wie immer mehr verheißen sollte? Oder würde er ihr statt dessen einen netten Waldspaziergang zu zweit vorschlagen? Alexa nahm Abschied von der schönen Landschaft und bog in die Einfahrt zum Feldhausener Gut ein. Natürlich stand Wüstenbergs Wagen schon da. Natürlich stand kein anderer Wagen da. Kaum hatte sie den Wagen auf dem Hof geparkt, winselte er auch schon um die Ecke. Der bloße Anblick seines feisten Gesichts, dem das Prädikat 'verwöhntes Söhnchen' unverrückbar eingemeißelt war, ließ Alexa die Magensäure überschwappen.

„Liebe Alexandra", – wer hatte ihm eigentlich erlaubt, sie mit Vornamen anzureden? – „wie froh ich bin, daß Sie endlich kommen!" Alexa reichte ihm die Hand und entging nur durch eine geschickte Wendung des Kopfes einem Begrüßungsküßchen.

„Um welches Pferd geht es?" Tatendurstig schritt sie auf den Stall zu. Am besten war es, die Sachebene auch keinen Millimeter aus den Augen zu verlieren.

„Um Feuerfuchs."

„Ist das nicht das Pferd Ihrer Frau?"

Er räusperte sich. „Ja, sie reitet es zuweilen."

Er eilte einen Schritt voraus, hielt die Tür auf und ließ es sich nicht nehmen, seine Hand an Alexas Rücken zu legen, als schaffe sie das Eintreten nicht ohne seine Hilfe. Alexa fragte sich, wie er es immer bewerkstelligte, daß er ganz alleine im Stall war, wenn sie zu einem Besuch kam. Schickte er die anderen Reiter jedesmal nach Hause? Feuerfuchs stand in der zweiten Box und wieherte nervös, als sie sich näherte.

„Keine Angst, ganz ruhig!" Sie streichelte ihm vorsichtig den Kopf, damit er sie erst einmal beäugen und beschnuppern konnte. „Dann wollen mir mal sehen!" Sie tastete das vordere Bein, das leicht geschwollen war.

„Seit wann lahmt er?"

„Seit heute mittag. Ich war mit ihm unterwegs." Alexa konnte sich den Rest schon denken. Wüstenberg hatte das Pferd sicherlich völlig überanstrengt.

„Ich möchte es gerne laufen sehen!"

Er ließ sich nicht lange bitten. Er nahm Feuerfuchs beim Halfter und führte ihn hastig aus der Box heraus. Sie ließ die beiden zwei Runden gehen und begutachtete dann noch einmal das Bein.

„Sind Sie gesprungen?"

„Ja, zweimal. Dann wollte der faule Bock nicht mehr."

„Wahrscheinlich hat er sich beim Springen das Bein angeschlagen. Aber Sie haben Glück gehabt. Es ist noch alles heil. Sie können ihn wieder hereinbringen."

Wüstenberg führte das Pferd in die Box zurück, während Alexa in ihrer Tasche nach einer Salbe kramte. Als sie sie gefunden hatte, folgte sie Feuerfuchs in die Box.

„Wenn Sie das Bein halten könnten?"

„Aber gern." Der übereifrige Wüstenberg drängte sich zu ihr in die enge Box, so daß es nicht leicht fiel, jeden Körperkontakt zu vermeiden, weder mit dem Pferd noch mit dem Ekelpaket. Während Alexa das Bein einrieb, erläuterte sie die Therapie.

„Lassen Sie ihn in den nächsten Tagen nur ein wenig am Seil gehen. Keine Ausritte bitte! Er sollte auf jeden Fall geschont werden. Ich komme in drei Tagen wieder, um mir den Heilungsverlauf anzusehen. Bis dahin sollten Sie täglich diese Salbe hier dick auftragen. Ich kann Ihnen die Tube hierlassen, es sei denn, Sie haben dasselbe Präparat noch vorrätig da."

„Mal nachsehen." Wüstenberg verschwand in der Materialkammer, während Alexa die Utensilien einpackte und ihre Hose abklopfte. Sie streichelte dem Pferd die Seite und wollte gerade die Box verlassen, als sie bemerkte, daß Peter Wüstenberg ihr den Weg versperrte. Sie versuchte die Situation zu überspielen.

„Ah, Sie haben die Salbe gefunden, sehe ich. Gut, dann kann ich ja –"

„Alexa, warum sind Sie immer so kühl zu mir?" Er versuchte, mit seinen zwei Händen ihr Gesicht zu fassen, doch sie ging rechtzeitig einen Schritt zurück.

„Bitte, gehen Sie zur Seite. Ihre Frau wartet doch sicher schon auf Sie!"

„Ach, lassen Sie doch meine Frau aus dem Spiel! Sie haben doch sicher längst gemerkt, was ich für Sie empfinde." Sein massiger Körper bewegte sich auf sie zu.

„Lassen Sie mich jetzt durch!" Alexa wurde von einer leichten Panik beschlichen. Wozu war dieser Kerl fähig?

„Ich habe lange genug gewartet. Wir sollten uns jetzt ein paar schöne Stunden machen!"

Alexa wußte nicht, wohin sie noch ausweichen sollte.

„Herr Wüstenberg, bitte verlassen Sie auf der Stelle den Stall!" Die Stimme aus dem Hintergrund erschien Alexa wie eine göttliche Fügung. Sie atmete tief durch. Dr. Ignaz von Feldhausen kam mit langsamen Schritten auf Wüstenberg zu.

„Verschwinden Sie und wagen Sie es nicht, diese Dame noch ein einziges Mal zu belästigen!"

Wüstenberg maß den Eindringling mit einem kalten Blick.

„Was mischen Sie sich hier ein, Sie adliger Pinsel? Müssen Sie jetzt hier rumstreunen wie ein räudiger Hund, seitdem Ihnen der Stall nicht mehr gehört? Warten Sie nur, bis ich Ihnen Ihr Haus unterm Hintern weggekauft habe! Dann dürfen Sie Ihre ledernen Stiefelchen überhaupt nicht mehr in diese Gegend stellen."

„Verschwinden Sie, oder ich werde Sie wegen sexueller Belästigung anzeigen! Raus hier!" Wüstenberg schnaufte und stapfte dann wütend nach draußen.

„Vielen Dank! Danke für Ihr Einschreiten!" Alexa löste sich erst jetzt aus ihrer Starre. „Ich weiß nicht, wie weit er gegangen wäre, dieser widerliche Kerl."

„Alles in Ordnung?" Ignaz von Feldhausen schaute sie besorgt an.

„Ich bin noch etwas wacklig auf den Beinen. Der Tag war sehr anstrengend, und jetzt noch das hier."

„Kommen Sie doch einen Augenblick zu mir herein. Ich kann Ihnen eine Tasse Tee kochen."

„Aber Sie wollten doch sicher ausreiten?" Alexa wies auf seine Reitkleidung.

„Das macht nichts. Eine Tasse Tee ist jetzt wichtiger." Er nahm ihre Arzttasche und führte sie über den Hof zu einem Nebeneingang seines Gutshauses.

„Hereinspaziert!" Alexa trat in eine Art bäuerliche Diele, in der verschiedene Reitutensilien untergebracht waren.

„Leider habe ich den Schlüssel von der Haustür nicht mit", entschuldigte sich Feldhausen, „deshalb müssen wir diesen Weg nehmen." Alexa nickte verständnisvoll. Sie hatte noch nie den Wohnbereich des Feldhausener Anwesens gesehen, sondern sich immer nur im zugehörigen Stall aufgehalten. Allein diese Diele mit ihren Eichentruhen verhieß, wie das Kernstück des Hauses aussehen würde. Ehrfurchtsvoll folgte sie dem Hausbesitzer in den sich anschließenden Flur. Er war mächtig hoch und ganz in Holz gehalten. An den Wänden hingen Jagdtrophäen unterschiedlichster Art.

„Mein Gott, das ist ja ein richtiges Schloß!"

Feldhausen lachte. „Sind Sie noch nie in einem Schloß gewesen? Nein, das hier ist nicht mehr als ein rustikales Gutshaus. Mein Vater war ein leidenschaftlicher Jäger, deshalb herrscht in den meisten Räumen, die ich unverändert gelassen habe, so eine Art Forsthausatmosphäre." Wie zur Bestätigung schritt er mit Alexa an einem Hirschkopf vorbei, der aus einer holzvertäfelten Wand herauszuschauen schien.

„Sind Sie auch Jäger?"

„Gott bewahre, nein! Ich reite nur. Um ehrlich zu sein, spiele ich mit dem Gedanken, diesen ganzen Wildkram hier abzunehmen und alles ganz neu einzurichten." Er öffnete eine Tür. „Das hier ist mein Arbeitszimmer. Das habe ich bereits nach meinem Geschmack gestaltet."

Neugierig trat Alexa ins Innere. Ja, das war von Feldhausens Stil, unverkennbar. Ein Prachtexemplar von einem Sekretär und ein weiterer Schreibtisch standen in einem lässigen Winkel angeordnet vor dem gewaltigen Fenster. Links eine Sitzgruppe aus grünem Wildleder, hier und da ein Tischchen oder eine Schrankvitrine. Moderne Einrichtungsgegenstände wie die Deckenlampe harmonierten mit den prachtvollen Familienerbstücken, zu denen mit Sicherheit Sekretär und Schreibtisch gehörten. Im Vergleich wirkten Vorraum und Diele jetzt düster und schwerfällig. „Sie haben recht! So gefällt es mir viel besser." Feldhausen lächelte und sah in seiner Reitkleidung ziemlich umwerfend aus. „Ich mache uns jetzt Tee. Setzen Sie sich doch oder schauen Sie sich um, ganz wie Sie wollen!"

Als von Feldhausen gegangen war, trat Alexa ans Bücherregal und schaute sich die Titel an. Deutsche und französische Bücher reihten sich aneinander. Einige davon hatte sie sogar gelesen, vor ewigen Zeiten wie ihr schien, als sie noch nicht allabendlich todmüde ins Bett gesunken war. Einige spanische und italienische Bücher standen ebenfalls da, mit denen Alexa überhaupt gar nichts anfangen konnte. Statt dessen wandte sie sich einigen Fotos zu, die auf einem Buffetschrank standen. Feldhausen, als er jünger war, und ein anderer junger Mann, beide mit Doktorhüten, die ihnen über die schmalen Köpfe gerutscht waren. Die beiden lachten ausgelassen. Daneben ein altes Hochzeitsfoto, wahrscheinlich seine Eltern. Alexa nahm es in die Hände, um es näher betrachten zu können. Der Vater eher stämmig und mit einem humorvollen Gesichtsausdruck, die Mutter mit schlanken, edlen Zügen, dieselbe Zartheit, die Feldhausen in seinen Zügen hatte.

Die Tür wurde aufgestoßen und von Feldhausen kam mit einem Tablett herein. Er lud das Teegeschirr auf dem Couchtisch ab.

„Stöbern Sie in meiner Vergangenheit?"

Alexa lachte. „In einem kleinen Teil davon, würde ich sagen. Sie gleichen Ihrer Mutter."

„Das stimmt. Diese verdammte Melancholie stammt von ihr."

Alexa hob die Brauen. „Ich meinte eher die äußerliche Ähnlichkeit. Daß Sie melancholisch veranlagt sind, wußte ich nicht."

„Ich wäre froh, das unbeschwerte Gemüt meines Vaters geerbt zu haben. Es ist nicht gerade schön, wie ein Trauerkloß zu wirken."

„Sie übertreiben! Auf mich wirken Sie gar nicht wie ein Trauerkloß. Jedenfalls nicht auf den ersten Blick."

„Danke, immerhin etwas."

„Haben Sie gar keine Geschwister?"

„Warum fragen Sie? Ach, weil kein Foto von strahlenden Schwestern und Brüdern zu finden ist? Ich habe einen Bruder, der ein Jahr jünger ist als ich. Er hat einen Buchverlag in Süddeutschland. Leider verstehen wir uns nicht sehr gut." Von Feldhausen zog ein Tee-Ei aus der Kanne und füllte die Tassen.

„Ich glaube, der Tee hat lange genug gezogen. Kann man mit Tee anstoßen?"

„Warum nicht?"

Feldhausen hob die Tasse. „Dann trinken wir darauf, daß, hm – Typen wie Wüstenberg beizeiten vom Pferd getreten werden."

„Wohin, überlassen wir dem Pferd", fügte Alexa hinzu, „hoffentlich ist es intelligent genug."

Ignaz von Feldhausen lächelte wieder sein umwerfendes Lächeln.

Alexa stellte ihre Tasse hin. „Hat Wüstenberg eigentlich einen persönlichen Groll auf Sie?" Feldhausen überlegte einen Augenblick, bevor er antwortete.

„Daß ich den Reitstall an den Verein verkauft habe, hat wohl Anlaß zu Spekulationen über meine finanzielle Lage gegeben. Wüstenberg und ich sind uns noch nie sonderlich sympathisch gewesen. Da kommen ihm solche Gerüchte natürlich sehr gelegen."

„Ehrlich gesagt hat es mich auch gewundert, daß Sie den Stall verkauft haben. Pferde sind doch Ihr ein und alles, neben der Literatur natürlich."

„Sie haben recht. Ich liebe Pferde. Aber ich hasse den Verwaltungs- und Abrechnungskram, der mit der Organisation eines privaten Reitstalls verbunden ist. Jetzt habe ich mein Pferd und kann reiten, wann ich will, und muß mich trotzdem nicht mit Kerlen wie Wüstenberg auseinandersetzen. Jedenfalls nicht, solange sie junge Frauen wie Sie in Ruhe lassen."

„Was hätten Sie eigentlich getan, wenn er sich nicht von Ihnen hätte beeindrucken lassen?"

Von Feldhausen lachte. „Ich hätte mich k.o. schlagen lassen, um mich von Ihnen versorgen zu lassen. Das ist doch ganz klar."

„Tatsächlich?" Alexa gab sich beeindruckt. „Die Show hätte ich mir eigentlich nicht entgehen lassen dürfen."

„Mal im Ernst!" Ignaz von Feldhausen schaute mit steinernem Blick über seine Tasse. „Ich glaube, wenn es wirklich drauf

142

ankäme, wäre ich zu mehr in der Lage, als man denken sollte."
Er senkte nachdenklich den Blick. „Wie sagt man doch so
schön? Der Zweck heiligt die Mittel."

21

Ich mußte auf dem Fußboden eingeschlafen sein. Als ich aufwachte, wurde es bereits hell. Neben mir stand eine noch halbvolle Flasche Wein, das leere Glas hatte ich wohl im Schlaf umgeworfen. Ich fröstelte und lief schnell in mein Schlafzimmer, um es mir im Bett gemütlich zu machen. Ob ich Regine wirklich hatte alleine lassen dürfen? Sie war in einem so aufgewühlten Zustand gewesen, hatte aber darauf bestanden, daß ich nach Hause fuhr, nachdem ich sie auf der Wohnzimmercouch in eine Wolldecke gewickelt hatte. In meiner Wohnung hatte ich dann keine Ruhe gefunden. Ich hatte gegrübelt und wieder gegrübelt und war doch zu keinem brauchbaren Ergebnis gekommen. Jetzt sah die Sache nicht wesentlich besser aus. Ich wußte nicht, wie ich weiter vorgehen sollte. Das hatte ich zwar noch nie richtig gewußt, doch gab es einen Unterschied. Jetzt war ich in die Sache verwickelt. Regine Langensiep hatte mir ihre dunklen Ahnungen anvertraut. Ich hatte gespürt, daß auch sie nicht an einen Unfall ihres Mannes glaubte, und all das verlangte nach einer Aufklärung. Ich sah mich gezwungen, den Ungereimtheiten dieser Angelegenheit nachzugehen. Was mich am meisten beängstigte, war das Bewußtsein, daß es sich um kein Spiel mehr handelte, das Leo und ich aus purer Lustigkeit zu spielen begonnen hatten. Nein, hinter diesem Unfall steckten Geheimnisse, steckten Unwahrheiten, steckten dunkle Geschäfte – und das Allerschlimmste: dahinter steckte ein Mord. Das war alles andere als ein Spiel, das war eine blutige, schmutzige Sache, und ich war mir nicht sicher, ob ich damit irgendetwas zu tun haben wollte. Ich fühlte mich hundeelend, so hundeelend, daß ich schon bald wieder einschlief.

Mein zweites Erwachen an diesem Tag war weniger kalt und hart und erschien mir auch nicht ganz so trübe und beängstigend. Es war halb zwölf, also fast Mittag, als ich feststellte, daß ich nicht von allein wach geworden war. Es schellte an der

Haustür. Leo, war mein erster Gedanke, und ich war diesmal gar nicht böse, daß er unangekündigt bei mir hereinschneite. Ich hatte schließlich einiges abzuladen. Ich drückte den Summer, doch statt Leo marschierte Max die Treppe herauf.

„Oh, hab ich dich geweckt?"

„Ja, bei meinem Mittagsschlaf."

„Verbindest du seit neuestem Nacht- und Mittagsschlaf zu einer Einheit?"

„Willst du mir Kaffee kochen oder lieber draußen bleiben?"

„Ganz ruhig, ich bin gleich wieder weg. Ich soll dich nur für heute zum Abendessen einladen."

„Bei wem?"

„Rat mal!"

„Bei meinem Vermieter. Er will die Miete erhöhen, stimmt's?"

„Falsch, weiterraten!"

„Wir haben nicht viele gemeinsame Bekannte. Wie wär's mit Lutz? Er lädt alle Gäste zum Abendessen ein und schickt die Rechnungen zwei Tage später."

„Deine Witze waren auch schon besser."

„Ich geb's auf. Sag schon, ich kann sowieso heute nicht!"

„Wie bitte, du kannst nicht? Friederike Glöckner lädt zum Fondue, und du willst mich da alleine hingehen lassen?"

„Wie kommt sie überhaupt dazu, mich einzuladen? Wir kennen uns doch kaum."

„Mir gegenüber tat sie, als wärt ihr die besten Freunde."

Ich verdrehte die Augen. „Auf jeden Fall habe ich selbst jemanden zum Essen eingeladen. Ich kann also unmöglich mitkommen."

„Mann oder Frau?"

„Was – Mann oder Frau."

„Na, was wohl?", Max wurde richtig ungeduldig, „Kommt eine Frau oder ein Mann?"

„Soweit ich weiß, ist sie eine Frau. Vielleicht kennst du sie. Alexa Schnittler. Aber mach dir keine Gedanken! Sie ist mit so einem Cabrio-Edelpinsel zusammen."

„Hört sich ja nicht so begeistert an. Warum hast du sie denn überhaupt eingeladen?"

„Das frage ich mich mittlerweile auch."

„Also, daß du nicht mitkommst, ist eine echte Pleite. Ich weiß nicht, wie ich den Abend mit unserem Sternchen überstehen soll."

Ich hatte echtes Mitleid. „Das weiß ich allerdings auch nicht. Am besten betrinkst du dich gleich zu Anfang!"

„Weißt du, eigentlich ist sie gar nicht so übel", Max fand an jedem Individuum die gute Seite, „wenn sie nur diesen schrecklichen Geltungstrieb nicht hätte."

„Den finde ich allerdings ziemlich dominierend."

„Alles Unsicherheit, glaub ich. Unter der Schale ist sie echt in Ordnung."

„Dann kann ja heute abend gar nichts schiefgehen."

„Danke! Danke für deine Unterstützung und die aufbauenden Worte." Max trat den Rückzug an. „Ich hoffe, bei dir wird's genauso beschissen wie bei mir."

Ich hatte da gar keine Bedenken. Meine Verwicklungen in die Langensiep-Geschichte waren nicht gerade die besten Voraussetzungen für ein unbeschwertes Abendessen unter vier Augen. Außerdem hatte ich nach dem letzten Cabrio-Auftritt sowieso die Nase voll. Ich erinnerte mich meiner Schwüre, mich nie wieder in eine Frau verlieben zu wollen, und versuchte, mir das Treffen als ein völlig unverbindliches Essen vorzustellen, bei dem man genausogut die Planung eines Schulfestes würde besprechen können. Dementsprechend wollte ich mir auch keine große Mühe mit dem Kochen geben. Kein großer Aufwand, keine großen Erwartungen. Das war meine Devise. Ein kleiner Salat mit Toast würde es auch tun. Die Sachen dafür würde ich später beim türkischen Gemüsehändler an der Ecke kaufen gehen. Zunächst versuchte ich natürlich, Leo zu erreichen. Vergebens. Nach dem dritten Versuch fiel mir ein, daß er einen der letzten Ferientage nutzen wollte, um seine Eltern zu besuchen. Ohne mich mit ihm zu besprechen, wollte ich jedoch nichts unternehmen. Mir war ja sowieso nichts Brauchbares eingefallen. Ich setzte mich deshalb nach dem Frühstück an den Schreibtisch und begann zu arbeiten. Erst das Telefon riß mich gegen fünf Uhr aus meinen Vorbereitungen. Es war Max.

„Ich hätte da noch eine wichtige Information für dich."

„Ist dir noch etwas zu den inneren Werten von Friederike Glöckner eingefallen?"

„Nein, mir ist etwas zu den inneren Werten von Alexa Schnittler eingefallen. Der Typ, mit dem du sie gesehen hast, ist der groß und schlank?"

„Ja."

„Äußerlich ziemlich hochpoliert?"

„Allerdings. Er sieht aus wie das neueste Joop-Model."

„Und er fährt ein blaues Cabrio, hast du gesagt?"

„Ja, stimmt. Wird er polizeilich gesucht? Ist auf den entscheidenden Hinweis zu seiner Festnahme eine Belohnung ausgesetzt?"

„Nicht ganz. Er heißt Hendrik Martens und hat vor einiger Zeit hier in der Nähe eine Galerie eröffnet."

„Das allein macht ihn leider nicht strafbar."

„Er hat vor zwei Jahren die Initiativgruppe „Honourable Men's Organization" mitbegründet."

„Was ist denn das? Ein Förderkreis zur Wiederbelebung guter Manieren?"

„Honourable Men's Organization", abgekürzt HOMO. Kurz: Ich glaube nicht, daß Hendrik Martens ein mehr als freundschaftliches Interesse an Alexa Schnittler hat. Er stünde wahrscheinlich eher auf ihren Bruder." Mir blieb die Spucke weg. Auf die Idee war ich nicht gekommen.

„Vincent, bist du noch dran?"

„Tut mir leid, Max!" Aus unerfindlichen Gründen stotterte ich. „Ich muß, glaube ich, noch einiges vorbereiten. Für heute abend. Danke dann auch und, ja, viel Spaß auch!"

Die nächsten zwei Stunden arteten in mehr als Hektik aus. Ich durchsuchte zunächst verzweifelt alle meine Kochbücher nach einem bombensicheren, aber raffinierten Rezept. Panisch erinnerte ich mich, daß ich behauptet hatte, ich könne besser kochen als Badminton spielen. Jetzt war ich mir da nicht mehr so sicher. Die Erinnerung an ein chinesisches Gericht, das ich einmal für Freunde gekocht hatte, kam an meine gedankliche Oberfläche. Soweit ich zurückdenken konnte, hatte ich den geliehenen Wok komplett ersetzen müssen. Außerdem war die Demütigung, für alle Pommes holen zu müssen, doch ziemlich bitter gewesen. Ich blätterte weiter in meinen Kochbüchern. Mein Blick blieb an einem italienischen Gericht hängen. Schweinemedaillons in Gorgonzolasauce mit Nudeln nach Belieben. Ich riß die Seite aus dem Buch und raste zu Fuß in die Stadt. Mit dem Auto würde ich wieder keinen Parkplatz finden und und und. Anstatt lange herumzusuchen lief ich zielsicher in das stadtbekannte Delikatessengeschäft. Die Fahrt mit dem Einkaufswagen glich einem Rennen auf dem Nürburgring. Hemmungslos tyrannisierte ich eine Verkäuferin, bis sie sich erbarmte, mit mir die Zutatenliste durchzugehen und alles einzuladen. Zu guter Letzt besorgte ich Zutaten für einen Salat und wählte sechs Flaschen eines Weins aus, der ein Vermögen kostete. Ich packte alles in einen Karton und kam mir vor wie ein unterbezahlter Möbelschlepper, als ich mit meinem Karton den Weg nach Hause machte. Schon nach wenigen Schritten rannte ich mit meinem Paket um ein Haar Frau Dreisam um.

„Herr Jakobs, wie geht's Ihnen? Geht's gut?" Ich versicherte ihr, daß ich bisher weder verhungert noch verdurstet war und außerdem noch nicht wegen ordnungswidrig gebügelter Hemden verhaftet worden war.

„Trotzdem ist das nicht richtig", Frau Dreisam runzelte verdächtig besorgt die Stirn und ließ ihren Blick vor allem über meine wild aussehenden Einkäufe schweifen.

„Ich meine, Sie bräuchten wirklich eine Frau." Ich verzichtete auf die Erklärung, daß ich nicht heiraten wollte, um jemanden für mein dreckiges Geschirr und das Putzen des Klos zu haben.

Frau Dreisams Gesicht erhellte sich. „Ich wüßte da sogar jemanden. Wissen Sie, meine Nichte, also meinem Bruder

seine Tochter, die ist auch noch ehelos. Sie arbeitet in der Stadtbücherei. Vielleicht könnte ich Sie beide ja mal zusammen
zum Essen einladen."

„Also, das ist wirklich nicht nötig." Ich verhaspelte mich
beinah vor lauter Ausreden. „Ich will Ihnen wirklich keine
Umstände machen. Außerdem habe ich im Moment selbst
schrecklich viel zu tun. Wissen Sie, der Schulanfang und –"

„Machen Sie sich keine Sorgen!" Frau Dreisam ließ sich von
ihrer Idee nicht abbringen. „Wir schaffen eine ganz gemütliche
Atmosphäre." Bei dem Gedanken, mit einer griesgrämigen
Büchertussi und den Dreisams bei ganz gemütlicher Atmosphäre zusammenzusitzen, zog sich mir förmlich der Magen
zu. Der Höhepunkt des Abends würde erreicht sein, wenn die
Dreisams uns mit einem zwinkernden Auge versicherten, sie
seien müde und wollten sich zu Bett begeben. Wir jungen
Leute sollten aber auf jeden Fall noch ein bißchen sitzen
bleiben.

„Jetzt muß ich mich aber wirklich auf die Socken machen."
Ich versuchte das Thema einfach zu untergraben.

„Ich mach das schon!" flötete meine ehemalige Wirtin. Ihre
Stimme hatte doppelt soviel Leben wie zu Beginn unseres
Gesprächs. „Also dann, bis bald mal! Ich werd alles
arrangieren." Ich stöhnte. Das hatte mir gerade noch gefehlt.
Ich stolperte weiter mit meiner Ladung. Trotz einiger
quietschender Reifen und einer bei Rot überquerten Fußgän-
gerampel kam ich wohlbehalten, aber groggy in meiner
Wohnung an, um mich gleich hektisch auf das Rezept zu
stürzen. Mit einem Blick auf die Uhr nahm ich wahr, daß der
Countdown lief. Ich hatte vierzig Minuten zum Einkaufen
benötigt, blieben also noch siebzig für alles Weitere. Im Eifer
des Gefechts konnte ich kaum Rücksichten auf kulinarische
Feinheiten wie „behutsames Einreiben der Medaillons mit
einer Knoblauchzehe" nehmen. Eine grob zerhackte Zehe in
der Sauce mußte es auch tun. Auch der Hauch von Zitrone, der
dem Fleisch „anvertraut" werden sollte, wurde in einen Schuß
Zitronensaftkonzentrat umgemünzt. Nudeln und Fleisch

sollten nur zehn Minuten braten beziehungsweise kochen. Ich hatte also vorher noch Zeit, die völlig verwuselte Wohnung in einen halbwegs akzeptablen Zustand zu versetzen. „Strategisch putzen" nannte Robert das, was jetzt folgte. Es bedeutete, daß nur die Räume in eine oberflächliche Reinheit versetzt wurden, die vom Besuch auch definitiv betreten wurden. Ich staubsaugte nicht nur die Teppiche, sondern auch Holzboden und Toilettenfliesen, was zwar nicht zu einer hundertprozentigen Reinigung führte, aber zeitlich einen riesigen Vorsprung brachte. Dann wischte ich mit einem alten Handtuch über alles, was irgendwie angestaubt aussah: die Musikanlage, den Fernseher, den Eßtisch. Eßtisch. Ich überlegte, ob ich irgendwo eine Tischdecke würde auftreiben können. Warum hatte ich daran nicht eher gedacht? Ich wühlte in meinem Gedächtnis. Meines Wissens hatte ich vor einigen Jahren mehrere von meiner Mutter geschenkt bekommen. Ich kramte willkürlich im Kleiderschrank, wurde aber nicht fündig. Mehr Zeit konnte für das Auftreiben einer Tischdecke nicht geopfert werden. Kurzerhand klingelte ich bei Frau Hanschel, die unter mir wohnte und sich mehrfach erboten hatte, mir meine Wäsche zu bügeln. (Anscheinend hielten alle Frauen über fünfzig alle Männer unter vierzig für nicht fähig zu bügeln.) Frau Hanschel, die sich über eine willkommene Abwechslung in ihrem öden Alltag freute und mit mir ein Schwätzchen halten wollte, mußte auf einen der nächsten Tage vertröstet werden. Mit meiner ausdrucksstärksten Schwiegersohnmiene versuchte ich ihr klarzumachen, daß sich kurzfristig Besuch angesagt hatte und daß das zugehörige Tischzubehör fehlte. Das Ergebnis ihrer Hilfsbereitschaft war umwerfend. Aus ihrer Kommode zauberte sie zwei Exemplare von Tischdecken, die jede 70er Jahre-Bluse locker in den Schatten gestellt hätten. Riesengroße Blumen ließen keinen Zweifel daran, daß man zu der lebenslustigen Sorte Mensch gehörte, was durch knallrote Kerzenleuchter inklusive gelber Kerzen, die sie mir zusätzlich in die Hand drückte, noch unterstrichen wurde. Zurück in meiner Wohnung ließ ich interne Diskussionen über Geschmacksfragen hinsichtlich dieser Beute gar nicht zu, sondern legte das Erstandene anstandslos auf. Beim Decken des Tisches wurde ich dann aber doch unsicher. Ich mußte feststellen, daß ich wählen mußte zwischen einerseits zwei unterschiedlichen Eßtellern und andererseits einem Set von zwei gleichen, aber blau-grün-karierten Exemplaren. Konnte es möglich sein, daß ich als zweiunddreißigjähriger Mann nicht in der Lage war, einen Gast zum Essen einzuladen, ohne mich zutiefst zu blamieren? Früher hatte ich über Leute gelacht, die in ihrer Jugend mit einer Aussteuer ausgestattet wurden. Heute wußte ich, warum ich nie geheiratet worden war: Ich konnte nicht einmal zwei halbwegs anständige Teller aufweisen. Verzweifelt entschied ich mich für die karierte Variante und hoffte, durch ein sehr dezentes Licht alle Mängel vertuschen zu können. Ein Blick zur Decke machte diese Idee zunichte. Eine nackte Glühbirne starrte mich an. Egal das. Entsetzt stellte ich fest, daß mir gerade noch zwanzig Minuten bis zum verabredeten Termin blieben. Ich stürzte in die Küche, warf das Fleisch in die Pfanne und die Spaghetti in den Topf und beschloß, die Minuten des Brutzelns und Kochens zu meiner eigenen Verschönerung zu nutzen. Ich schaffte noch einen Sprung unter die Dusche, ersparte mir aber die Zeit fürs Abtrocknen. Allerdings hatte ich nicht einkalkuliert, daß die Zeit, die ich brauchte, um den von mir vollgetropften Fußboden aufzuwischen auch nicht zu verachten war. Egal! Vergeblich suchte ich nach einem gebügelten Hemd. (Hatten vielleicht alle Frauen über fünfzig recht?). Es blieb mir nichts anderes übrig, als einen Pullover über eines meiner ungebügelten Hemden zu streifen. Vorm Spiegel entschied ich, daß ich um Längen an Schönheit gewonnen hätte, wenn ich noch dazu gekommen wäre, meine Haare zu waschen. Die Stoppeln im Gesicht entschuldigte ich mit dem neuesten Trend zum Dreitagebart. Ein strenger Geruch aus der Küche riß mich aus meinen Betrachtungen im Badezimmer. Der Nudeltopf brubbelte wild vor sich hin, und ab und zu zischte es, wenn ein Spritzer Wasser auf die Herdplatte gelangte. Viel schlimmer stand es um das Fleisch. Es war schon deutlich angebraten, um nicht zu sagen angebrannt. Ich fluchte und wendete gleichzeitig die Medaillons. Das Fenster mußte geöffnet werden. Die Sauce, als einzige anständig geblieben, brubbelte brav vor sich hin. Mir blieb eine Minute Zeit, um Musik aufzulegen und die Kerzen anzuzünden. Schon auf dem Weg zurück mußte ich feststellen, daß das Fleisch jetzt auch auf der anderen Seite seine Farbe in Richtung Schwarz geändert hatte. Als ich es aus der Pfanne nahm, wurde mir der unschlagbare Vorteil dieses Gerichts klar. Die Fleischstücke wurden jetzt in die Sauce eingelegt und sollten dort noch ein paar Minuten mitbrubbeln. Wer konnte nach diesem Bad noch etwas von den leicht angeschwärzten Stellen sehen? Ich triumphierte bei diesem Gedanken, als mir die Nudeln plötzlich wieder einfielen. Die „al dente" – Phase dürfte mittlerweile verjährt sein. Tatsächlich! Die Pasta war zu einer ziemlich schlappen Truppe geworden. Ich überlegte, ob man der Heimlichkeit halber die Spaghetti nicht auch noch mit in die Sauce stopfen konnte, entschied mich aber dagegen, als es schellte. Verdammt, der Besuch war pünktlich. Ich setzte mein souveränstes und gleichzeitig charmantestes Lächeln auf, spritzte mir im Vorbeigehen noch einen zusätzlichen Rasierwasserhammer an und öffnete die Tür, als hätte ich seit Stunden sehnlichst auf das Ankommen meines Gastes gewartet.

„Vincent!" Die Frau, die die Treppe heraufeilte, war keineswegs Alexa Schnittler, sondern Regine Langensiep. „Ich will Sie nicht lange aufhalten." Ich war viel zu perplex, um zu widersprechen.

„Ich glaube, ich habe das Manuskript gefunden, das Sie gestern bei Bruno gesucht haben. Hier!" Sie händigte mir eine dicke, schwere Mappe mit computerbedruckten Seiten aus. „Es lag in Brunos Kommode im Schlafzimmer. Vielleicht hat er vorm Zubettgehen darin gelesen und es dann dort vergessen." Ich schlug die erste Seite auf. *Auf Leben und Tod* stand in dicken Lettern als Titel obenauf. Plötzlich schellte es wieder. Regine verabschiedete sich hastig. „Ich war gerade hier in der Nähe und dachte, Sie würden es brauchen. Bis dann mal!" Sie berührte flüchtig meinen Arm und hastete dann die Stufen hinunter. Auf der Treppe hörte ich, wie Regine und Alexa sich zurückhaltend grüßten. Ich konnte förmlich sehen, wie sie sich verstohlen musterten. Alexa kam um einiges langsamer die Treppe herauf als ihre Vorgängerin. Sie hatte ihre kastanienbraunen Locken hinten locker zusammengebunden und trug ein enges Oberteil unter einem Blazer. Sie sah umwerfend aus und verursachte abermals ein Tohuwabohu in meinem Körper. Das Blut schoß mit doppelter Geschwindigkeit durch seine Bahnen und bewirkte dabei ein ziemliches Verkehrschaos.

„Ich hoffe, ich komme nicht zu früh." Sie warf einen Blick nach unten, wo in diesem Augenblick die Haustür zuschnappte.

„Alexa, wie schön, daß du da bist! Du bist überhaupt nicht zu früh. Gerade hat mir die Frau eines Kollegen nur ein paar Unterlagen gebracht. Die Frau eines Ex-Kollegen sozusagen. Er ist verstorben. Ich meine –" Alexa schaute mich verständnislos an. „Ach, komm erst mal herein!"

Die nächste Viertelstunde war die anstrengendste überhaupt. Ich versuchte einerseits das Essen möglicht vorteilhaft zu präsentieren und andererseits ein blendender Unterhalter zu sein, obwohl ich ständig zwischen Küche und Wohnzimmer hin- und hereilen mußte. Alexa zeigte ihre unverhohlene Neugier, indem sie im Zimmer herumlief und in jeden Winkel schaute. Ich kam mir vor, als befände ich mich in einer Putzprüfung.

„Schön hast du's hier."

„Na ja, es ist nicht besonders aufgeräumt. Eigentlich wollte ich die Lampen noch aufgehängt haben. Irgendwie fehlen auch noch eine Menge Möbel. Und überhaupt, die ganze Wohnung müßte noch geputzt werden."

„Ach, vergiß es! Meine Wohnung sieht auch meistens aus wie eine verlassene Müllkippe."

Inzwischen stand das Essen auf dem Tisch. Die Atmosphäre war beinahe romantisch, zumal die bunt gemischten Muster ein gewisses Flower-Power-Flair aufkommen ließen. Frau Hanschels gelbe Kerzen flackerten, was das Zeug hielt, und die Musik, die ich aufgelegt hatte, hörte sich an, als wollte ich gleich mit Alexa ins Sofa sinken.

„Die Kerzen sind etwas – hm altmodisch." Ich hatte das Bedürfnis, mich für alles zu entschuldigen.

„Ach, macht doch nichts. Ich hab auch immer das Gefühl bei diesen Türverkäufern, ich müßte ihnen irgend etwas abkaufen. Oder hast du sie von einem Wohltätigkeitsbasar?"

Ich antwortete nicht, sondern hob mein gerade einge-schenktes Weinglas. „Worauf trinken wir? Auf die heimische Tierwelt?"

„Um Gottes willen! Von der will ich heute abend nichts hören. Auf deinen Einstand im Sauerland?"

„Nein, nicht allein auf mich. Auf uns beide."

„Auf uns beide! Und darauf, daß das Fleisch hoffentlich nicht so verbrannt schmeckt, wie es im gesamten Hausflur riecht." Ich verschluckte mich. Die sauerländische Direktheit konnte einem schon den Atem nehmen. Unser Gespräch drehte sich zum Glück nicht ums Essen, sondern um weniger essentielle Dinge wie uns selbst.

Alexa erzählte von ihrer Zeit in Schottland. Ich hing an ihren Lippen und nicht nur daran. Die ganze Zeit über stellte ich mir vor, wie gern ich mit ihr an einem schottischen See sitzen würde, um zu angeln. Alexa aß Unmengen, so daß ich insgeheim meine Kochkünste lobte. Entweder waren die gar nicht so schlecht, oder die Frau meines Lebens war voll-kommen ausgehungert. Wir lachten viel und tranken viel. Ich erzählte von meinen Freunden in Köln, von meinen Erleb-nissen als Journalist, von meinen früheren Arbeitstagen, die gegen Mittag begannen und um Mitternacht endeten.

„Vermißt du Köln sehr?" Alexa schaute mich direkt an.

„Ich vermisse vor allem das Kölsch. Außerdem fehlen mir diverse Straßen, diverse Personen, diverse Kneipen."

„Kurz: Du bist hier sterbensunglücklich." Alexa nahm einen tiefen Schluck.

„Im Moment bin ich lebensglücklich."

Alexa schwieg einen Moment, und es lag ein Gefühl in der Luft. Ich verpaßte es und schon war der Moment vorbei.

„Vielleicht bekommst du ja doch noch eine Stelle dort, wo du wirklich hinwillst." Täuschte ich mich, oder lag in dieser Frage ein Hauch von Provokation?

„Um ehrlich zu sein, ich weiß noch gar nicht, was ich will. Vielleicht ist die Kölner Zeit jetzt einfach vorbei, so oder so. Kann man denn hier glücklich werden? Was meinst du?"

„Man kann!" Alexa sprach mit einer absoluten Sicherheit. „Wenn ich morgens um sieben auf die Höfe rausfahre, wenn die Vögel einen Heidenlärm veranstalten, wenn die Rapsfelder knallgelb blühen, dann habe ich oft das Gefühl, mehr kannst du nicht erwarten. Die Gegend hier ist wunderschön. Man muß diese Dinge nur zu schätzen wissen. Und die Leute hier sind nett, wenn man sie erst einmal zu nehmen weiß."

„Du hast recht. Ich erwarte zuviel. Ich bin erst seit kurzer Zeit hier. Ich muß das Schöne erst noch finden."

Alexa lehnte sich zurück. „Fehlt dir auch dein Beruf? Ich meine, der als Schreiberling."

„Es war schon eine aufregende Zeit. Ganz bestimmt. Aber irgend etwas drängte mich immer, mich nach etwas anderem umzusehen. Vielleicht hätte ich mich um eine Stelle an der Uni bewerben sollen, als ich als Lehrer nicht unterkam. Aber nach dem Referendariat hatte ich das Gefühl, der Zug sei abgefahren." Ich machte eine Pause. „Ich glaube, ich bin nicht gerade der geborene Journalist gewesen. Ich schreibe zwar gerne, aber nicht unter dem enormen Zeitdruck, unter dem ich arbeiten mußte. Bei Angie war das anders. Sie machte –"

„Wer ist Angie?" Alexa blickte mich mit unverhohlener Neugier an.

„Meine frühere Freundin. Sie war, sie ist auch Journalistin. Und zwar mit ganzem Herzen."

„Wart ihr lange zusammen?"

„Fast drei Jahre." Es war schon etwas absurd, mit Alexa darüber zu reden.

„Im nachhinein wundert es mich fast, daß wir es so lange miteinander ausgehalten haben. Wir sind doch sehr verschieden gewesen. Zu bestimmten Dingen hatten wir völlig unterschiedliche Meinungen."

„Zum Beispiel?" Es war mir etwas peinlich, darüber zu sprechen.

„Zum Beispiel über Bücher. Zum Beispiel über Humor. Zum Beispiel über Zukunft. Zum Beispiel über Kinder. Für Angie war das überhaupt kein Thema. Für sie stand ihre Karriere im Vordergrund. Alles, was sie beruflich behindert hätte, war für sie tabu."

„Und du willst Kinder?" Alexa versuchte ganz offensichtlich cool auszusehen.

„Natürlich. Meinst du, ich wollte den Job ewig machen? Ich werde die erstbeste Gelegenheit nutzen und in den Erziehungsurlaub entschwinden."

„Na, dann viel Glück auf der Suche nach der passenden Geldgeberin!" Alexa nahm einen tiefen Schluck aus ihrem Glas. „Übrigens hatte ich gestern eine aufregende Begegnung mit deinem Kollegen von Feldhausen. Er hat mich vor den Armen eines Wüstlings namens Wüstenberg gerettet."

Bei dem Namen Feldhausen war ich hellwach. „Erzähl! Was ist passiert?"

Alexa berichtete im Detail, was ihr am Tag zuvor widerfahren war. Besonders hellhörig wurde ich bei den Anspielungen, die dieser Wüstenberg gegen Feldhausen vorgebracht hatte. Diesem Gerücht um Feldhausens Finanzknappheit mußte ich unbedingt nachgehen. Vielleicht kamen wir dem Geheimnis um Langensiep und von Feldhausen so auf die Spur. Ich wollte Alexa gerade noch eine Frage dazu stellen, als es plötzlich schellte. Es war halb zehn am Abend, und ich stand irritiert im Treppenhaus, neugierig, wen mir das Schicksal diesmal ins Haus tragen würde. Die Überraschung war perfekt.

„Vincent, altes Haus! Dein treuester Freund will sehen, ob es dir in der Wildnis gut ergeht."

Ich stöhnte. „Robert, warum hast du nicht vorher angerufen?"

Mit Entsetzen sah ich, daß er einen Schlafsack unter dem Arm trug.

„Warum? Na, weil ich dich überraschen wollte. Ich störe doch nicht etwa?"

„Nur unwesentlich. Ich habe gerade Besuch."

„Eine schöne Wohnung hast du", Robert hatte sich inzwischen den Weg an mir vorbei nach innen gebahnt, „wieviel bezahlst du denn im Monat?"

Unterdessen war er ins Wohnzimmer gestolpert, und ich merkte, daß es keinen Sinn hatte, die frühzeitige Wendung des Abends zu unterbinden.

„Tut mir übrigens leid, daß ich dir nicht beim Umzug helfen konnte, aber –"

„Darf ich vorstellen: Mein Freund Robert aus Köln. Alexa Schnittler. Wir haben uns erst vor kurzem kennengelernt."

Robert grinste. Sein Namengedächtnis war viel zu gut, als daß er nicht wußte, wen er vor sich hatte.

„Es ist mir ein Vergnügen." Robert schüttelte ihr erfreut die Hand und setzte sich dann. Er schaute in die Schüsseln, die noch immer auf dem Tisch herumstanden.

„Mein Gott, Vincent, du hast gekocht? Das hast du doch bestimmt schon vier Jahre nicht mehr getan. Wenn ich das gewußt hätte, wäre ich natürlich schon eher gekommen." Er schaute mich fröhlich an. „Wie geht's, wie steht's? Erzähl mal, wie lebt es sich denn so an diesem Ort? Ich habe ja fast eine Stunde gebraucht, um den Weg von der Autobahn hierher zu finden. Ich dachte schon, das Ende der Welt stünde mir bevor."

„Am Ende der Welt läßt es sich ganz gut leben", konterte Alexa. Robert war wie immer ganz der Charmeur.

„Das glaube ich gerne. Diese Stadt scheint zumindest eine wunderschöne Frau zu besitzen." Alexa errötete. War Robert besoffen? Oder warum versuchte er es mit solchen Holzhackerkomplimenten?

„Darf ich fragen, wie Sie in diese Stadt geraten sind?" Robert versuchte nun, seine ernsthaften Charakteranteile herauszustellen. „Sind Sie hier aufgewachsen, oder hat Sie das Schicksal genauso hierhingetragen wie meinen Freund Vincent?"

„Sowohl als auch." Alexa hatte sich nun voll und ganz Robert zugewandt und erzählte ihm ihre Lebensgeschichte. Robert hörte interessiert zu. Ich kam mir vor, als dürfe ich zur weiteren Gestaltung des Abends bestenfalls noch für die passende musikalische Unterhaltung sorgen. Während ich den Tisch abräumte, fragte ich mich, was Frauen an Robert so begeisterte. Sicher, er sah nicht schlecht aus. Interessant, wie Angie es genannt hatte. Braune, glatte Haare und ein klassisch geformtes Gesicht mit einem von Natur aus dunklen Teint. Als ich vom Abräumen aus der Küche zurückkam, duzten die beiden sich.

„Vincent, wir haben uns überlegt, ob wir nicht gleich noch ein wenig in die Stadt gehen sollten. Mich würde ja schon mal interessieren, wieviel in einer bundesrepublikanischen Durchschnittsstadt am Abend so los ist."

„Also, eigentlich –" Mein gerade begonnener Einwand wurde durch ein weiteres Schellen unterbrochen. Verwechselten die Leute meine Klingel mit der der Taxivermittlung? Meine Laune war mittlerweile auf dem Nullpunkt angelangt. Wer wohl diesmal in mein holdes Heim stürmen würde, vielleicht Schwester Wulfhilde und ihre Mitschwestern, die mich über die Lasterhaftigkeit eines Essens unter zwei Unverheirateten informieren wollten? Oder die Dreisams, die kamen, um meine Wäsche auf Vordermann zu bringen? Es war schlimmer. Friederike Glöckner stapfte laut schwatzend die Treppe herauf. Hinter ihr Max, der hinter ihrem Rücken Gesten machte, die von einer allgemeinen Peinlichkeit und Mordplänen in Bezug auf Friederike Glöckner zeugten. Ich brachte kein einziges Wort heraus. Das war auch nicht nötig, da Friederike vom ersten Augenblick an auf mich einredete.

„Hallo Vinci, wie schaut's?" Ich stand da wie ein begossener Pudel, während sie mir wie selbstverständlich einen Kuß auf die Wange drückte.

„Max hat mir erzählt, daß du heute auch Besuch hast, und da habe ich mir gedacht, legen wir die Party doch einfach zusammen. Du hast doch nichts dagegen?"

Mein halb fassungsloser, halb drohender Blick auf Max ließ ihn zu fratzenähnlichen Zeichen seines Mißmuts greifen. Wie zuvor Robert drängte Friederike sich an mir vorbei und marschierte ins Wohnzimmer.

„Siehst du, Max, wir stören doch gar nicht! Von einem romantischen tête-a-tête kann bei drei Leuten doch wohl wirklich nicht die Rede sein." Ich hörte ihr aufdringliches Lachen und griff mir im Flur Max.

„Sag mal, ist eigentlich die ganze Welt verrückt geworden, hier einfach in meine Wohnung zu pilgern?"

„Was sollte ich denn machen?" Max versuchte, seine aufgeregte Stimme zu drosseln. „Wenn ich nicht mitgekommen wäre, wäre sie allein hier angetanzt. So hoffe ich, sie irgendwann wieder abschleppen zu können."

Als ich mit Max ins Wohnzimmer kam, merkte ich, daß ich überflüssig geworden war. Robert hatte bereits Gläser organisiert, und beide Frauen hingen wie verzaubert an seinen Lippen, die eine geistreich-witzige Bemerkung nach der anderen ausspuckten.

„Ich glaube, der Kneipenbummel hat sich erübrigt", dröhnte Robert, der in kürzester Zeit eine Weinflasche geleert hatte. Max setzte sich in die Runde, immer noch etwas peinlich berührt, aber angesichts des Weines aufgeschlossener den Dingen, die da kommen sollten. Mir jedenfalls reichte es. Ich schnappte mir in der Küche eine Flasche Wein und verzog mich ins Schlafzimmer. Bis zu dem Zeitpunkt, da ich endlich einschlief, hatte mich noch keiner meiner Gäste vermißt.

22

Beim Aufwachen am nächsten Morgen dauerte es ein paar Minuten, bevor ich rekapitulieren konnte, was am vergangenen Abend passiert war. Als ich den Hergang des Abends bis zu meinem Abtauchen auf der Reihe hatte, stellte sich die Frage, ob sich noch Teile meines unglückseligen Besuchs in der Wohnung aufhielten. Außer diversen Gläsern und Weinflaschen befand sich ein schlafendes Bündel auf dem Sofa, das sich bei genauerem Hinsehen als Robert entpuppte. Alle anderen waren Gott sei Dank ausgeflogen. Ich öffnete das Fenster, um den unseligen Alkoholgeruch zu mildern, und räumte Gläser und Flaschen weg. Robert rührte sich die ganze Zeit nicht, sondern lag da wie tot. Wie tot. Ich weiß nicht, ob es die Beschäftigung mit dem Tod Bruno Langensieps war, die mir plötzlich diese Flause in den Kopf setzte. Auf jeden Fall stürzte ich mich auf einmal wie ein Wilder auf Robert, von einer plötzlichen Panik befallen.

„Robert, Robert!" Ich rüttelte ihn, als müsse ich ihn in drei Sekunden aus einer Ohnmacht befreien. Robert sprang hoch, den Schrecken in seinem verschlafenen Gesicht.

„Was ist los? Was ist denn los?"

„Mein Gott, ich dachte schon, du seist tot." Ich atmete hörbar auf.

„Bist du verrückt geworden?" Mein alter Freund sah mich verständnislos an. Nachdem sein Fortleben gesichert war, entfachte sich mein Zorn über den vergangenen Abend aufs neue.

„Ich glaube, ich sollte lieber dich fragen, wer hier verrückt ist. Ich dachte, du bist ein Freund. Statt dessen platzt du hier herein und versuchst, der Frau meines Lebens durch großkotzige Komplimente zu imponieren."

Robert hielt sich die Hände vors Gesicht. „Oh Mann, ich glaube, da habe ich Mist gebaut."

„Komm mir jetzt nicht mit alberner Betroffenheit! Was sollte das ganze Theater denn? Du warst ja kaum wiederzuerkennen. Was ist nur in dich gefahren?"

Robert hielt sich den Kopf, als müsse er gegen starke Kopfschmerzen ankämpfen. „Ich weiß auch nicht. Ich bin gestern einfach durchgedreht. Sonja hat angerufen und wollte mich wiedersehen." Ich stöhnte. Nicht schon wieder! Sonja war eine Ex-Freundin von Robert, die etwa jedes halbe Jahr anrief, um ihm aufs neue den Kopf zu verdrehen und sich dann nach ein paar Tagen wieder aus seinem Leben zu verabschieden. Wie ein unmündiges Kind spielte Robert das Drama jedesmal mit und fiel anschließend in eine Wochen anhaltende Trauer.

„Laß mich raten! Sie meinte, ihr beide solltet es nochmal miteinander versuchen. Sie hätte da sicher in der Vergangenheit ein paar grobe Fehler gemacht. Vielleicht solltet ihr euch mal in aller Ruhe treffen und darüber sprechen. War es so?"

„Nein, es war nicht so", Robert schaute mich trotzig an. „Diesmal hat sie mir gesagt, daß sie heiraten will."

„Aber doch hoffentlich nicht dich?"

„Unsinn! Sie hat angeblich den Mann ihrer Träume getroffen und will ihn nächste Woche ehelichen."

„Auch wenn es bitter klingt und für den Mann, den es trifft, eine Tragödie bedeutet: Für dich ist es das beste, was überhaupt passieren kann."

„Sonja macht sich doch unglücklich. Sie kennt den anderen Kerl doch kaum."

„Das ist ja ihr Problem. Aber auf diesem Wege begreifst du endlich, daß es keinen Sinn hat, noch länger auf das ewige Happy End zu warten. Hab ich nicht recht?"

Robert überhörte meine Ansichten. „Auf jeden Fall war ich gestern abend völlig fertig. Um auf andere Gedanken zu kommen, hab ich mich ins Auto gesetzt und bin zu dir gefahren. Eigentlich wollte ich mit dir einen gemütlichen Männerabend verbringen."

„Gegen einen Frauenabend hattest du dann aber auch nichts einzuwenden!"

„Erinnere ich mich richtig? Bist du frühzeitig ins Bett gegangen?" Robert schien sich tatsächlich nicht mehr so genau der Ereignisse zu entsinnen.

„In der Tat! In Anbetracht eines röhrenden Hirsches, einer staunenden Kuh und einer kreischenden Hyäne konnte ich es nicht mehr länger hier aushalten."

Robert stöhnte und ließ sich rücklings auf die Couch fallen. „War es wirklich so schlimm?" Dann setzte er sich plötzlich wieder auf. „Wenn ich deine gehaltvolle Symbolik schon am frühen Morgen richtig verstehe, hast du die Frau deines Lebens gerade als staunende Kuh bezeichnet oder nicht?"

„Nun ja, sie hat sich von dir hinreißen lassen. Eine Kuh ist sie natürlich nicht."

Robert stützte jetzt seinen Kopf auf den Arm. „Sag mal, Vinz, bist du richtig verliebt?" Mir schoß das Blut in den Kopf wie einem pubertierenden Dreizehnjährigen.

„Ich kenne Alexa noch nicht lange, wir haben uns erst ein paar Mal getroffen. Aber es stimmt zwischen uns. Wir können viel zusammen lachen, wir haben in vielem die gleiche Meinung."

Robert wurde ungeduldig. „Jetzt sag schon! All das trifft schließlich auf mehrere Frauen zu."

Ich gab nach. „Ja, ich bin verliebt. Seitdem ich Alexa zum ersten Mal gesehen habe, ist sie mir nicht mehr aus dem Kopf gegangen. Ich habe inzwischen viel Verrücktes erlebt. Ich habe eine Unmenge Leute kennengelernt, seitdem ich hier wohne. Ich ersticke in Arbeit. Aber trotzdem geistert mir fast die ganze Zeit Alexa durch den Kopf. Ihre Locken verfolgen mich im Schlaf und ihr Lachen haut mich vom Frisierstuhl. Von ihren Augen gar nicht zu sprechen. Seitdem ich sie kenne, grüße ich jeden Hund auf der Straße, weil er ihr Patient sein könnte. Ich überlege Strategien, wie ich sie wiedersehen könnte, ohne aufdringlich zu sein. Jedes Stück Literatur, das ich für den Unterricht bearbeite, beziehe ich auf sie. Ich bereite gerade das Thema Barocklyrik vor und sehe bei jedem Liebesgedicht Alexa vor mir. Und bei all dem versuche ich natürlich mal wieder, unheimlich cool zu wirken." Robert hatte mich mit offenem Mund angestarrt und fassungslos zugehört.

„Mein Gott", stotterte er nach Abschluß meiner Rede, „diese Angelegenheit scheint ernst zu sein. So habe ich dich ja noch nie erlebt."

„Und dann kommst du Trottel und machst alles kaputt!" Vor lauter Aufregung stand ich auf und lief um den Tisch. „Natürlich schwärmt sie jetzt für dich, den charmanten Doktor der Geschichte, intelligent, vielseitig, gutaussehend. Vermutlich sucht sie bereits eine Stelle in Köln, um bloß nichts anbrennen zu lassen."

„Du spinnst ja!" Robert setzte sich gerade hin. Wahrscheinlich meinte er, seine Argumente wirkten so überzeugender, als wenn sie von einem noch halbbetrunkenen, darniederliegenden Suffkopp gesprochen wären. „Ich gebe zwar zu, daß ich nett, hilfsbereit und humorvoll bin." Er lachte gewinnend. „Kurz: ich bin ein guter Freund. Aber ich bin beileibe kein gewiefter Aufreißer. Ich bin mir sogar ziemlich sicher, daß deine Alexa mich nach diesem Abend für einen ausgemachten Schwachkopf hält." Er hielt sich den Kopf, der mehr als zwanzig Worte auf einmal offensichtlich nicht vertrug. Stöhnend legte er sich wieder hin. „Leider kann ich es ihr auch nicht verdenken." Ein letztes Mal hob er noch den Kopf. „Vinz, es tut mir aufrichtig leid, daß ich dir den schönen Abend vermasselt habe. Es gibt keine Entschuldigung dafür außer meinem aufgewühlten Gemütszustand, der nach Bestätigung und Geselligkeit verlangte. Wenn du willst, kannst du Alexa erzählen, ich sei dreifach geschieden und hätte vier uneheliche Kinder zu versorgen. Aber ich glaube, das ist gar nicht nötig. Wenn's dir nichts ausmacht, schlaf ich jetzt noch ein Ründchen."

Ich ließ den noch halbbetrunkenen, darniederliegenden Suffkopp ruhen und wählte in meinem Schlafzimmer Leos Nummer. Er meldete sich sofort.

„Leo, ich habe Neuigkeiten, die dich umhauen!" Ich erzählte ihm von meinem Besuch im Hause Langensiep.

„Puh, das ist starker Tobak! Von Feldhausen und Langensiep in dunkle Geschäfte verwickelt? Ich könnte mir bestenfalls vorstellen, daß sie aus der Schulkapelle zwei Gesangbücher haben mitgehen lassen. Oder vielleicht haben sie das monatlich fällige Kaffeegeld im Lehrerzimmer unterschlagen? Nein, mal im Ernst. Was könnte das sein? Drogen? Diebstahl? Wenn ich mir die beiden vorstelle, hört sich das regelrecht lächerlich an. Vor allem bei von Feldhausen, unserem reichen Hobbylehrer."

„Es ist die Frage, ob Feldhausen wirklich so reich ist." Ich berichtete, welche Anspielungen Alexa im Reitstall mitbekommen hatte.

„Vielleicht handelt es sich wirklich nur um ein böses Gerücht", warf Leo ein, „Feldhausen scheint ja souverän mit dem Vorwurf umgegangen zu sein und hat nachher noch mit deiner Bekannten darüber geredet. Ich werde der Sache mal nachgehen. Ich weiß schon, wie ich da was herauskriegen könnte."

Wir verabredeten uns, später nochmal miteinander zu telefonieren. Gerade als ich aufgelegt hatte, klingelte das Telephon wieder. Es war Max. „Also, tut mir echt leid!" Das war seine Art, sich zu entschuldigen.

„Schon gut. Wie seid ihr denn nach Hause gekommen?"

„Ich hab den zwei Frauen und mir ein Taxi besorgt. Ich weiß, wie man da günstig drankommt. Haha."

„In welchem Zustand wart ihr denn beim Abflug?"

„Also, Alexa ist mir unterwegs dreimal eingeschlafen, und Friederike hat noch mehr geredet als sonst. Ich selbst war natürlich völlig normal."

„Natürlich." Max versprach, sich in den nächsten Tagen zu melden.

Nachdem er aufgelegt hatte, fand ich endlich Zeit, mir Regine Langensieps Manuskript anzusehen. *Auf Leben und Tod* stand vorne auf dem Deckblatt. Leider war keinerlei Hinweis zu finden, um was für eine Art von Manuskript es sich handelte und von wem es stammte. Ich begann zu lesen.

Das Leben, das in meinen Fingern zerrinnt wie Sand, der nicht aufzuhalten ist, ist eines unter hundert Leben, eines unter tausend, unter Millionen Leben, die ebenso unwichtig erscheinen wie dieses mein Leben. Das einzige, was mein Leben zu etwas Besonderem macht, ist, daß es mein Leben ist, meine Existenz, mein Inhalt. Es ist das, von dem alle meine Gedanken ausgehen. Und wenn sie noch so weit zu fliegen vermögen, so sind sie doch gefangen in der Welt des Denkenden, des Ich.

Ziemlich schwülstig bislang. Jetzt wurde es konkreter. *Ich will es erzählen, das Leben des Konstantin Worms, dessen Freiheit in Kinderjahren nicht größer war als in Erwachsenenjahren, der gefangen war in seinen eigenen Stricken.*

Die Passagen, die nun folgten, beschrieben die Erlebnisse eines Jungen, der in einer Kleinstadt aufwuchs und sich gegen die autoritären Eltern durchsetzte, die ihn zu einem Bürokaufmann machen wollten. Ihnen zum Trotz ging Konstantin zum Gymnasium in der Stadt, denn sein Wunsch war es, ein Schriftsteller zu werden, einer, der von seinen Reisen und Abenteuern berichtete, den die Leute liebten, weil sie ihn gerne lasen. Um das zu schaffen, glaubte Konstantin zunächst, selbst Literatur studieren zu müssen. Er büffelte und ackerte. Er las alles, was er auftreiben konnte, und wurde zu einem Musterschüler.

Ohne es zu wollen, rezensierte ich das Geschriebene wie ein Kritiker. „Ein umständliches Buch", ließe sich sagen, „verliebt in die eigenen Worte, zu tragend, zu schwer der Ton des Buches." Ob ein Schüler Langensiep das Manuskript gegeben hatte, um es von ihm begutachten zu lassen? Unwahrscheinlich. Langensiep war bei den Schülern ja nicht sehr beliebt gewesen. Folglich war er für die meisten auch keine Vertrauensperson, der man etwas so Persönliches anvertraute. Außerdem sollte der Roman, wenn es denn einer war, über ein Erwachsenenleben berichten. Ich konnte mir nicht vorstellen, daß ein jugendlicher Schüler sich an so etwas heranwagte. Ich blätterte die Seiten durch. Das Manuskript war ordentlich gedruckt, jede Seite war einzeilig beschrieben. Kurz vor Schluß bemerkte ich etwas Handgeschriebenes. Ich suchte die Seite, die beim Durchblättern vorbeigerauscht war. Als ich sie gefunden hatte, erkannte ich die Handschrift sofort. An einer Stelle war das Wort *Bruno* durchgestrichen worden und handschriftlich durch *Konstantin* ersetzt worden. Ganz offensichtlich hatte der Autor beim Schreiben Realität und Fiktion verwechselt. Bruno Langensiep, der seine Geschichte in der Anonymität des Konstantin Worms niedergeschrieben hatte, mußte versehentlich einmal seinen wirklichen Namen verwandt haben. Konstantin Worms war Bruno Langensiep. Und der Autor dieses Manuskripts war Langensiep selbst.

Mich überkam eine gewisse Aufgeregtheit. Was ich hier in den Händen hielt, war das Werk eines Verstorbenen, seine Autobiographie. Wenn Regine von der Existenz dieses Romans nicht gewußt hatte, wußte wahrscheinlich auch kein anderer davon. Außer mir. Ich schluckte. Was, wenn ich den Schlüssel zu seinem Tod in meinen Händen hielt? Es gab nur eins: lesen, lesen, lesen!

23

„Was ist denn mit Ihnen los? Sie sehen aus, als sei Ihnen gerade Ihre verstorbene Großmutter über den Weg gelaufen."

„Danke für das Kompliment!" Alexa wußte selbst, daß sie so elend aussah wie nach einer Leichenautopsie. Schließlich fühlte sie sich auch so.

„Gab es gestern irgend etwas zu feiern?" Karin ließ nicht locker.

„Eigentlich war ich nur zum Essen eingeladen. Aber dann kam plötzlich ein Überraschungsgast und dann kamen noch zwei Überraschungsgäste. Nebenbei wurde ständig mein Weinglas nachgefüllt. Als ich zwischendurch mal aufwachte, saß ich bereits in einem Taxi. Irgendwie ist der Abend ganz anders gelaufen, als ich mir gedacht hatte."

„Wie hatten Sie es sich denn gedacht?"

„Eigentlich wollte ich um elf im Bett liegen."

„In Ihrem eigenen?" Nein, zu dieser Art von Humor fühlte Alexa sich wirklich nicht in der Lage.

„Können Sie mir den ersten Patienten reinschicken? Und noch etwas. Es wäre nett, wenn Sie bei Gelegenheit Kaffee kochen könnten. Am besten noch, bevor der Chef kommt. Vielleicht belebt mich das ja." Alexa trottete ins Behandlungszimmer, zog sich ihren Kittel an und gab sich einen Ruck. Irgendwie mußte sie diesen Morgen ja überstehen.

Die ersten Fälle liefen routinemäßig unproblematisch, der Ärger kam erst mit dem vierten Patienten oder vielmehr mit dessen Besitzer. Vor jeder Begrüßung legte der Kerl schon los.

„Was glauben Sie eigentlich, wieviel Zeit ich habe? Meinen Sie, ich habe nichts Besseres zu tun, als Stunden in Ihrem Wartezimmer zu sitzen?"

„Seit wann sind Sie denn da?"

„Seit, seit – ich weiß es nicht genau. Meinen Sie, ich habe Zeit, ständig auf die Uhr zu sehen?" Alexa schluckte den Satz schnell herunter, den sie auf den Lippen gehabt hatte. Solch ein cholerischer Kunde hatte ihr heute noch gefehlt. Erst jetzt bemerkte sie, daß hinter dem Mann ein kleines Mädchen in den Raum getreten war, das einen Hamster in den Händen hielt. Sie ignorierte den Vater und bückte sich zu dem Mädchen hinunter.

„Was hat denn dein kleiner Freund?"

„Ich weiß nicht. Er will gar nichts mehr fressen. Muß er jetzt sterben?" Dem Mädchen standen bereits die Tränen in den Augen.

„Na, zeig mal her! Setz ihn am besten hier auf den Tisch!" Sie untersuchte das kleine Kerlchen, während das große Kerlchen weiterschimpfte.

„In drei Tagen beginnt die Schule. Wissen Sie, was man da als Lehrer zu tun hat?" Alexa mußte grinsen, hielt aber jede freche Bemerkung zurück.

„Ich habe keine geregelten Arbeitszeiten wie Sie. Ich sitze jeden Abend am Schreibtisch. Soll ich abends noch länger aushalten, nur weil ich hier stundenlang im Wartezimmer herumsitzen mußte?"

Alexa schaute auf die Karte, die Karin geschrieben hatte.

„Herr Sondermann, Ihr Hamster leidet an einer Pilzinfektion im Rachenraum, so daß ihm das Fressen viel Schmerzen bereitet. Sehen Sie hier die weißen Stellen im Maul? Der Pilz hat fast den gesamten Mundraum erfaßt." Alexa zog eine der Medikamentenschubladen heraus und griff nach einem Fläschchen. Während sie mit der einen Hand dem Tier sicher das Maul aufhielt, nahm sie mit der anderen ein großes Wattestäbchen, mit dessen Hilfe sie das Innere des Mundraums bestrich. Sie ließ sich Zeit, was auch Sondermann etwas ruhiger werden ließ.

„Diese Tinktur sollten Sie auch zu Hause verwenden", sagte Alexa anschließend. „Ich schreibe Ihnen ein Rezept dafür auf. Am besten hält einer dem Tier das Maul auf, während ein anderer das Bestreichen vornimmt. Solange er nicht frißt, machen Sie das bitte dreimal am Tag, später dann nach jeder Mahlzeit. Außerdem ist ein Antimykotikum notwendig, also ein Antipilzmittel. Geben Sie das bitte an vier aufeinanderfolgenden Tagen. Ich schreibe es mit auf das Rezept. Wenn Sie die Medikamente anwenden, bin ich sicher, daß es ihm bald besser gehen wird." Sie wandte sich an das Mädchen. „Keine Sorge, deinem Freund geht es bald wieder gut." Sondermann brummte etwas.

„Und Ihnen wünsche ich natürlich einen streßfreien Schulanfang." Alexa lächelte über das ganze Gesicht, obwohl sie lieber in das ihres Gegenüber hineingeschlagen hätte. Sondermann überlegte, ob der Wunsch ernst gemeint war. Ohne eine Antwort verließ er dann mit seiner Tochter das Zimmer. Es klopfte und Karin kam herein. Gott sei Dank mit einer großen Tasse dampfenden Kaffees.

„Karin, habe ich Ihnen eigentlich schon erzählt, daß ich den absoluten Traummann getroffen habe?" Die Sprechstundenhilfe schaute sie skeptisch an.

„Er ist unglaublich nett, sieht umwerfend aus, besitzt Charme und ist noch solo. Nebenbei hat er ein riesiges Haus und wahrscheinlich genug Geld locker."

„Eine Frage: Warum ist er dann noch solo?"

Alexa überlegte. „Vielleicht, weil er so melancholisch ist."

Karin lachte auf. „Jetzt aber raus damit! Wer ist es?"

„Sie kennen ihn. Dr. Ignaz von Feldhausen."

Karin zog ihre Stirn in Falten. „Feldhausen, Feldhausen? Meinen Sie den Typ, dem früher der Reitstall gehörte? Der hat eben angerufen und gefragt, ob Sie mal nach seinem Pferd sehen können. Es hat so eine Art Entzündung an den Augen."

„Das auch noch." Alexa stöhnte. „Wie soll ich in meinem Zustand diesen Tag überstehen?"

„Na, das wird schon! Hauptsache, es tut sich mal was bei Ihnen, so rein männermäßig meine ich."

Alexa blickte amüsiert auf. „An mich hatte ich gar nicht gedacht. Dr. Ignaz von Feldhausen wäre der ideale Mann für meine Schwester. Die steht auf CC-Männer."

„CC-Männer? Was ist denn das?"

Alexa blickte Karin amüsiert an. „Ganz einfach: Männer in Cordhosen und Country-Style."

24

Anstatt anzurufen, kam Leo vorbei. Es war Mittagszeit, und ich hatte gerade Robert während eines Stehfrühstücks von allen Ungereimtheiten erzählt, auf die Leo und ich im Fall Langensiep gestoßen waren. Noch immer war er nicht überzeugt, daß hinter all dem wirklich eine große Sache steckte, aber eine Erklärung hatte er auch nicht für die offenen Fragen. Wir setzten uns zu dritt um den Eßtisch und schlürften dort unseren Kaffee weiter.

„Ich habe eine Menge Neuigkeiten", Leo kam sofort zur Sache.

„Ich auch", unterbrach ich ihn.

„Na gut, dann du zuerst!"

Ich erzählte von dem Manuskript, das Regine Langensiep mir vorbeigebracht hatte. „Ich bin mir sicher, daß Bruno Langensiep in diesem Werk seine Autobiographie niedergeschrieben hat. Ziemlich schlecht übrigens. Leider endet das Ganze, bevor es für uns überhaupt losgeht."

„Was soll das heißen?" Leo schaute mich enttäuscht an.

„Einen Moment." Ich holte die Mappe hervor und blätterte bis zum Schluß. „Nach einer wenig aufregenden Jugend als Einzelkind heiratet dieser Konstantin Dingsda das Mädchen, mit dem er schon seit Urzeiten zusammen ist. Er hat eine Stelle in der Bibliothek angenommen. Dort arbeitet er viele Jahre und klettert nach und nach Pöstchen für Pöstchen nach oben."

„In der Bibliothek? Ich denk, das wär 'ne Autobiographie." Robert schaute mich verwundert an.

„Nicht in allen Details stimmen Wirklichkeit und Text überein. Wahrscheinlich wollte Langensiep das Buch veröffentlichen und vermied deshalb zu große Parallelen zu seinem eigenen Umfeld."

„Erzähl weiter!" drängte Leo. „Er arbeitet nun in dieser Bibliothek und dann?"

„Dann stellt er in seinem Leben plötzlich eine große Leere fest."

„Ja, und weiter?"

„Nichts weiter. Das Buch ist schon bis zu diesem Punkt an Handlungslosigkeit nicht zu überbieten. Plötzlich bricht der Lebenslauf mit einer kleinen philosophischen Abhandlung ab."

„Typisch Langensiep", Leo stöhnte, „ein Langweiler bis ins Grab."

„Warte mal, ich les das mal vor." Ich suchte die Stelle, die ich den anderen präsentieren wollte. „Also: *Plötzlich wurde mir bewußt, daß mein Leben bisher nichts weiter als ein kleiner unbedeutender Fluß gewesen war. Nein, nicht einmal ein Fluß. Ein Rinnsal, das weder etwas mitzureißen vermochte noch sich in viele kleine Gewässer verzweigen würde.*"

Leo unterbrach mich. „Meint er damit vielleicht, daß er weder bei seinen Schülern etwas auszurichten vermochte noch für eigene Nachkommen gesorgt hat?"

„Könnte schon sein." Ich las weiter. „*Die trüben Wellen meines Lebens dienten niemandem, erfreuten niemanden. Sie waren nur für sich, existierten um ihrer selbst willen.*"

„Mein Gott, das treibt einem ja die Tränen in die Augen." Robert gähnte demonstrativ.

„Wenn das so weitergeht, ersetzen diese Zeilen jeden Abschiedsbrief", warf Leo ein, „wer so schreibt, der kann sein einsames, trauriges Rinnsal eigentlich nur in den nächsten Steinbruch leiten."

„Du bist makaber", wies ich ihn zurecht, „außerdem kommt jetzt eine Wendung." Ich las weiter. „*Mein Leben würde sinnlos weitersickern, wenn ich nicht Kraft zu einem neuen Anfang fände, wenn ich nicht endlich das tun würde, wozu das Leben mich von Kindesbeinen an bestimmt hatte. Ich mußte mich der Tätigkeit zuwenden, die mich stark machen würde, der ich meine eigenen Kräfte zur Verfügung stellen könnte. Und ich war stark. Ich spürte es in meinen Gliedern. Ich war fähig zum Leben, zu einem echten, mitreißenden Leben. Einem Leben für die Kunst.*"

Leo und Robert schwiegen. „War's das etwa?" Leo konnte es kaum glauben. Er fuhr sich mit der Hand durch die Locken.

Robert lehnte sich zurück und verschränkte die Arme vor der Brust. „Ist das nicht der perfekte Symbolismus? Das langweiligste aller Leben in dem langweiligsten aller Bücher?"

„Was ich viel tragischer finde", warf ich ein, „ist Langensieps fataler Irrtum, daß er sein Leben der Kunst widmen wollte, womit er höchstwahrscheinlich das Schreiben meinte. Langensiep schreibt so schlecht, entschuldigt, schrieb so schlecht, daß kein Verlag der Welt ihn drucken würde."

„Sein vermeintlicher Neuanfang wäre also ein Schuß in den Ofen gewesen", resümierte Leo nachdenklich.

„Vermutlich war er ein Schuß in den Ofen", gab Robert zu bedenken. „Ich schätze, er ist bei allen Verlagen gründlich abgelehnt worden und hat sich deshalb das Leben genommen."

Ich würgte diesen Gedanken ab. „Meine Vermutung ist, daß das Buch gar nicht an dieser Stelle endet, sondern weitergeht. Langensiep ist zwar ein lausiger Schreiberling, aber ich glaube, daß selbst er sich nicht einen solch banalen Schluß erlaubt hätte. Außerdem wäre ein Manuskript mit nur achtzig Seiten sehr ungewöhnlich, wenn man es wirklich drucken lassen wollte."

„Du hast recht", Leo runzelte die Stirn, „wenn das Manuskript nicht hier endet, gibt es aber immer noch zwei Möglichkeiten. Entweder befindet sich der Rest des Buches an einer anderen Stelle, oder Langensiep hatte nicht mehr die Gelegenheit weiterzuschreiben, weil ihm der Tod zu ungelegener Zeit in die Quere kam." Wir saßen einen Moment still da und überlegten alle.

„Jetzt weiß ich – ich bin ein Hornochse."

Robert schaute mich verwundert an. „Ich will das nicht bestreiten, aber sag trotzdem, was los ist!"

Ich raste in mein Arbeitszimmer und suchte nach den Notizen, die ich in Langensieps Unterlagen gefunden hatte. Robert und Leo waren mir gefolgt. „Seht her, das sind die seltsamen Sätze von Langensiep, die mich überhaupt erst darauf gebracht haben, daß mit Langensiep etwas faul war. Ich las die erste Notiz laut vor: *„Auf Leben und Tod. Entscheidung bis Januar. Sonst Ende."*

„Auf Leben und Tod? Der Titel des Manuskripts!"

„Richtig, Leo, ich muß Tomaten auf den Augen gehabt haben, daß mir das nicht eher aufgefallen ist."

Leo nahm den Zettel mit der handschriftlichen Anmerkung in die Hand. „Was soll das bedeuten?" fragte er. „*Entscheidung bis Januar*. Ich kann damit nichts anfangen."

„Wir kommen so nicht weiter", stellte ich fest. „Es bleibt dabei: Ich werde versuchen, irgendwie herauszukriegen, ob es eine Fortsetzung zu dem Manuskript gibt. Dann sehen wir weiter. Erzähl du jetzt, Leo, was du herausgefunden hast!"

Leos nachdenkliche Stirn legte sich wieder glatt, und man sah ihm an, daß ein Energieschub durch seinen drahtigen Körper fuhr. „Ich habe soviel zu berichten, daß ich gar nicht weiß, wo ich anfangen soll. Ach ja, zunächst habe ich mich um die beiden Motivträger Erkens und Sondermann gekümmert."

Ich mußte grinsen. Wenn Alexa sähe, wie wir drei erwachsenen Männer um einen Tisch saßen und uns benahmen, als hätten wir einen Detektivspielkasten zu Weihnachten geschenkt bekommen, würde sie sich wahrscheinlich totlachen. Leo fuhr unbeirrt fort.

„Ich habe mit ein paar Leuten im Haus von Frau Erkens palavert, weil ich wissen wollte, ob sie für die Tatzeit ein Alibi hat."

„Leo, der Mord oder Unfall oder was auch immer ist drei Monate her. Wie soll sich ein Nachbar daran erinnern, ob er damals Frau Erkens' Schritte im Treppenhaus gehört hat?"

„Wart's doch ab!", Leo ließ sich nicht aus der Ruhe bringen, „Du wirst dich wundern, was dabei herausgekommen ist!"

„Vielleicht könntest du uns trotzdem erst erzählen, wie du die Sache angegangen bist?" sagte ich verdattert.

„Das würde ich auch, wenn du mich endlich aussprechen ließest." Leo wurde langsam trotzig. „Ich habe bei den Nachbarn geklingelt und erzählt, wir würden an einem Jahresheft für die Schule arbeiten. Zu diesem Zweck wollten wir alteingesessene Lehrer und Lehrerinnen portraitieren."

Ich stöhnte. Auf solch eine verrückte Idee konnte wirklich nur Leo kommen. Ich verkniff mir eine Bemerkung.

„Der Typ, der direkt unter den Erkens wohnt, hielt sich bedeckt. Aber bei der Dame im Erdgeschoß bekam ich konkrete Auskünfte", fuhr Leo fort. „Ich habe ihr vorgeschlagen, sie solle doch mal einen typischen Sonntag im Leben der Frau Erkens beschreiben."

„Ehrlich gesagt wundert es mich, daß sie daraufhin nicht Alarm geschlagen hat. Ich hätte dich jedenfalls für verrückt gehalten, wenn du mir als Fremder solch einen Vorschlag gemacht hättest."

Ich dankte Robert, daß er meine Meinung teilte.

„Du täuschst dich voll und ganz. Die alte Dame war überglücklich, daß ich soviel Zeit für sie hatte. Sie erzählte, Frau Erkens gehe schon seit vielen Jahren sonntags zur Frühmesse. Sie wußte das ganz genau, weil sie auch immer in die Frühmesse geht."

„Wie interessant." Ich konnte nicht länger still sein. „Hat sie auch erzählt, welche Lieder dort in der Regel zur Gabenbereitung gesungen werden?"

Leo ignorierte meine Zwischenfrage. „Das beste kommt jetzt. Frau Erkens übernimmt in der Frühmesse regelmäßig den Lektorendienst, indem sie die Lesung und die Fürbitten liest."

„Was du nicht sagst und weiter?"

„An einem Sonntag, daran konnte sich die Nachbarin noch genau erinnern, hat sie sich für diesen Dienst einen Ersatz gesucht."

„Ich nehme an, du hättest uns diese lange Geschichte erspart, wenn es nicht genau der Tag gewesen wäre, an dem Bruno Langensiep umgekommen ist, stimmt's?" Robert nahm Leo mit einem Satz die Pointe weg wie einem Kind das Spielzeug.

„Also, wenn ihr das nicht alarmierend findet, kann ich euch auch nicht helfen." Leo wirkte etwas beleidigt.

„Leo, es kann genausogut sein, daß sie mit einer Grippe im Bett lag. Das Ganze beweist doch überhaupt nichts."

Leo wurde jetzt richtig fuchtig. „Sie lag aber nicht im Bett. Ihre Nachbarin hat gehört, wie sie in aller Frühe nach unten gegangen und mit dem Auto weggefahren ist."

„Soll ich euch mal was sagen?" Robert ergriff das Wort. „Wenn ich so eine Nachbarin hätte, würde ich mich umbringen."

„Sie leidet an Schlafstörungen", rechtfertigte Leo seine Informationsquelle.

„Also, ich halte das schon für einen dicken Hund", gab ich zu.

„Zeitmäßig kommt die Erkens auf jeden Fall in Frage", meinte Leo aufgeregt. „Gegen halb acht hat sie das Haus verlassen. Um halb elf ist Langensiep von Spaziergängern gefunden worden. Die Gerichtsmediziner haben die Todeszeit aber auf etwa acht Uhr festgelegt. Frau Erkens hatte also eine halbe Stunde Zeit, um zum Tatort zu kommen und Langensiep aufzulauern."

„Wie stellst du dir das eigentlich vor?" fragte ich nachdenklich. „Die legt sich ja nicht ins Gestrüpp und wartet, bis er kommt. Es sei denn, die beiden hätten sich verabredet. Damit könnte man jedenfalls erklären, daß Langensiep an diesem Sonntag schon früher als sonst unterwegs war."

„Wer weiß, vielleicht tut sich da ja noch ein ganz anderes Motiv auf", flachste Leo, „ein kleines Pädagogen – Rendezvouz am Sonntag morgen. Vielleicht haben die beiden Zoff gekriegt, und Erkens hat die erstbeste Gelegenheit genutzt, um ihren Lover zu entsorgen."

„Ihr spinnt ja rum!" Robert verschränkte die Arme vor der Brust.

Ich mußte grinsen, bis Leo erneut das Wort ergriff. „Mir wird da schon etwas einfallen, um herauszukriegen, wo Frau Erkens die frühen Sonntagmorgenstunden verbracht hat. Aber um die Verwirrung perfekt zu machen, muß ich euch noch Neuigkeiten von unserem lieben Kollegen Feldhausen berichten. Ich habe einen Freund bei der Bank angerufen und mich nach Feldhausens Finanzen erkundigt. Er hielt mir natürlich erstmal einen Vortrag über das Bankgeheimnis im allgemeinen und besonderen. Ich habe ihm erzählt, daß ein anderer Freund sein Haus an Feldhausen verkaufen will und daß wir natürlich wissen wollen, ob er flüssig ist. Nach langem Reden und dem

Versprechen, daß ich mich an der Schule dafür einsetze, daß sein Rhönradverein ein Sportfest in unserer Turnhalle abhalten darf, hat er sich dann schlau gemacht. Feldhausen hat zwar seine Konten bei einer anderen Bank, aber nach Auskunft der Schufa hat von Feldhausen tatsächlich Zahlungsprobleme. Mein Kumpel hat anschließend noch mit einem Kollegen von der Konkurrenzbank gesprochen. Der hat ihm aus dem Nähkästchen erzählt, Feldhausen habe sich wohl beim Umbau seines Hauses übernommen. Allerdings sei die Summe seiner Kredite damit allein nicht zu erklären. Darüber hinaus", Leo sprach jetzt leiser, als müsse er sich in meiner Wohnung vor Spionen in acht nehmen, „gibt es Gerüchte, daß Feldhausen auch noch Schulden bei unseriösen Kreditverleihern hat." Die Nachrichten hauten mich um.

„Wie der Schein doch trügen kann! Der elegante von Feldhausen hat Geldprobleme? Aber warum? Was macht er mit dem Geld, außer sich schicke Klamotten zu kaufen?"

Robert mischte sich ein. „Ein luxuriöser Lebenswandel dürfte wohl genügen, um sich in die roten Zahlen zu bringen, oder etwa nicht?"

Leo überlegte. „Schwer zu sagen. Vorstellen kann ich es mir eigentlich nicht. Feldhausen legt zwar Wert auf das passende Äußere, sprich Kleidung und Auto, aber er ist nicht der Typ, der zum Frühstück nach Paris fährt. Dafür war er auch noch nie reich genug."

„Es ist auf jeden Fall anzunehmen, daß Feldhausens Geldschwierigkeiten irgendwie mit Langensiep zusammenhängen", resümierte ich.

„Das habe ich noch gar nicht erzählt", Leo wurde wieder munter. „Vincent, du hast doch von den Gegenständen erzählt, die Langensiep von Feldhausen mitgebracht hat und in die die Initialen *FuF* eingraviert waren."

„Stimmt, was ist mit denen?"

„Nun", Leos Augen leuchteten, „ich habe in der Schule in den Personalakten gekramt. Feldhausens Vater hieß Friedrich, Friedrich von Feldhausen. Du hast das kleine 'u' mit einem 'v' verwechselt, schätze ich. Wir können also mit ziemlicher Sicherheit davon ausgehen, daß die Sachen aus Feldhausens Familienreichtümern stammen."

Ich überlegte. „Es ist nicht anzunehmen, daß Feldhausen sie Langensiep geschenkt hat, weil er ein so netter Kollege war."

„Stimmt, sonst hätte ich ja auch mal was abstauben müssen." Leo grinste.

„Es gibt zwei Möglichkeiten", mischte sich Robert wieder ein. „Entweder hat dieser Feldhausen seinem Kollegen die Sachen verkauft, um an Geld zu kommen, oder Langensiep hat Feldhausen erpreßt und deshalb die Sachen bekommen."

„Stimmt!" Leo und ich sprachen aus einem Munde. Leo spann den Faden weiter. „Daß Feldhausen die Sachen an Langensiep verkauft hat, halte ich, ehrlich gesagt, für unwahrscheinlich. Ich glaube, Feldhausen hätte lieber an jeden Antiquitätenhändler der Welt verkauft als an Langensiep. Schließlich hätte er mit dieser Blöße seine ganze finanzielle Situation offengelegt."

„Ja, die Idee mit der Erpressung klingt besser", stimmte ich Leo zu.

„Dies erklärt auch, warum Feldhausen von seinem letzten Treffen mit Langensiep nichts gesagt hat. Es gibt halt etwas über Feldhausen, das niemand wissen darf."

„Das Langensiep aber sehr wohl wußte", vollendete Leo den Gedanken.

„Im Spurensuchen seid ihr wirklich nicht schlecht", schmunzelte Robert, „aber jetzt haben wir zum dritten Mal dasselbe Problem: was tun?"

„Mir fällt nur eine Möglichkeit ein." Leo schaute uns eindringlich an. „Jemand muß mit Feldhausen sprechen. Jemand, der vorgibt, er kenne das Geheimnis."

„Ich verstehe", schmunzelte ich, „nichts wissen, aber viel bluffen."

„Es muß natürlich jemand sein, den Feldhausen nicht kennt." Es folgten einige Sekunden Stille. Robert schrie auf, als er merkte, daß wir ihn anstarrten.

„Nein, das könnt ihr mir nicht antun. Ich bin völlig unbegabt in solchen Dingen."

„Robert, du brauchst nicht über dein schauspielerisches Talent hinwegzutäuschen. Ich weiß, daß du es hast." Robert schaute entsetzt. Ich lächelte ihn süßsauer an. „Und außerdem, mein lieber Freund, bist du mir, glaube ich, nach gestern abend etwas schuldig, oder nicht?"

Es knallte ziemlich laut, als Robert seinen Kopf auf die Tischplatte fallen ließ.

25

Genauso hatte er sich Dr. Ignaz von Feldhausen vorgestellt. Dünne, fein geschnittene Haare und ein tadelloses Gesicht, das immer gut gepflegt worden war. Er trug ein seidenes Halstuch, das er sich lässig in den Ausschnitt seines weißen Hemdes gesteckt hatte. Die beigefarbene Cordhose vollendete das Bild des intellektuellen Landedelmannes, das von Feldhausen mit seinem Äußeren zu verkörpern versuchte.

„Kann ich etwas für Sie tun?"

Feldhausens Stimme klang freundlich, aber distanziert.

„Das können Sie allerdings. Darf ich mich vorstellen? Rüdiger Langensiep." Von Feldhausen fuhr ein Schrecken durch Gesicht und Glieder, den er nicht verstecken konnte.

„Darf ich hereinkommen?"

Feldhausen überlegte einen Augenblick. „Bitte."

Er führte Robert durch die mit Waidstücken behängte Diele in sein Arbeitszimmer. Feldhausen bot seinem Gast einen Platz auf dem Ledersofa an, aber Robert hielt es für besser, das Gespräch im Stehen zu führen. Als er wie selbstverständlich auf das Fenster zutrat, um einen Blick nach draußen zu werfen, eröffnete von Feldhausen die Partie. Offensichtlich hatte er den Schreck fürs erste verwunden und spielte den souveränen, aber unwissenden Gastgeber.

„Ich vermute, Sie sind ein Verwandter meines verstorbenen Kollegen Langensiep."

„Sein Cousin, um genau zu sein. Und außerdem sein engster Vertrauter!" Robert ging die Sache langsam an.

„Es tut mir leid, was Ihrem Cousin widerfahren ist. Ich kann nur für mich sprechen, aber ich denke, das gesamte Kollegium war tief betroffen über seinen tragischen Unfall."

Robert schwieg. Sollte Feldhausen erstmal aus seinem Loch kommen.

„Darf ich fragen, ob Sie mich in dieser Sache aufgesucht haben?"

„In welcher Sache ich Sie aufsuche, dürfte Ihnen klar sein." Robert versuchte, in seine Stimme soviel Abgeklärtheit und Coolness zu legen, wie irgend möglich war. Zusätzlich spielte er lässig mit einem silbernen Feuerzeug, das auf der Fensterbank gelegen hatte. „Ich habe mit meinem Cousin am Abend vor seinem Tod ein sehr interessantes Telefongespräch geführt. Vielleicht erinnern Sie sich an den Abend? Bruno war kurz vorher bei Ihnen gewesen." Feldhausens Gesicht versteinerte bei diesen Worten. Robert machte wieder eine Pause, um von Feldhausen zappeln zu lassen und um gleichzeitig die Gedanken in seinem eigenen Kopf zu sortieren, die wie wild umherflogen.

„Was wollen Sie von mir?" Feldhausens Gesichtszüge hatten inzwischen eine unnatürliche Spannung angenommen.

„Was ich will? Ganz einfach: Das, was jeder will: Geld! Ich weiß genausoviel wie mein Cousin. Deshalb habe ich doch genau wie er eine Belohnung verdient, oder etwa nicht?" Von Feldhausen ging zum Schrank und goß sich einen Drink ein. Er wandte sich beim Sprechen nicht um, und Robert überlegte, ob er wohl einen Revolver zwischen seinen Flaschen aufbewahrte. Feldhausens Stimme klang verhalten.

„Bruno Langensiep ist tot, und mit Ihnen habe ich nichts zu tun."

„Sie können aber sehr viel mit mir zu tun bekommen! Das wissen Sie so gut wie ich. In einem Nest wie diesem hier sind Sie morgen dran, wenn mir heute noch das eine oder andere Geheimnis über das Gut Feldhausen entschlüpft." Robert betete, daß er nichts Falsches gesagt hatte. Es war unwägbar, wie weit er sich mit seinen Provokationen wagen durfte. Feldhausen drehte sich um. Sein Gesicht war blaß. Was Robert als erstes feststellte, war, daß er keine Pistole in seinen zittrigen Händen hielt.

„Sie sind Ihrem Cousin verdammt ähnlich", brachte Feldhausen mit einer heiseren Stimme heraus. „Sie sind ein genauso fieser, ekelhafter Typ wie er. Wahrscheinlich sind Sie auch ebenso unfähig wie er." Feldhausen lachte höhnisch. „Na, haben Sie ein kleines selbstgemaltes Kunstwerk mitgebracht, für das Sie dringend einen Käufer suchen?" Robert versuchte, nicht zu überrascht auszusehen, und schwieg eisern. „Wer es nötig hat, einen Verleger für sein Buch nur durch Erpressung zu gewinnen, der sollte sich in einem dunklen Loch verkriechen und nicht wieder hervortreten." Von Feldhausen kam jetzt richtig in Fahrt. Kein Wunder! Er hatte sich gleich noch einen Drink eingegossen, den er jetzt in einem Zug herunterkippte. „Na, haben Sie das Meisterstück Ihres Cousins gelesen? Soll ich Ihnen sagen, wie es ist? Es ist lächerlich, schlechter als jeder Schüleraufsatz, den ich in den letzten Jahren in die Finger bekommen habe. Kein normaler Mensch würde auch nur eine Mark ausgeben, um es zu drucken. Daß mein Bruder, der seit Jahren kein Wort mehr mit mir spricht, sich darauf einlassen sollte, ist genauso töricht wie dieses lächerliche, stinkende Manuskript." Feldhausens Augen waren glasig, weniger vom Alkohol als von der Aufregung. „Soll ich Ihnen sagen, was Ihr Cousin war?" Feldhausen kam nun auf Robert zu und starrte ihn mit seinen glasigen Augen an. „Ein Versager. Er war ein Versager in der Schule und er war ein Versager beim Schreiben. Wissen Sie eigentlich, was seine Schüler über ihn gedacht haben? Sie haben ihn ausgelacht, weil er so eine mickrige Kreatur war. Sie haben ihn ausgelacht, weil er sich im Unterricht nicht im mindesten durchsetzen konnte, weil er ihnen nicht das Geringste vermitteln konnte, weil er ein Mensch ohne Persönlichkeit war."

Robert fühlte plötzlich, in was für einer verabscheuungs-würdigen Situation er sich befand. Nicht nur, daß er unter einem Vorwand in die Privatsphäre eines anderen eindrang. Nein, jetzt wurde über einen verstorbenen Menschen in einer abstoßenden Weise geredet.

„Und was sind Sie?" Seine Emotionen machten Robert eine Reaktion leichter. „Sind Sie etwa kein Versager? Als was würden Sie sich bezeichnen? Als würdigen Nachfolger eines edlen Geschlechts? Daß ich nicht lache!" Robert spürte sofort, daß er von Feldhausen damit am Nerv gepackt hatte, und machte weiter. „Sie wissen selbst, was Sie sind. Ein verarmter alter Hund! Wann müssen Sie diesen Schuppen hier verkaufen? Morgen? Übermorgen?" Feldhausen war auf einem Sessel zusammengesunken. Er hatte die Hände vor die Augen gelegt.

„Sind das hier Ihre Eltern?" Robert hatte das Foto auf dem Seitenschrank entdeckt. „Na, die werden ja vielleicht stolz auf Sie sein! Oder haben Sie Ihre vielseitigen Begabungen etwa von ihnen geerbt?"

„Lassen Sie meine Eltern da raus! Mein Vater hat nicht gespielt. Ich habe damit angefangen." Feldhausens Stimme war nur noch ein Wimmern. Robert atmete tief durch. Die Wahrheit war heraus. Mehr wollte er nicht hören.

„Es hat mit Pferderennen angefangen." Von Feldhausen ließ sich jetzt nicht mehr stoppen. Er saß auf dem Sessel, nach vorne gebeugt und sprach durch seine gespreizten, weißen Hände, die er immer noch vor sein Gesicht hielt. „Mit harmlosen Pferderennen. Da kannte ich mich schließlich gut aus. Ich hatte am Anfang auch viel Glück. Ehrlich!" Feldhausen weinte sich aus, als sähe er seinen Vater leibhaftig vor sich stehen. „Ich habe anfangs vorsichtig gespielt, nur zwei Wetten am Tag, keine hohen Summen. Dann hat es mich gepackt." Feldhausen wischte sich mit seinen Händen die Tränen notdürftig weg. Robert konnte sein verweintes, rotes Gesicht sehen. Es war das Gesicht eines Kindes. „Ich ging immer öfter hin, ließ Termine ausfallen, um zur Rennbahn gehen zu können. Ich weiß, an einem Tag habe ich auf einen Schlag sechzigtausend Mark gewonnen. Allein wegen eines Außenseitertips bei den Trabern." Feldhausen rieb sich die Hände an einem Taschentuch. „Die sechzigtausend habe ich am Tag drauf komplett verspielt. Leider ließ ich mich auf den Rennbahnen zu häufig sehen, ich wurde dort als Dauerspieler bekannt. Deshalb wechselte ich das Terrain. Ich begann mit Roulette und Black Jack. Ich wollte nur noch das auf dem Rennplatz verlorene Geld zurückgewinnen und geriet in den Sog der Spielcasinos. Als ich es nicht schaffte, an Geld zu kommen, nahm ich die ersten Kredite auf. Ich gab bei der Bank vor, ich wolle das Haus renovieren. Dabei habe ich bis auf diesen Raum gar nichts verändert." Von Feldhausen lehnte sich steif zurück. „Meine Möglichkeiten bei der Bank waren bald ausgeschöpft. Ich spielte weiter, jedes Wochenende und verschuldete mich tiefer und tiefer. Ich nahm Geld bei einem Kredithai auf, der mir jetzt auf der Pelle sitzt. Ich konnte nicht aufhören. In der Woche konnte ich es kaum erwarten, bis es endlich Freitag wurde und ich loskam. Natürlich habe ich nie in der Nähe gespielt. Ich bin weit gefahren, um bloß keine Bekannten zu treffen. Nur einmal bin ich zur Hohensyburg gefahren. Das war der Fehler. Wissen Sie, was es bedeutet, in solch einem Nest hier unten durch- zusein? Wenn Ihr Cousin geplaudert hätte, wären zwei Stunden später meine Geldgeber hier gewesen. Und glauben Sie nicht, daß die alle so gute Manieren haben wie die Herren von der städtischen Sparkasse!" Feldhausens wimmernder Tonfall bekam jetzt wieder eine erstaunliche Härte. „Ihr Cousin war ein Idiot. Ich konnte ihn zunächst mit diesen Familienerb- stücken abwimmeln. Doch er wurde immer besessener von der Idee, daß ich ihm zu einer Veröffentlichung verhelfen sollte. Er wollte mich benutzen." Feldhausen war aufgestanden und blitzte Robert mit wutentbranntem Augen an. Aus dem weinenden Kind war plötzlich ein zorniger Mann geworden. Robert wäre am liebsten nach draußen gerannt, hätte alles hinter sich gelassen, die Erinnerung an diesen furchtbaren Besuch. Aber er war hier. Er wurde von Feldhausen haßerfüllt angestarrt, und jetzt mußte er einfach alles wissen, ob er wollte oder nicht.

„Und deshalb haben Sie ihn umgebracht?"

„Umgebracht?" Von Feldhausens Stimme klang sehr kalt. „Nein, ich habe ihn nicht umgebracht. Ich wäre dazu fähig gewesen, wenn ich die Gelegenheit gehabt hätte. Aber ich habe es nicht getan."

Feldhausen wandte sich um und ging langsam auf die Getränke zu. Robert nutzte die Gelegenheit und machte sich mit eiligen Schritten davon. Er verließ das Zimmer und er verließ das Haus. Dr. Ignaz von Feldhausen drehte sich nicht ein einziges Mal nach ihm um.

Als Robert aus dem Haus war, beschleunigte er seine Schritte noch. Nur weg hier, war sein einziger Gedanke, nur weg hier! Er sprang ins Auto und fuhr mit quietschenden Reifen davon. Das Auto, das ihm an der Toreinfahrt entgegenkam, nahm er gar nicht wahr.

Alexa stieg eilig aus ihrem Fiat und schaute verdutzt hinter dem Auto her, das ihr entgegengekommen war. Sie schüttelte erstaunt den Kopf, nahm ihre Tasche vom Rücksitz und ging müde in Richtung Wohnhaus. Als sie geschellt hatte, dauerte es eine Weile, bis geöffnet wurde. Von Feldhausen stand vor ihr und sah deutlich angeschlagen aus.

„Frau Schnittler, ich habe gar nicht mehr mit Ihnen gerechnet."

„Komme ich ungelegen?"

„Nein, gar nicht. Ich bin nur sehr erkältet. Allerdings sind Sie womöglich umsonst gekommen. Titus' Augen sind so gut wie wieder in Ordnung. Ich habe ihm eine Augensalbe aufgetragen, die ich noch herumliegen hatte. Die hat auf Anhieb gewirkt."

„Das freut mich. Aber soll ich nicht trotzdem nochmal nach ihm schauen?"

„Nein, es ist wirklich nicht nötig. Wenn die Entzündung wiederkommt, melde ich mich bei Ihnen. Ehrlich." Von Feldhausen lächelte gequält. Sie kam also doch ungelegen.

„Wie Sie wollen!" Alexa machte sich langsam auf den Rückweg zum Auto. „Ihnen wünsche ich gute Besserung. Ach, und noch eins: War das gerade nicht Robert?"

Von Feldhausen schaute sie verständnislos an. Alexa verstaute die Tasche auf dem Rücksitz ihres Autos.

„Na, er ist doch gerade hier vom Hof gefahren."

Feldhausen stotterte. „Robert? Robert? Woher, woher kennen Sie ihn?"

„Ich habe ihn gestern erst bei einem Bekannten kennengelernt. Um ehrlich zu sein, es war ein ziemlich feucht-fröhlicher Abend. Ich mach mich deshalb lieber auf den Weg nach Hause. Zum Ausschlafen." Alexa wendete den Wagen und winkte fröhlich zum Haus herüber. Als sie jedoch Feldhausens Gesicht sah, gefror ihr das Blut in den Adern. Er sah aus, als habe er dem Tod in die Augen geblickt.

26

Robert saß auf dem Stuhl, als habe er gerade seinen eigenen Vater im Leichenschauhaus identifizieren müssen. „Ihr könnt euch ja gar nicht vorstellen, wie schrecklich das war!" Leo und ich schwiegen betroffen. Natürlich, wir hatten die Wahrheit wissen wollen, doch die gesamte menschliche Tragödie, die in diesem Stück Wahrheit steckte, hatten wir uns vorher nicht so lebendig ausgemalt.

„Spielsucht also", Leo hatte wohl das Gefühl, irgend etwas sagen zu müssen. „Da wäre ich nie drauf gekommen."

„Langensiep hat ihn einmal beim Spiel beobachtet und sich Informationen über Feldhausens finanzielle Situation verschafft", Robert schaute Leo an, „man sieht ja, wie leicht das hierzulande ist. Dann hat er die Informationen genutzt, um seinen allergrößten Wunsch zu realisieren. Feldhausen sollte forcieren, daß sein Buch in dem namhaften Verlag seines Bruders erscheinen konnte."

„Die Sache ist ziemlich klar", meinte Leo. „Feldhausen sollte die Sache bis Januar unter Dach und Fach haben; ansonsten wollte Langensiep die Bombe eben platzen lassen. Er wußte ganz genau: Wenn Feldhausens Spielsucht publik würde, dann wäre er weg vom Fenster, nicht nur an der Schule, seiner letzten Einnahmequelle, sondern in der ganzen Umgebung."

„Die Banken wurden ja schon unruhig", stimmte ich zu, „und diese Kredithaie kennen bestimmt keinen Spaß."

„Sonst Ende." Robert rieb sich das Kinn. „Vielleicht meinte Langensiep damit auch sein eigenes Ende. Sprich, wenn sein ehrgeiziges Unterfangen trotz Erpressungsversuchen nicht hinhauen sollte, würde er seinem Leben ein Ende bereiten." Robert wollte ganz offensichtlich die Idee des Selbstmordes nicht fallenlassen.

„Was hast du denn für einen Eindruck von Feldhausen?" Ich lenkte das Gespräch etwas um. „Traust du ihm einen Mord zu?"

Robert nahm sich viel Zeit zum Überlegen. Mit der Hand massierte er weiter seine Unterlippe. „Ja, ich traue ihm den Mord an Langensiep zu", sagte er dann. „Von Feldhausen hat ja selbst zugegeben, daß er in seinem Haß dazu in der Lage gewesen wäre. Aber ich glaube trotzdem nicht, daß er es war. Er war heute in einem Zustand, daß er mir sogar einen Mord gestanden hätte, wenn er ihn denn begangen hätte."

Noch eine Stunde später zermarterte ich mir das Gehirn. Hatte Langensiep Feldhausen so in Rage versetzt, daß dieser doch zugeschlagen hatte? Vielleicht hatte Langensiep ja Feldhausens Eltern beleidigt und damit den ganz wunden Punkt berührt. Vielleicht vielleicht vielleicht. Jetzt, da ich allein war, spekulierte ich wie wild in der Luft herum und wußte nicht, wie jemals Licht in diese Angelegenheit fallen sollte. Robert hatte sich ins Auto gesetzt und war nach Köln zurückgefahren. Er brauchte wohl etwas Erholung von seinem Besuch bei Feldhausen. Außerdem hatte er an der Uni einen wichtigen Termin. Immerhin hatte sein Ausflug ins Sauerland etwas Gutes gehabt. Seine Ex-Freundin Sonja war eine Zeitlang aus seinem Kopf verschwunden. Wenn sie das nächste Mal in seinen Gedanken auftauchte, so würde das Robert hoffentlich nur an den Kauf einer Glückwunschkarte erinnern.

Leo hatte sich ebenfalls vom Acker gemacht. Obwohl auch ihn die Geschichte mit Feldhausen mitgenommen hatte, wollte er der „Sache Erkens" näher auf den Grund gehen. „Auch wenn Feldhausen ein ganz heißer Kandidat ist, dürfen wir die anderen Spuren nicht aus den Augen verlieren", hatte er im professionellsten Detektivjargon gefordert und mir das Versprechen abgenommen, mich an der Schule umzusehen. Uns war aufgefallen, daß Langensiep sein Manuskript wahrscheinlich nicht zu Hause geschrieben hatte. Auf jeden Fall hatte sich in seinem Arbeitszimmer kein Computer befunden. Nur eine alte, tattrige Schreibmaschine hatte ich bei meinen zwei Besuchen entdeckt. Nun wollte ich herausfinden, ob auf einem der Schulcomputer eine einschlägige Langensiep-Datei existierte, die womöglich den Schluß des Textes beinhaltete.

Zuvor versuchte ich es noch bei Alexa. Sie war nicht da, wahrscheinlich noch bei der Arbeit. Schließlich war es erst später Nachmittag. Ich machte mich schleunigst auf den Weg zur Schule. Die Haupteingangstür war noch auf, so daß ich nicht extra an der Pforte schellen mußte, um hereingelassen zu werden. Als ich am Sekretariat vorbeilief, bremste mich eine Stimme von drinnen.

„Herr Jakobs, wie günstig, daß ich Sie treffe!" Schwester Wulfhilde. „Endlich kann ich Ihnen Schwester Edelgarda vorstellen. Sie ist gerade erst von Besinnungstagen in unserem Mutterhaus zurückgekommen. Sie ist Ihre Kollegin in Geschichte. Was ist gleich noch Ihr zweites Fach, Schwester?"

Schwester Edelgarda, wie ihre Mitschwestern altersmäßig unschätzbar, gab mir schüchtern die Hand. „Religion, Schwester."

„Wie konnte ich das vergessen! Herr Jakobs, Sie sehen so blaß aus! Sind Sie etwa erkältet?"

„Ich bin wohl nur etwas müde. Die viele Arbeit vor Schulbeginn, Sie verstehen?"

„Herr Jakobs, nehmen Sie sich in acht. Fangen Sie sich keine Erkältung ein. Frau Erkens sah gestern auch derartig blaß aus, daß ich sie ermahnen mußte. Frau Erkens, habe ich gesagt, nehmen Sie sich in acht! Wir können zu Schulbeginn keine Krankmeldungen gebrauchen. Ach, was sage ich da, Herr Jakobs! Wir können nie Krankmeldungen gebrauchen. Ach, Schwester Edelgarda, wir stehen hier und schwatzen! Dabei müßten wir längst bei Schwester Lucia sein und ihr mit den Gesangbüchern helfen." Schwester Edelgarda nickte schwach. „Machen Sie's gut, Herr Jakobs, und nehmen Sie sich vor einer Erkältung in acht. Eine Apfelsine am Tag wirkt Wunder, hat meine Mutter immer gesagt. Obwohl, damals gab es ja noch nicht Apfelsinen so wie heute. Da war man froh, wenn man zu Weihnachten mal eine geschenkt bekam. Aber heute sind wir ja gesegnet mit Apfelsinen. Deshalb eine Apfelsine am Tag, denken Sie daran!" Schwester Wulfhilde verschwand mit Edelgarda um die Ecke. Ich atmete tief durch und eilte dann die

Treppe hinauf. Im Lehrerzimmer war so gut wie nichts los. Bernhard Sondermann saß an einem der langen Tische und kritzelte emsig in ein paar Papieren herum. Am Schwarzen Brett stand Petra Werms, die flotte Sportlehrerin, die ich auf Roswithas Party kennengelernt hatte, und las ganz versunken in einer Bekanntmachung. Sie hatte mein Eintreten noch nicht bemerkt, während Sondermann mich von seinem Stuhl aus stumm zur Kenntnis genommen hatte. Als ich auf Petra zuging, hörte ich, daß sie leise mit sich selbst sprach.

„Die spinnen ja wohl! Drei Konferenzen in einer Woche, wie soll ich das denn schaffen?"

„Höre ich da die leise Vorfreude auf den Schulbeginn?"

Petra Werms fuhr herum und schaute erschrocken. „Ach, du bist es!" Sie lachte erleichtert. „Ich dachte schon, Wulfhilde hätte mich beim Fluchen erwischt. Schau dir das mal an!" Sie zeigte erbost auf den Zettel am Brett. „In der zweiten Woche soll montags die allgemeine Schulkonferenz stattfinden, mittwochs die Erprobungsstufenkonferenz und am Donnerstag die Fachkonferenz Erdkunde. Da ich dienstags und freitags am Nachmittag Sportunterricht habe, verbringe ich alle Nachmittage der Woche in der Schule. Kannst du mir mal sagen, wie ich das meiner Babysitterin beibringen soll?"

„Kannst du mir im Gegenzug mal erzählen, ob es für Lehrer eine Möglichkeit gibt, hier in der Schule am Computer zu arbeiten?"

„Na klar, wir haben ein Bildschirmarbeitszimmer, das kann ich dir zeigen!" Petra ging zum Seitenbord, wo der Vertretungsplan und andere wichtige Dinge zugänglich waren. Sie zog an einer Schublade. „Das hier ist der Schlüssel. Jeder Lehrer nimmt ihn bei Bedarf heraus und bringt ihn nachher wieder zurück." Sie steckte ihn ein und ging mit mir auf den Flur. Von dort aus führte sie mich zu einer Tür am Ende des Gangs. „Hier ist das gute Stück", Petra schloß die Tür auf, „übrigens der ganze Stolz des Lehrerrats, der sich lange Zeit darum bemüht hat." Hinter der Tür befand sich ein kleines Zimmerchen mit topmoderner Computeranlage.

„Ich kenne mich nicht allzu gut aus, aber soviel ich weiß, ist alles auf dem neuesten Stand. Internet-Anschluß und so." Ich staunte und wunderte mich, daß Schwester Wulfhilde mir diese Schatztruhe nicht schon bei ihrer ersten Führung präsentiert hatte.

„Ist das der einzige Ort, wo man als Lehrer am Computer arbeiten kann?"

Petra überlegte. „Natürlich gibt es noch im Sekretariat einen Rechner für Schwester Gertrudis, im Schulleitungsbüro steht noch einer, ach ja, und dann haben wir natürlich noch den Informatikraum für die Schüler. Der steht voll mit alten Kisten. Die Informatiklehrer nutzen manchmal die Computer im Informatikraum, aber im Grunde nutzen alle übrigen Kollegen dieses Gerät, wenn sie in der Schule arbeiten wollen."

„Kann ich mir die Programme wohl mal in Ruhe anschauen?" fragte ich Petra, während ich mich schon verdächtig der Tastatur näherte.

„Klar, du gehörst doch jetzt zum Stamm. Bring nur nachher bitte den Schlüssel zurück!" Petra hatte schon die Türklinke in der Hand. „Eins habe ich noch vergessen. Kollege Reinke hat einen kleinen Überblick über die Anlage geschrieben, damit auch so Ahnungslose wie ich Mut finden, die Programme mal anzutesten. Da steht auch, wie du dir selbst eine Datei anlegen kannst. Einige unserer Kollegen haben ein eigenes Register unter ihrem Namen angelegt. Schau dir Reinkes Wisch einfach mal an!"

„Vielen Dank!" Ich hatte den Computer schon angeschaltet. Gleichzeitig warf ich einen Blick in die Wundermappe. Reinke schien wirklich einer von der sorgfältigen Sorte zu sein. In einzelnen Schritten hatte er auch für den Unerfahrensten erklärt, wie er vorgehen sollte, um eine Datei anzulegen, wie ein Verschluß per Codewort möglich war, wie man ins Internet gelangte und und und. Ich fragte mich, wie viele Kollegen sich wohl in ihren Freistunden vor dem Computerraum drängelten, um gratis Internetspielchen zu betreiben. Ich ging genau nach Reinkes vorgegebenen Schritten vor, um in eine Übersichtsdatei zu gelangen. Schon geschehen. Ich klickte das Feld Einzeldateien an. Es folgte eine Liste mit Namen. Ahrens, Breding, Brussner, Döring, Erlisch, ich suchte weiter und pfiff durch die Zähne, als ich auf Langensiep stieß. Ich klickte ihn an, dann kam die Enttäuschung: *Enter password please.* Verdammt, er war auf Nummer Sicher gegangen. Ich versuchte alles an Wörtern, was mir einfiel: Bruno, Regine, Schule, Arbeit, Buch, Roman, Kunst – nichts paßte. So kam ich nicht weiter. Ich mußte Leo fragen, ob es eine andere Möglichkeit gab, in die Datei einzusteigen. Enttäuscht beendete ich meinen Suchvorgang und stellte den Rechner aus. Als ich ins Lehrerzimmer kam, um den Schlüssel zurückzubringen, hörte ich schon frühzeitig Wulfhildes Stimme. Einen weiteren Vortrag über Maßnahmen bei Erkältungskrankheiten konnte ich mir nicht antun. Ich wollte nur eben den Schlüssel in die Schublade zurückbringen und mich dann vom Acker machen. Aber so leicht konnte man einer erfahrenen Schulleiterin nicht entrinnen.

„Herr Jakobs, ich sehe, Sie haben sich schon mit unserem neuen Computerraum vertraut gemacht."

„Ach, im Grunde habe ich nur –"

„Das finde ich ganz großartig, ganz großartig! Immer auf der Höhe der Technik bleiben, sage ich. Wenngleich ich selbst in Computerdingen recht unbefleckt bin." Wulfhilde kicherte neckisch. „Aber dafür kämpft unser lieber Herr Sondermann ja ganz vorne an der Computerfront, nicht wahr, Herr Sondermann?" Der Angesprochene schaute betreten nach unten. Er war handzahm, wenn er mit seiner Chefin zusammen war

„Ach übrigens, Herr Jakobs", Wulfhilde zwitscherte weiter, „ich habe Ihnen eben Ihren Arbeitsvertrag ins Fach gelegt. Wenn Sie so freundlich wären, ihn in den nächsten Tagen unterschrieben mitzubringen." Ich griff mir das in eine Klarsichthülle gesteckte Papier, verabschiedete mich hastig von den beiden und verließ dann flugs das Lehrerzimmer. Draußen war es schon ein bißchen dämmrig geworden. Ich schaute auf die Uhr, halb sieben. Die Zeit lief mir weg. Heute war Freitag.

Samstag und Sonntag hatte ich nur noch zur Unterrichtsvorbereitung. Wie sollte ich das schaffen? Vor allem, wie sollte ich das schaffen, wenn ich nichts anderes tat, als mich mit Bruno Langensieps Tod zu beschäftigen?

Schon im Auto ging mir wieder alles durch den Kopf. Mir fiel plötzlich ein, daß ich mich noch gar nicht um die zweite Notiz gekümmert hatte, die ich in Langensieps Unterlagen gefunden hatte. *Um 15 Uhr Dr. E. anrufen wegen „Befund."* Was hatte das zu bedeuten? Ich dachte daran, mich bei allen Ärzten mit dem Anfangsbuchstaben E. nach Langensiep zu erkundigen. Doch das würde nichts bringen. Ärzte waren schließlich an ihre Schweigepflicht gebunden. Na ja, Bankangestellte waren das wahrscheinlich auch. Leo würde ich zutrauen, auch bei Medizinern etwas herauszufinden. Allerdings konnte es genauso gut sein, daß Langensiep bei einem Spezialisten von außerhalb in Behandlung gewesen war. Damit würde die Auswahl an Ärzten unübersichtlich werden. Dann fiel mir etwas ein. Ich konnte mich bei Regine Langensiep nach etwaigen Krankheiten ihres Mannes erkundigen, oder ich konnte zumindest fragen, bei wem er in Behandlung gewesen war. Da würde mir schon etwas einfallen. Nachdem ich diesen Punkt auf den folgenden Tag verschoben hatte, richteten sich meine Gedanken wieder auf Feldhausen. Hatte Robert recht gehabt? Hatte er mit Langensieps Tod tatsächlich nichts zu tun? Außerdem fiel mir meine Kollegin Erkens wieder ein. Ich mußte unbedingt Leo anrufen und fragen, ob er etwas über ihren dubiosen Ausflug an besagtem Sonntag morgen herausgefunden hatte. Darüber hinaus fiel mir natürlich auch Alexa ein. Ob sie versucht hatte, mich zu erreichen?

Als ich die Wohnungstür öffnete, hörte ich schon das Telefon schellen. Ich hastete zum Hörer. Leider vernahm ich nicht Alexas Stimme am anderen Ende, sondern Frau Dreisams.

„Ich wollte nur mal eben nachhören, ob mit heute abend alles in Ordnung geht?"

„Heute abend? Wieso, was ist denn da?"

„Aber Herr Jakobs, haben Sie denn unsere Mitteilung nicht erhalten?" Mir schwante das Schlimmste.

„Eine Mitteilung? Ich weiß von gar nichts."

„Aber wir haben Ihnen doch gestern abend eine Einladung in den Briefkasten geworfen." Frau Dreisams Stimme hörte sich ganz verzweifelt an. „Wir haben Sie für heute um acht zum Abendessen eingeladen und Sie gebeten, daß Sie sich melden, wenn Sie nicht können." Ich überlegte, ob ich einen Herzanfall simulieren sollte, der mich auf weiteres lahmlegen würde.

„Herr Jakobs, sind Sie noch dran?" Frau Dreisams Stimme klang inzwischen, als würde sie gleich in Tränen ausbrechen.

„Ja, ja, ich habe heute morgen die Post nicht genau durchgeguckt. Ich dachte, es wäre eh nur Werbung im Briefkasten."

„Aber Herr Jakobs, Sie können doch kommen? Ich stehe seit zwei Stunden in der Küche, und Sigrid freut sich doch auch schon so." Ich hatte es befürchtet. Frau Dreisam hatte die Nummer wirklich durchgezogen, nur wesentlich schneller, als ich jemals für möglich gehalten hatte.

„Wissen Sie, das kommt jetzt etwas plötzlich. Ich bin gerade erst –"

„Aber Herr Jakobs, das können Sie mir doch nicht antun!" Natürlich konnte ich das nicht. Ich wollte ja schließlich nicht schuld sein, wenn Mutter Dreisam ihre ersten Depressionen bekam. Ich sagte zu und legte seufzend den Hörer auf.

27

Als Alexa in ihre Wohnung kam, fiel sie wie ohnmächtig aufs Bett. Diese Pleite bei Feldhausen hätte sie sich gut sparen können. Wieder mußte sie an die Situation von vorhin denken. Sie wollte zu gern wissen, was Vincents Freund mit Feldhausen zu tun hatte. Und vor allem interessierte sie, was sie gesagt oder getan hatte, daß Feldhausen so furchtbar reagiert hatte. Sie seufzte. An diesem Tag würde sie das Geheimnis wohl nicht mehr lüften können. Aber ja, natürlich würde sie! Sie ging zum Telefon. Auf dem Anrufbeantworter blinkte es dreimal. Alexa ließ das Band zurückspulen und suchte inzwischen nach dem Zettel mit Vincents Nummer. Sie hatte ihn gerade gefunden, da lief schon die Cassette vom Anrufbeantworter ab.

„Alexa, Alexa, bist du nicht zu Hause?" Die Stimme ihrer Mutter. Aufgelegt. Piepen. Der nächste Anrufer. Wieder ihre Mutter. „Alexa, wenn du zu Hause bist, ruf mal bei uns an!" Piepen. „Alexa, wann kommst du denn endlich nach Hause?" Wieder ihre Mutter. „Dir ist doch nichts passiert? In der Praxis haben sie gesagt, du seist schon nach Hause gefahren. Du mußt den Hund holen. Ich liege im Krankenhaus. Keine Angst! Nichts Schlimmes. Ich bin im Garten ausgerutscht und aufs Handgelenk gefallen. Ein komplizierter Bruch, aber es wird schon wieder werden. Es ist nur so, daß Papa jetzt ganz allein daheim ist. Kannst du nicht nach Hause kommen? Mir wäre dann wohler. Du hast doch am Wochenende frei, dann könntest du –" Piepen. Die Stimme ihrer Mutter war abgeschnitten. Alexa stöhnte. Auch das noch. Sie rief zuerst zu Hause an. Dort meldete sich niemand. Kein Wunder. Ihr Vater war bestimmt im Krankenhaus. Dann wählte sie Vincents Nummer. Dort nahm ebenfalls keiner ab. Alexa ließ sich nach hinten auf ihr Sofa fallen und schloß für einen Moment die Augen. Sie zwang sich, nicht einzuschlafen. Dann quälte sie sich hoch und packte ihre Tasche. Es dauerte nicht länger als ein paar Minuten, bis sie alles zusammenhatte. „Na gut", seufzte sie, während sie die Wohnungstür hinter sich abschloß, „dann mache ich halt einen Ausflug ins Grüne."

28

Ich schaute verzweifelt auf mein Brathähnchen. Ob das kleine Tier mein Leid wohl verstand? Mir gegenüber saß Sigrid Paul, die Bibliothekarin, die nach Ansicht der Dreisams demnächst für meine Hemden sorgen sollte. Auf mehrmaliges Nachfragen der Gastgeber schilderte sie in einer Weise, die zeigte, daß sie von ihren eigenen Ausführungen gelangweilt war, wie das neue Speichersystem der Stadtbücherei funktionierte. Ich hatte mein Gehör längst auf Durchzug gestellt und dachte über den „Fall" nach. Ich fragte mich, wie der Täter oder die Täterin es geschafft hatte, Bruno Langensiep am Sonntag morgen eher als gewöhnlich in den Wald zu locken. Ort und Zeit waren für eine normale Verabredung so ungewöhnlich, daß da etwas Besonderes hinterstecken mußte. Langensiep müßte doch skeptisch geworden sein, wenn Feldhausen ihm ein Gespräch über die Verlagsgeschichte morgens im Wald angeboten hätte.

„Finden Sie nicht auch, Herr Jakobs?" Erschrocken schaute ich hoch. Ich hatte nicht die geringste Ahnung, worauf sich die Frage bezog.

„Also grundsätzlich würde ich sagen", ich begann mich zu verhaspeln, „man muß das auf jeden Fall sehr differenziert sehen."

Herr Dreisam nickte wohlwollend. Nur Frau Dreisam schien mit meiner Antwort nicht ganz zufrieden. „Also, es ist ja nicht so, als wenn man nicht genug Auswahl hätte."

Ob es um das Auswählen von Theaterabonnements ging? Vielleicht sprach man allerdings auch schon über die Wahl des Ehepartners. Ganz allgemein natürlich. Ich schluckte, obwohl mein Hals ganz trocken war.

Frau Dreisam redete weiter: „In dem Fall, den ich kenne, war es besonders unangenehm, weil die beiden vorher denselben Namen hatten. Ein Bösterling heiratet eine Bösterling. Das ist doch schrecklich. Fast, als würden Geschwister heiraten."

„Immerhin waren es ja auch Vetter und Cousine", warf Herr Dreisam ein.

Tatsächlich war man beim Thema Ehe, aber eher bei einem etwas exotischen Kapitel, nämlich Ehen zwischenVerwandten zweiten Grades. Weiß der Kuckuck, wie sie darauf gekommen waren! Vielleicht hatte Frau Dreisam von dem ihr bekannten Fall erzählt, um auf Umwegen zu ganz banalen Hochzeiten zu kommen, zum Beispiel zu der zwischen Sigrid und mir?

„Wenn der erforderliche Gentest in Ordnung ist, gibt es da vom Gesetzgeber überhaupt keine Einwände", erklärte Herr Dreisam, als wäre er Fachanwalt für solche Angelegenheiten.

„Liegt bei dieser Ärztin nicht ein ähnlicher Fall vor?" fragte Sigrid beiläufig, „bei dieser Langensiep?"

Der Wein, den ich gerade im Mund hatte, wäre um ein Haar im hohen Bogen aus mir herausgespritzt. Ich verschluckte mich und kämpfte wild gegen einen plötzlichen Erstickungstod.

„Regine Langensiep? Meinen Sie die?" Ich konnte es kaum glauben.

„Ein ganz anderer Fall, ein ganz anderer Fall", rief Herr Dreisam, und Frau Dreisam plapperte pausenlos dazwischen. „Die waren doch gar nicht verwandt, verwandt waren die doch gar nicht."

Ich blickte verunsichert von einem zum anderen. Sigrid saß kleinlaut da, als hätte sie den Fehler ihres Lebens begangen. Die Lage beruhigte sich etwas, als Herr Dreisam sich erklärend an mich wandte: „Die Regine ist von den Langensieps aufgezogen worden, als ihre Eltern auf einen Schlag verstorben sind. Das habe ich ihnen ja schon erzählt."

Erzählt? Mir? Gar nichts hatte er! Ganz tief unten dämmerte mir, daß er mal eine Ziehtochter der Langensieps erwähnt hatte, aber daß das ausgerechnet Regine Langensiep gewesen war, das hatte er garantiert nicht erwähnt.

„Die Mutter von der Regine war eine Cousine von Gertrud Langensiep!" posaunte Frau Dreisam. „Von Verwandtschaft kann da gar keine Rede sein!"

„Trotzdem ein ungewöhnlicher Fall!" sagte Sigrid trotzig.

„Wie alt war Regine denn, als sie zu den Langensieps kam?" fragte ich neugierig.

Herr Dreisam schaute seine Frau an, als stände das Alter auf ihrer Nase. „So zehn wird sie gewesen sein", meinte er dann.

„Die Langensieps haben alles für die Regine getan. Sie war ihnen wie eine eigene Tochter", plauderte Frau Dreisam.

„Also doch!" hörte ich Sigrid leise murmeln.

„Bruno und Regine waren ein Herz und eine Seele. Kein Wunder, daß sie geheiratet haben."

„Ich habe schon viel über die Langensieps gehört", sagte ich nachdenklich. „Warum habe ich das nie erfahren?".

„Nun", Herr Dreisam legte die Fingerspitzen aneinander. „Die Langensieps haben das nie an die große Glocke gehängt. Man sieht ja, wie leicht da Geschwisterei untergeschoben wird."

„Und dabei ist es ja ein ganz anderer Fall", sagte Frau Dreisam, „ein ganz anderer Fall!"

Sigrid stand auf. „Ich glaube, es wird Zeit für mich", sagte sie und unterstrich ihre Aussage durch ein heftiges Gähnen. Plötzlich fiel Frau Dreisam ihre eigentliche Mission wieder ein.

„Ach, Herr Jakobs, vielleicht können Sie ja Sigrid nach Hause bringen! Es ist schon etwas spät, um als Frau allein nach Hause zu gehen." Ich bejahte und bedankte mich für das Essen, mit meinen Gedanken meilenweit weg.

Sigrid war die Sache mit dem Nachhausebringen genauso peinlich wie mir. „Laß nur!" sagte sie schon nach wenigen Metern. „Ich komme auch alleine nach Hause."

Ich lächelte ihr aufmunternd zu. „Ich mache es gern", versicherte ich ihr. „Vergessen wir einfach die Absicht der Dreisams, aus uns ein glückliches Ehepaar zu machen, und verhalten uns wie erwachsene Menschen." Sigrid lachte erleichtert, so daß ich sie auf einmal ganz sympathisch fand.

Der Weg zu Sigrids Wohnung war nicht weit. Wir gingen unter einem wunderschönen Sternenhimmel, und Sigrid zeigte mir den Großen Wagen, den Kleinen Wagen und den Löwen, der aussah wie ein großes Trapez.

„Leider ist die Jungfrau nicht klar zu erkennen", sagte sie stirnrunzelnd mit Blick zum Himmel.

„Woher kennst du dich so gut aus?" fragte ich beeindruckt.

„Ich bin bei den Lightwatchers", erklärte Sigrid, „das ist eine Gruppe von hobbymäßigen Sternguckern. Wir treffen uns wöchentlich, tauschen uns aus, na ja und gucken eben nach Sternen." Sie erzählte, daß sie seit zwei Jahren eine kleine Sternwarte auf dem Brinksberg betrieben. Ich war überrascht. Sigrid, die ich für so langweilig gehalten hatte, frönte einem exzentrischen Hobby. Wer hätte das gedacht?

„In unserem Verein ist übrigens auch einer deiner Kollegen aktiv." Daran hatte ich mich schon gewöhnt. Fast überall schienen sich meine neuen Kollegen rumzutreiben. Gehässig stellte ich mir vor, daß sie sämtliche Vereine und Betriebe unterwanderten, um Werbung für ihre Privatschule zu betreiben.

„Herr Sondermann ist eines unserer engagiertesten Vereinsmitglieder." Ich horchte auf. Sondermann war ein Hobbyastronom? Ich konnte kaum glauben, daß dieser Choleriker sich in einem Hobby betätigte, das soviel Geduld und Ruhe erforderte.

„Da bin ich aber platt", gab ich offen zu.

„Jaja, der Sondermann", murmelte Sigrid vieldeutig, „er interessiert sich zugegebenermaßen weniger für die Sterne als für die Organisation des Vereins. Er hat sich Ende letzten Jahres zum Ersten Vorsitzenden wählen lassen und regelt seitdem alles, als bekäme er dafür ein Managergehalt." Ich mußte grinsen. Konnte er schon in der Schule nicht das Heft in die Hand nehmen, mußte er es zumindest im Vereinsleben tun.

„Stell dir vor", plauderte Sigrid, „seitdem er vor vier, fünf Monaten das Amt übernommen hat, hat er kein einziges Mal das Vereinstreffen ausfallen lassen. Selbst an den Januarmorgenden war er immer der Pünktlichste." Meine Ohren wurden zu Schiffssegeln.

„Habe ich richtig verstanden? Trefft ihr euch immer sonntags?"

„Gewöhnlich treffen wir uns freitags abends", erklärte Sigrid eifrig, „aber im Januar hatten wir ein ganz besonderes Programm. Der Winter ist für Astronomen die beste Jahreszeit wegen der langen klaren Nächte. In diesem Jahr haben die Freaks in unserem Verein das „Januarfrühstück" eingeführt. Alle, die Lust hatten, blieben die Nacht über an der Sternwarte und genossen die gute Sicht an den Geräten. Um halb acht war dann ein gemeinsames Frühstück mit Besprechung angesetzt." Sigrid winkte ab. „Aber so genau wird dich das bestimmt nicht interessieren."

„Oh doch!" widersprach ich energisch. „Ein solch masochistisches Hobby habe ich noch nie kennengelernt."

Sigrid lachte. „Die meisten Leute schlagen sich die Nächte zwar anders um die Ohren, aber mir macht es unheimlich viel Spaß. Leider bin ich jedoch die einzige Frau in unserem Verein. Für Sternenkunde scheinen sich sonst nur Männer zu inter-essieren."

„Dafür lesen Frauen wahrscheinlich häufiger ihr Horoskop", murmelte ich, „aber zurück zu meinem Kollegen Sondermann. Habe ich das richtig verstanden, daß er an jedem Sonntag-morgen im Januar bei euch war?"

„Hundertprozentig!" sagte Sigrid mit Bestimmtheit. „Wir haben erst letzte Woche darüber gesprochen. Ein Bekannter von mir vermutete, Sondermann würde auch kommen, wenn seine Frau sich gerade in einen Frosch verwandelt hätte. Er war zwar nachts nicht dabei, aber er stand spätestens um sieben auf der Matte, um am Treffen teilzunehmen."

„Tja, es kann ja auch Vorteile haben, so zuverlässig zu sein", murmelte ich, „dann kommt man wenigstens nicht auf dumme Gedanken."

Sigrid schaute mich an, als hätte ich sie nicht mehr alle, und ich konnte es ihr nicht einmal übelnehmen.

29

Als ich am nächsten Morgen erwachte, dachte ich als erstes an Bruno Langensiep. Was war er denn nun wirklich für ein Mensch gewesen? Unsicher? Tyrannisch? Ehrgeizig? Sensibel? Ich wurde einfach nicht schlau aus dieser Person. Ich döste ein wenig vor mich hin, bis mir schlagartig klar wurde, daß schon Samstag war. Wenn ich mich recht erinnerte, hatte ich auch noch einen Nebenjob als Lehrer. Nur noch zwei Tage bis zum Schulstart, und ich mußte noch etliches für die erste Schulwoche organisieren. Die Sekundärliteratur zu Frischs *Homo Faber*, die Ausarbeitung der Geschichtsreihe für die Acht, Texte kopieren, Schülerlisten anfertigen, ein neues Farbband für meinen Drucker. Apropos Drucker. Langensieps Computerdatei. Darum wollte ich mich auch noch kümmern. Ich beschloß, den Tag offensiv anzugehen, und sprang aus dem Bett. Was sagte die Uhr? Halb neun. Die richtige Zeit, um Leo aus den Federn zu schmeißen. Ich grinste schadenfroh, als ich es munter bei ihm klingeln ließ. Nach zwanzig Mal Klingeln war es mit der Schadenfreude jedoch vorbei. Wo trieb sich der Kerl nur herum? Nach einem hastigen Frühstück machte ich mich auf den Weg in die Stadt. Ich besorgte ein paar Kleinigkeiten im Schreibwarenladen und kaufte anschließend einige Lebensmittel ein. Zuletzt machte ich mich auf den Weg in die Buchhandlung. Radebach war nirgendwo zu sehen. Ich schlenderte zum Regal mit Büchern zur Literaturwissenschaft. Unterwegs kam ich an einem Tischchen vorbei, auf dem Sachbücher zum Thema Partnerschaft und Ehe zusammengestellt waren. *„Zweisam einsam", „Auf der Suche nach der richtigen Hälfte", „Ehecalypse now – das Ende einer Institution?"* hießen die verheißungsvollen Titel. *„Wie finde ich den richtigen Partner? Ein Wegweiser zum Glück zu zweit"* prangte auf einem rosaroten Cover. Ich nahm das Bändchen in die Hand. Ob ich das Robert zum nächsten Geburtstag schenken sollte?

„Herr Jakobs, haben Sie Ihre Suche nach dem Glück etwa noch nicht beendet?" Radebachs Stimme war unverkennbar. Ich spürte, wie sich mein Kopf rot färbte. Hinter welchem Buchdeckel hatte ich ihn übersehen?

„Danke, bei mir steht alles bestens!" log ich.

„Dann darf ich Ihnen also nicht noch ein Werk zur Einführung in die Tiermedizin empfehlen?" Radebach hatte Mühe, ein ernstes Gesicht zu wahren.

„Dazu werde ich in näherer Zukunft kaum kommen", bedauerte ich, „nachdem ich kürzlich unter Einsatz aller meiner Kräfte Ihr Bücherpaket nach oben geschleppt habe, hat Schwester Wulfhilde mich kurzerhand für eine Beförderungsstelle vorgeschlagen. Da werde ich mich natürlich einarbeiten müssen."

„Versteht sich!" Radebach grinste und gab mir die Hand. „Ach, und übrigens: Herzlich willkommen bei uns!"

„Ich weiß es zu schätzen!"

„Das gibt sich, wenn ich Sie bei Schwester Wulfhilde für den Schulbucheinkauf vorgeschlagen habe!" Radebach winkte und verschwand in Richtung Kinderbücher. Wir waren klar miteinander.

Ich wandte mich einem Regal zu, das mit Lerndisketten bestückt war. „Spielerisch lernen" war das Stichwort. Die Klappentexte vermittelten den Eindruck, man könne lernen, ohne sich im mindesten anzustrengen. Ich hatte gerade meine Suche beendet, als ich erneut angesprochen wurde.

„Guten Morgen, Herr Jakobs." Als ich mich umdrehte, stand Dr. Ignaz von Feldhausen vor mir. Mir fuhr der Schreck in die Glieder. Es dauerte ein paar Sekunden, bis ich realisiert hatte, daß er ja nicht wußte, daß ich wußte, und so weiter. Feldhausen war wie immer vollendet gekleidet, aber sein Gesicht verriet deutlich, daß er eine unruhige Nacht verbracht hatte. Er war blaß, und seine Augen waren von dunklen Schatten untermalt.

„Ich sah Sie gerade hier hineingehen. Sie sind doch auch mit Frau Schnittler bekannt, nicht wahr?" Ich nickte unsicher.

„Wissen Sie, ich suche sie dringend! Sie hat gestern meinem Pferd eine Spritze gegeben, die es nicht verträgt. Ich muß jetzt unbedingt wissen, wo sie sich aufhält. In ihrer Wohnung ist sie leider nicht zu erreichen. Sie wissen nicht zufällig, wo ich sie finden kann?"

Ich schüttelte den Kopf. „Um ganz ehrlich zu sein, ich habe auch gestern vergeblich versucht, sie zu erreichen. Nein, es tut mir leid, ich kann Ihnen wirklich nicht helfen." Feldhausen atmete tief durch.

„Gut, dann sehen wir uns also am Montag. Bis dann!"

„Bis dann!" Ich sah ihm noch kurz nach, wie er den Laden verließ und zielstrebig in Richtung Rathaus steuerte. Ich versuchte mich zu konzentrieren. Traute ich Feldhausen einen Mord zu? Ich dachte über Bruno Langensiep nach. Ich war mir sicher. Bei genügend Provokationen konnte jeder ein Mörder sein. Auch Ignaz von Feldhausen.

Daß ich schon morgens zu Regine Langensiep fuhr, hatte vor allem damit zu tun, daß ich keine Lust zum Arbeiten hatte. Ich rechtfertigte mich mit dem Vorwand, daß ich nachher noch genügend Zeit zur Unterrichtsvorbereitung finden würde. Der Samstag war schließlich noch lang. Kurz vor dem Aufbruch schellte das Telefon. Es war Leo.

„Wo steckst du denn?" fuhr ich ihn an.

Seine Stimme kam von weit her. „Paß auf, ich bin kurzfristig nach München gefahren, zu meiner Schwester."

„Wie reizend! Erst stachelst du die ganze Langensiep-Nachforschung an, und jetzt machst du dich vom Acker."

„Es tut mir leid, Vincent. Aber meine Schwester braucht dringend meine Hilfe. Sonst hätte ich mich doch nicht so schnell ins Auto gesetzt, um zu ihr zu kommen. Gibt es denn etwas Neues?"

„Ja, einiges! Zum Beispiel, daß Sondermann aus dem Rennen ist. Er war auf einer Versammlung von Sternenguckern. Außerdem hätte ich deine Hilfe gebraucht, um in der Schule einen Computercode zu knacken."

„Um ehrlich zu sein: Da hätte ich sowieso nicht weiter gewußt. Ich weiß gerade mal, was die Delete-Taste bedeutet.

Warte doch einfach das Wochenende ab! Dann können wir alles besprechen. Morgen kann ich hoffentlich hier wieder verschwinden."

„Es gibt noch etwas Neues! Wußtest du, daß Bruno Langensiep und seine Frau so eine Art Halbgeschwister waren, nicht direkt blutsverwandt, aber im selben Haushalt aufgewachsen? Regine war eine Ziehtochter der Langensieps."

„Was? Nein, das ist mir neu!"

„Diese Information scheinen nur die Alteingesessenen zu haben, und die sprechen nicht drüber."

„Das ist wirklich erstaunlich", sagte Leo nachdenklich, „da sitzt man jahrelang neben dem Langensiep im Lehrerzimmer, da kennt man unendlich viele Leute in dieser Stadt und weiß so etwas nicht?"

„Ich glaube, das ist eins dieser sauerländischen Geheimnisse", murmelte ich. „Man weiß eben, worüber man spricht und worüber nicht!"

Leo war richtig ungehalten: „Und Leute wie du und ich, die zugezogen sind, gehen unwissend ins Grab."

„Wir müssen auf jeden Fall –"

„Vincent, tut mir leid, daß ich dich unterbreche. Meine Schwester kriegt gerade wieder einen Heulkrampf." Leo senkte die Stimme. „Ihr Mann hat sie verlassen. Nach acht Jahren Ehe. Der Scheißkerl. Ich mache jetzt besser Schluß. Bis Montag!"

Das Gespräch war beendet. Na toll. Da saß ich nun in meiner Stube mit einem Haufen ungeklärter Fragen. Ich überlegte einen Augenblick, ob ich tatsächlich auf Leo warten sollte. Die Alternative war der Schreibtisch. Da wollte ich dann doch lieber zunächst Regine Langensiep einen Besuch abstatten.

Entweder hatte ich einfach tierisch viel Glück oder Regine Langensiep war praktisch immer zu Hause. Sie schien keine Ablenkung von ihrer Trauer zu suchen, sondern brauchte wohl noch viel Zeit allein, um mit ihrer neuen Situation fertig zu werden. Trotzdem wirkte sie erfreut, als sie sah, wer vor der Tür stand.

„Hallo, Frau Langensiep, darf ich reinkommen?"

„Natürlich, wenn die herumliegenden Putzsachen Sie nicht stören." Der Staubsauger und der Wassereimer, die im Flur standen, erinnerten mich daran, daß ich meiner Wohnung auch mal etwas Pflege gönnen könnte. Wir gingen zum Eßzimmer, das bereits unser Stammplatz geworden war. Regine warf ein Staubtuch vom Sofa.

„Haben Sie mit dem Manuskript etwas anfangen können?" Ich hatte es die ganze Zeit in der Hand gehalten und legte es jetzt auf den Tisch vor mir.

„Um ehrlich zu sein, es ist nicht das, was ich suche."

„Oh, das tut mir leid! Sind Sie jetzt gekommen, um sich nochmal umzusehen?"

„Nein, das ist jetzt nicht so wichtig. Eigentlich möchte ich Ihnen etwas erzählen. Das Manuskript, das Sie mir gebracht haben, ist ein Roman, sagen wir ein Romanversuch Ihres Mannes."

„Bruno hat einen Roman geschrieben?" Regine war mehr als überrascht. „Davon habe ich überhaupt nichts gewußt. Haben Sie darin gelesen?" Regine sah mich gespannt an.

„Ja, hab ich. Ich vermute, es ist eine Art Autobiographie. Ihr Mann hat sein eigenes Leben beschrieben. Jedenfalls stimmen viele Dinge mit dem überein, was ich über Ihren Mann vom Hörensagen weiß."

„Er hat über sich selbst geschrieben?" Regine war inzwischen ganz aufgeregt. „Dann komme ich ja auch in dem Buch vor, oder wie?"

„Ja, natürlich! Die Hauptfigur ist ein Konstantin Soundso. Ihr Mann hat nicht aus der Ich-Perspektive erzählt, sondern eine Figur geschaffen, der er sein eigenes Leben geschenkt hat. Dieser Konstantin heiratet seine erste Jugendliebe, nimmt eine Stelle in seiner Heimatstadt an und lebt dort vor sich hin."

„Und dann?" Regine hing aufgeregt an meinen Lippen. „Dann erfolgt die Wende in der Geschichte. Konstantin empfindet sein Leben bis dahin als inhaltsleer, doch plötzlich geht ihm auf, daß er eigentlich für die Kunst, für das Schreiben geschaffen ist. Damit läutet er eine erfülltere Phase in seinem Leben ein." Regine schaute mich fasziniert an.

„Und weiter? Wie geht es weiter?"

„Dann geht es leider nicht weiter. Der Roman endet abrupt an dieser Stelle. Ich vermute, es fehlt ein Teil des Manuskripts."

Regine überlegte einen Augenblick. Dann hob sie den Kopf. „Ich habe davon nichts gewußt. Nicht die leiseste Ahnung hatte ich von seinem Hobby."

„Ich schätze, er hat alles in der Schule geschrieben. Als ich hier war, habe ich keinen Computer in seinem Zimmer gesehen."

„Das stimmt! Wir haben beide keinen. Tatsächlich hat Bruno viele Stunden auch außerhalb des Unterrichts in der Schule verbracht. Ich habe mich nie erkundigt, was genau er da machte." Es folgte eine kurze Zeit der Stille. Regine schien zu verarbeiten, daß ihr Mann sich ihr in keiner Weise anvertraut hatte.

„Ich muß Ihnen noch mehr sagen." Regine schaute mich erstaunt an. „Ich habe erfahren, daß Ihr Mann seinen Kollegen von Feldhausen erpreßt hat. Er wußte etwas über ihn, das Feldhausen geheimhalten wollte. Ihr Mann hat versucht, daraus Vorteil zu schlagen."

Regine schaute mich bestürzt an. „Das ist – ich kann gar nicht – was wollte Bruno denn? Geld?"

„Er wollte vor allem, daß Feldhausens Bruder, der einen großen Buchverlag besitzt, seinen Roman veröffentlicht."

Regine legte ihre Hand an die Stirn, als könne sie das alles nicht fassen. „Mein Gott, das ist ja furchtbar."

„Regine", ich neigte mich zu ihr und schaute ihr ernst in die Augen, „ich glaube, daß Ihr Mann nicht durch einen Unfall ums Leben gekommen ist. Ich glaube, daß er ermordet worden ist."

Regines Gesicht wurde blaß. „Ich habe es geahnt", sagte sie leise.

„Es könnte sein, daß der Schluß des Romans Aufschluß über den Tod Ihres Mannes gibt. Zumindest ist es einen Versuch wert. Haben Sie eine Ahnung, wo sich der Rest befinden könnte?"

Regine blickte ins Leere. Dann wandte sie sich wieder mir zu. „Ich habe in letzter Zeit fast das ganze Haus auf den Kopf gestellt, aber ich kann mich an nichts erinnern, das so aussah."

„Versuchen Sie nochmal nachzudenken", redete ich auf sie ein, „und rufen Sie mich bitte an, wenn Sie etwas gefunden haben!"

Regine war noch sichtlich verstört über all die Neuigkeiten, die ich ihr unterbreitet hatte.

„Ich lasse Ihnen das Manuskript hier. Es ist sicherlich eine Erinnerung." Ich merkte plötzlich, wie peinlich meine Worte klingen mußten. Ich hatte diese Frau gerade mit furchtbaren Tatsachen konfrontiert und faselte jetzt herum wie ein Bestattungsunternehmer. Regine Langensiep saß noch immer versunken in ihrem Sessel.

„Regine, es tut mir so leid, was passiert ist! Kann ich Ihnen irgendwie helfen?"

Sie raffte sich auf. „Nein, es ist schon gut. Ich muß nur erst all das verdauen." Sie stand auf und lächelte schwach, was ihr das Aussehen einer Göttin verlieh. „Fahren Sie in die Stadt?" Ich nickte. „Dann nehmen Sie mich doch mit! Ich möchte jetzt nicht allein hier sitzen. Ich möchte mich lieber unter Menschen bewegen, unter echten, lebenden Menschen."

Auf der Fahrt in die Stadt vermieden wir beide das Thema. Die Wunde war zu frisch, um lange darin herumzuwühlen. Regine erzählte kurz von ihrer Arbeit, dann schwieg sie. Ich ließ sie in Ruhe und überlegte mir, daß ich auch nicht allein in meiner Wohnung sitzen wollte. Auch ich wollte unter Menschen sein. Ich parkte mein Auto am Rande des Innenstadtbereichs und schlenderte mit Regine ein Stück durch die Stadt, bis wir plötzlich vor dem Café standen, in dem ich an meinem ersten Tag gelandet war.

„Haben Sie nicht Lust, einen Kaffee mit mir zu trinken?" fragte ich aufmunternd. „Hier gibt es ausgezeichnete Torte!"

Regine lehnte dankend ab. „Ich bummele lieber noch etwas stumm umher." Sie schaute mich mit einem leicht verhangenen Blick an.

„Ist alles in Ordnung?" Wieder wußte ich nicht, ob ich sie so allein gehen lassen konnte.

„Ich komm schon zurecht."

„Darf ich noch eine Frage stellen? War Ihr Mann in ärztlicher Behandlung?"

Regine schaute mich verwundert an. „Nicht, daß ich wüßte." Sie senkte den Kopf. „Aber was wußte ich schon? Sein Hausarzt war Dr. Meiler. Doch dort war er schon seit Monaten nicht mehr. Soviel ich weiß. Ach ja, und einmal war er bei einem Orthopäden. Streichmann heißt der, hier in der Fußgängerzone." Sie zeigte in Richtung Kirche. „Warum fragen Sie?"

„Ach, schon gut. Wahrscheinlich hat es gar nichts zu bedeuten." Ich mochte ihr nicht von meinen Schnüffeleien im Arbeitszimmer erzählen.

„Darf ich auch eine Frage stellen?" Regine schaute mich durchdringend an. „Ist es gut? Ich meine das Manuskript."

Ich wich aus. „Die Geschmäcker sind verschieden. Ich kann da wirklich nicht –"

„Sie sind Germanist. Wie ist es?"

„Um ehrlich zu sein, es ist miserabel."

Regine wandte sich schon zum Gehen. „Das habe ich mir gedacht."

Das Café war rappelvoll. Ich hatte Glück, daß gerade ein Platz am Fenster frei wurde. Ich setzte mich so, daß ich hinaussehen konnte.

„Kennst du die Frau auch?" Ich hatte das Mädchen gar nicht bemerkt. Es stand am Fenster und schaute mich mit großen Augen an. Die Tochter von Laura, der Kellnerin.

„Ach, du bist es. Wir kennen uns doch, oder?" Ich war nicht gerade sehr erfahren im Umgang mit Kindern.

„Kennst du die Frau auch?" Das Mädchen, etwa sieben Jahre alt, war von der hartnäckigen Sorte. Ich schaute aus dem Fenster in die Richtung, die sie mir andeutete.

„Ach so, ja, die kenne ich auch. Sie heißt Regine." Regine war langsam in Richtung Kirche geschlendert.

„Das wußte ich nicht." Das Mädchen setzte sich an meinen Tisch, als hätten wir uns verabredet. „Aber Onkel Nase, der kennt sie auch."

Ich lachte. „Onkel Nase, wer ist denn das?"

„Kennst du den nicht? Der arbeitet doch im Krankenhaus."

„Ich war hier noch nicht im Krankenhaus. Deshalb kenne ich ihn nicht. Aber die Frau da draußen, die arbeitet auch im Krankenhaus."

„Ach so." Das Mädchen zog seinen Stuhl näher an den Tisch heran. „Deshalb hat sie ihn immer besucht."

Ich wurde neugierig. „Wer hat wen besucht?"

„Na, diese Frau da". Meine Tischgenossin wurde etwas ungeduldig mit mir. „Die hat immer den Onkel Nase besucht. Jeden Tag. Oder fast jeden Tag."

„Tatsächlich? Woher weißt du denn das?"

„Wir haben doch neben Onkel Nase gewohnt. Wenn ich von meinem Zimmer aus dem Fenster geguckt habe, konnte ich das sehen."

„Ach so."

„Lisa, hast du wieder jemanden gefunden, den du vollquatschen kannst?" Laura, die schwarzhaarige Kellnerin, streichelte ihrer Tochter über das Haar. Lisa blickte ihre Mutter böse an.

„Das macht doch nichts." Ich lachte Laura an. „Sie hat mir von Onkel Nase erzählt. Wer ist denn das?"

Lisas Mutter stutzte und zog dann irritiert an der Tischdecke. „Ach, das ist ein Hals-, Nasen- Ohrenarzt, der Lisa die Wucherungen rausgenommen hat."

„Ach, deshalb Onkel Nase."

„Seine eigene Nase sah eigentlich ganz normal aus!" plapperte Lisa. „Wie hieß der noch mal richtig, Mama?"

Laura reagierte ärgerlich. „Das interessiert den Herrn doch gar nicht, Lisa!"

„Das interessiert mich sehr!" konterte ich. „Lisa hat erzählt, daß Sie neben ihm gewohnt haben."

„Ja, früher. Aber der Herr Doktor Schmidtbauer ist vor ein paar Wochen weggezogen. Er behandelt jetzt süddeutsche Nasen. Jedenfalls hat er das erzählt." Laura nahm ihr Tablett und ging davon.

Ich schaute Lisa an, die immer noch ganz ernsthaft neben mir auf dem Stuhl saß. „Du hast auch eine gute Nase", sagte ich zu ihr, „eine echte Spürnase."

30

Den ganzen Nachmittag über hatte ich mich nicht konzentrieren können, obwohl ich unbedingt meine erste Unterrichtsstunde in der Zehn hätte vorbereiten müssen, die am Montag morgen anstand. Warum hatte mir Regine nichts erzählt? Jetzt war mir natürlich ganz klar, warum Regine so wenig von ihrem Mann wußte. Wahrscheinlich hatten sie schon seit langem völlig aneinander vorbeigelebt. Ein Paar, das nur noch eine gemeinsame Wohnstätte hatte. Andererseits: warum hätte mir Regine davon erzählen sollen? Ich war schließlich nicht ihr Beichtvater. Außerdem schien die Beziehung zwischen ihr und diesem Doktor Nase beendet, seitdem er in Süddeutschland arbeitete. Warum also eine unangenehme Sache breittreten? Je länger ich darüber nachdachte, desto klarer wurde mir, daß Regine sich jetzt doppelt mies fühlen mußte. Zum einen hatte sie ihren Liebhaber verloren, zum anderen war ihr Ehemann verstorben oder sogar ermordet worden. Bestimmt machte Regine sich Vorwürfe, da sie ihrem Mann nicht hatte helfen können in seinen Schwierigkeiten. Vielleicht hätte sie so den Mord verhindern können, wenn es denn einer war. Ich lehnte mich in meinem Bett zurück. Es war Sonntag morgen, ziemlich spät schon, und es herrschte die typische Sonntagmorgenstille, die ich auch von Köln her kannte. Ich erinnerte mich, wie gern ich dort am Sonntagmorgen durch die Straßen gebummelt war. Es war immer gespenstisch leer gewesen. Manchmal war mir ein Hundebesitzer entgegengekommen. Meist nur mit ein paar übergeworfenen Sachen bekleidet, um nachher wieder ins Bett kriechen zu können. Die Atmosphäre war wie die nach einem großen gelungenen Fest. Alle schliefen, und die, die sich nach draußen gewagt hatten, sehnten sich schon wieder nach drinnen. Ich liebte diese Stimmung und konnte mich immer wieder aufs neue darüber wundern, daß eine Großstadt ein so verschlafenes Dasein führen konnte. Ich stand auf und ging zum Fenster. Hier war die Stimmung ganz ähnlich. Kein Mensch war auf der Straße. Kein Taxi fuhr ab. Ich atmete tief durch. Wie gern würde ich jetzt Alexas Stimme hören, wie gern mit ihr den Sonntagmorgen erkunden! Aber Alexa war vom Erdboden verschwunden und ich mußte arbeiten – und zwar dringend. Plötzlich erschien wieder Regine in meinen Gedanken. Ob sie zu einem Mord fähig wäre? Die Vorstellung erschreckte mich. Was war, wenn sie an jenem Sonntag morgen mit ihrem Mann zusammen unterwegs gewesen war? Vielleicht hatten sie sich über ihre Ehe unterhalten, über das, was von ihrer Ehe übriggeblieben war. Vielleicht hatte Bruno erst am Todestag von der Affäre seiner Frau gehört, kurz bevor es passierte sozusagen. Es mußte ein Schock gewesen sein. War plötzlich all seine Hoffnung, die sich mit seinem Schreiben verband, dahin? Hatte Bruno sich aus Verzweiflung in den Abgrund gestürzt? Vielleicht aber hatte Regine ihm auch einen Stoß gegeben. Einen kleinen, unauffälligen Stoß. Ich merkte, daß ich zu schwitzen begann und sagte mir, daß ich anfing zu phantasieren. Heutzutage brachte man einander nicht wegen einer gescheiterten Ehe um. Jede dritte Ehe wurde geschieden. Wo kämen wir denn hin, wenn sich die getrennten Partner gegenseitig in Steinbrüche verfrachten würden, nur um sich den Anwalt zu sparen. Anwalt, Anwalt! Mir fiel etwas ein. Wie hatte es noch in Langensieps Notizen geheißen? Ich kramte nervös auf meinem Schreibtisch herum. Da war der Zettel. *Um 15 Uhr Dr. E. anrufen wegen „Befund".* Könnte es nicht sein, daß Dr. E. ein Rechtsanwalt war, nämlich ein Scheidungsanwalt, den Langensiep aufgesucht hatte? Das würde auch die Anführungsstriche erklären. Vermutlich hatte Langensiep mit dem Ausdruck Befund gespielt. Schließlich war er ein angehender Schriftsteller. Ich suchte nach dem örtlichen Telefonbuch. Die Einträge mit E umfaßten natürlich mehrere Seiten. Es würde ewig dauern, alles durchzusehen. Mir kam eine bessere Idee. Ich griff nach den Gelben Seiten. Da war das Stichwort: Rechtsanwälte und Notare. Die Suche dauerte nicht lange. Da stand es: *Dr. Hans Elmershaus, Rechtsanwalt und*

Notar. Ich war mir sicher. Bruno Langensieps Notiz bezog sich nicht auf irgendeinen Augenarzt, sondern auf Dr. Hans Elmershaus. Ich legte das Buch weg, setzte mich auf einen Küchenstuhl und schloß die Augen. Was wußte ich jetzt? Oder besser: Was vermutete ich jetzt? Regine Langensiep hatte ein Verhältnis mit einem Kollegen gehabt. Ihr Mann schien davon gewußt zu haben. Auf jeden Fall hatte er sich in Rechtsdingen schlau gemacht. Er hatte die ersten Vorbereitungen für eine Scheidung getroffen. Ich stutzte. Woher nahm ich eigentlich die Gewißheit, daß sich Langensiep wegen seiner Ehe an einen Juristen gewandt hatte? Vielleicht ging es auch um einen Streit mit dem Nachbarn oder um das Aushandeln eines Vertrags mit seinem zukünftigen Verlag? Immerhin war Langensiep ja überzeugt gewesen, auf welchen Wegen auch immer, an einen solchen zu gelangen. Ich kam nicht weiter. Immer wenn mir ein neuer Gedanken kam, ließ er sich durch nichts, aber auch gar nichts belegen. All mein Denken basierte auf bloßen Vermutungen. Außerdem mußte ich noch einmal an meinen Ausgangspunkt denken. Heutzutage war eine Scheidung gesellschaftlich kein Untergang mehr. Ich seufzte. Das Grübeln hatte gar keinen Sinn. Ich würde auf Leo warten und morgen alles mit ihm besprechen. Vielleicht hatte er eine Idee, und wenn er keine hatte, dann würden wir diesen verdammten Fall endlich ad acta legen. Zum Glück versuchte jetzt mal der vernünftige Teil meines Gehirns zum Zuge zu kommen. Es war jetzt Sonntag, fast zwölf Uhr mittags, am nächsten Tag warteten vier Klassen auf mich, und ich hatte immer noch nicht alles vorbereitet. Es war jetzt wirklich Zeit zum Handeln. Tatendurstig ging ich zum Duschen, zog mir anschließend frische Sachen an und setzte mich mit den besten Vorsätzen an meinen Schreibtisch. Ich kramte die Unterlagen zu meiner zehnten Klasse in Deutsch hervor. Obenauf lag der Arbeitsvertrag, den Schwester Wulfhilde mir am Vortag mitgegeben hatte. Ich warf einen Blick darauf und begann zu suchen, was dort zum Thema katholischer Arbeitgeber stand. Ich überflog den Absatz zur Probezeit und fand dann folgenden Punkt:

Herr Vincent Jakobs verpflichtet sich, seinen Dienst am Elisabeth-von-Thüringen-Gymnasium mit voller Hingabe zu versehen. Er ist gewillt und erklärt sich bereit, seine gesamte Unterrichts- und Erziehungsarbeit im Geiste des katholischen Bildungsideals gewissenhaft zu leisten.

Es ging weiter mit Vergütung, Krankheitsregelung, Nebentätigkeit. Dann wurden Gründe für eine fristlose Kündigung aufgeführt. Als dritten Punkt fand ich darunter: *Verstöße gegen die Grundsätze der katholischen Glaubens- und Sittenlehre innerhalb und außerhalb des Dienstes.*

Sehr schwammig formuliert. Ich mußte unbedingt mit Jochen sprechen, einem früheren Klassenkameraden, der inzwischen als Rechtsanwalt arbeitete. Der konnte mir sicher verraten, was sich hinter dieser mysteriösen Formulierung verbarg. Ich überflog den weiteren Text und wählte danach gleich die Nummer meines alten Schulkumpels. Er war direkt am Apparat, und ich kam schnell zur Sache. Ich schilderte ihm, was ich in meinem Arbeitsvertrag gefunden hatte. Jochen war nicht beeindruckt.

„Das ist eine ganz gängige Formulierung bei kirchlichen Trägern", erklärte er. „Wie du ja schon gemerkt hast, muß man wissen, was zu den Grundsätzen der katholischen Glaubens- und Sittenlehre gehört, von denen da die Rede ist."

„Ich bin mir da nicht sicher", murmelte ich, „vielleicht daß man jeden Sonntag in die Messe geht?"

„Nein, das nicht", erläuterte Jochen, „ob du sonntags in die Kirche gehst, kann im Grunde niemand nachweisen. Vielmehr darfst du nicht unverheiratet mit einem Partner zusammenleben." Ich schluckte. „Außerdem darfst du nicht geschieden wiederverheiratet sein oder eine geschiedene Frau heiraten."

„Nochmal, was darf ich nicht – wieder?"

„Als katholisch Getrauter bist du bis zu deinem Tod oder dem deiner Frau gebunden. Das ist doch klar?"

„Natürlich! Davon habe ich schon gehört."

„Nach katholischem Recht ist eine Scheidung nicht möglich. Selbst wenn eine standesamtliche Scheidung vollzogen ist, bleibt die katholisch geschlossene Ehe bestehen. Eine neu eingegangene Ehe bedeutet Ehebruch und widerspricht den katholischen Richtlinien."

„Habe ich das jetzt richtig verstanden? Die Scheidung selbst ist zwar ungern gesehen, aber noch kein Vergehen. Die Wiederverheiratung aber ist in diesem Sinne sittenwidrig?"

„Genauso ist es. Wir hatten kürzlich erst den Fall einer Kindergärtnerin, die ihre Stelle verlor, weil sie einen geschiedenen Mann geheiratet hatte."

„Und?"

„Sie hat kein Recht bekommen. Und das war schon vorher absehbar. Die katholische Kirche als Arbeitgeber hat ihre eigene kleine Legislatur."

„Gut zu wissen!"

„Es muß im übrigen gar nicht unbedingt zur Eheschließung kommen, um einen Rechtsbruch herbeizuführen. Wenn du dich von deinem Ehepartner getrennt hast und dann mit jemand anders zusammenziehst, ist das für die meisten katholischen Träger ebenfalls Grund genug, dir den Laufpaß zu geben."

„Mein Wohlgefallen wird immer größer."

„Bist du eigentlich inzwischen verheiratet, Vincent?"

„Nein, nein", sagte ich schnell, „aber ich will natürlich wissen, worauf ich mich da einlasse."

„Nach meinen Erfahrungen ist die Handhabung dieser Gesetze sehr unterschiedlich", fügte Jochen noch hinzu. „Es gibt Träger, die tolerant über alles mögliche hinwegsehen. Andere ahnden jedes Vergehen. Es kommt auf die Gesinnung der Institution an, bei der man arbeitet. Und es kommt darauf an, ob die Öffentlichkeit Druck macht. Ein katholischer Arbeitgeber kann so lange die Augen schließen, wenn er etwas nicht sehen will, bis ein katholischer Hardliner ihm gewaltsam die Augen öffnet und ihn zu einem härteren Vorgehen zwingt."

Ich erzählte Jochen, daß ich bei einem Orden angestellt werden sollte.

„Dazu kann ich natürlich nichts sagen", meinte er.

„Du hast mir schon sehr geholfen, Jochen."

Nach diesen Informationen konnte ich mich nicht direkt auf meine Vorbereitung stürzen. Ich fragte mich, wie viele Menschen wohl bei kirchlichen Arbeitgebern beschäftigt waren. Das mußten ja ungeheuer viele sein. Jochen hatte eine Kindergärtnerin erwähnt. Auch Altenheime und andere soziale Einrichtungen waren häufig in kirchlicher Hand. Katholische Verlage und Buchhandlungen gab es. Der ganze Verwaltungs-apparat der Kirche war natürlich auch betroffen. Jede Sekretärin, die im Vorzimmer eines Weihbischofs tippte. Schulen stellten sicherlich einen großen Teil der kirchlichen Angestellten. Schulen. Mir kam Bruno Langensiep in den Sinn. Ich sah eine Scheidung für ihn plötzlich mit ganz anderen Augen. Andererseits hatte Jochen mir ja erklärt, daß eine Scheidung selbst noch nicht der Knackpunkt war, sondern erst die Wiederverheiratung. Ob Langensiep eine Freundin gehabt hatte? Ob er sich deshalb verzweifelt in den Tod gestürzt hatte? Unsinn. Regine kam mir in den Sinn. Die mißliche Lage ihres Mannes dürfte ihr ziemlich egal gewesen sein. Wenn man erstmal zu einer Trennung entschlossen war, machte man sich wahrscheinlich wenig Gedanken über die Zukunft des verflossenen Ehegatten. Für sie wäre eine Scheidung kein Problem gewesen. Es hätte für sie die Freiheit bedeutet. Schließ-lich arbeitete sie in einem Krankenhaus. In einem Kranken-haus. Mir schossen drei Liter Blut zuviel in den Kopf. Im Krankenhaus, im Krankenhaus. Ich rannte ins Nebenzimmer und blätterte hektisch im Telefonbuch. Krankenhäuser, Krankenhäuser. Die Seiten zerrissen fast unter meinen zappeligen Händen. Da war es. *Krankenhaus St. Johannes, Zentrale 870*, blabla. St. Johannes. Wenn das nicht katholisch war, würde ich einen Besen fressen. Auch Regine war bei einem katholischen Träger angestellt. Auch Regine hatte eine ähnliche Formulierung wie ich in ihrem Vertrag stehen. Regine hatte eine Affäre. Und zwar mit einem Arzt, der auch bei einem katholischen Träger arbeitete. Regine konnte eines in der Welt nicht wollen: eine Scheidung. Wenn sie ihre Stelle behalten und einen anderen Mann heiraten oder auch nur mit ihm zusammenleben wollte, dann hätte sie eine andere Lösung gebraucht!

31

Ich konnte nicht anders. Ich mußte hin. Sie mußte es mir
sagen. Ich mußte hören, daß ich ein Idiot war, der zu viele
Krimis gelesen hatte. Ich wollte hören, daß ich phantasierte,
daß sie gleich die Polizei anrufen würde, wenn ich weiter so
einen Unsinn reden würde. Ich wollte es hören, ich mußte es
hören. Ich wußte, daß ich nie wieder einen klaren Gedanken
fassen konnte, solange sie nicht diesen Verdacht aus meinem
Kopf gehämmert hatte. Ich war naß geschwitzt, als ich vor der
Haustür stand. Ich wußte, daß mein Haar zerzaust war und daß
mein Gesichtsausdruck etwas von einem gejagten Tier haben
mußte. Regine öffnete sofort die Tür.

„Regine, Sie müssen mir etwas sagen!" brachte ich heraus.
Ihr ernster Gesichtsausdruck veränderte sich nur unmerklich.

„Kommen Sie herein!" Ich ging hinter ihr her zu unserer
Sitzecke im Eßzimmer. Unsere Ecke. Ich versuchte, mich ruhig
zu halten, aber irgendetwas zitterte in mir, das ich nicht unter
Kontrolle hatte.

„Ich wußte, daß Sie kommen würden. Daß Sie irgendwann
kommen würden. Ich habe es befürchtet." Regine konnte das
Beben in ihrer Stimme nur schwer unterdrücken. Ich setzte
mich auf einen Stuhl. Ganz gerade. Ich hoffte, etwas Ruhe zu
finden. Regine blieb stehen. Sie stand am Fenster und schaute
hinaus.

„Wissen Sie was?" Sie drehte sich langsam zu mir um. „Ich
bereue es nicht mal. Um ganz ehrlich zu sein: Es ist mir egal."
In mir zogen sich alle Organe zu einem großen Klumpen zusammen. Ich hatte recht gehabt. Mein Gefühl hatte recht gehabt.

„Nicht, daß es mir genützt hätte. Ich bin allein, so allein wie
zuvor." Ich kämpfte gegen einen Brechreiz an. Mein Magen
schien sich nach oben ausstülpen zu wollen.

„Wie, wie konnten Sie das nur tun?"

„Sie glauben ja gar nicht, wie leicht es ist." Regine lachte
nicht, aber ihre Stimme barg einen Hohn. „Wenn man sein

Leben lang gelitten hat, dann ist es leichter, als – als sich die Schuhe zuzumachen." Mein Erstaunen schien das Aufbegehren meines Körpers in Zaum zu halten.

„Sie haben ihn ja nicht gekannt. Keiner hat ihn gekannt! Keiner hat ihn so gekannt wie ich. Mein Leben endete, als ich noch ein Kind war. Nein, es endete nicht wirklich. Aber es war nicht mehr mein eigenes Leben. Es war das Leben, das Bruno plante und das ich nur noch auszuführen brauchte." Sie blickte sich wieder um und sah nach draußen. Ihre Stimme klang seltsam hohl, als sie mit dem Rücken zu mir sprach. „Als ich neun Jahre alt war, starben meine Eltern bei einem Brand. Es passierte in einem heißen Sommer, als auf dem Heuboden ein Feuer ausbrach. Meine Eltern versuchten verzweifelt zu löschen, obwohl es längst aussichtslos war. Sie wurden von einem brennenden Balken erschlagen, nimmt man an. Der gesamte Hof brannte nieder und mit ihm meine ganze Kindheit." Regine verschränkte die Arme vor ihrem Körper. „Die Langensieps nahmen mich auf, obwohl ich sie nur ein einziges Mal gesehen hatte, auf Mamas Geburtstag. Und mein Leben änderte sich völlig. Auf unserem Bauernhof hatte ich wie in einem Kindertraum gelebt, jetzt wohnte ich in einer fremden Stadt bei fremden Leuten, denen ich zu ewiger Dankbarkeit verpflichtet sein mußte. Ich war todunglücklich, obwohl mir jeder sagte, wie froh ich doch sein konnte, daß sich jemand um mich armes Mädchen kümmerte." Regines Ton ließ die Verzweiflung und Verbitterung wieder aufkommen, die sie als Mädchen erfahren hatte. „Der alte Langensiep war ein schrecklicher Tyrann, und selbst seine Frau wagte kaum, ihm zu widersprechen. Bruno litt unter diesen Zuständen genauso wie ich, und ich glaube, das war es, was uns zunächst verband." Regine holte tief Luft, verharrte aber in ihrer Haltung. „Ja, am Anfang waren wir so etwas wie eine Leidensgemeinschaft. Daraus wurde dann fast unmerklich mehr. Als Bruno zum Studium nach Münster ging, was er ohne seine Mutter nie durchgekriegt hätte, versprach er mir immer wieder, ich könne ihm bald nachfolgen, sobald ich ebenfalls mein Abitur gemacht hätte.

Dann wären wir frei und selbständig. Es mag seltsam klingen, aber nachdem Bruno mich zum ersten Mal geküßt hatte, war für ihn klar, daß wir heiraten würden. Es kam ihm gar nicht in den Sinn, daß die Dinge sich anders entwickeln könnten. Er wollte sein Leben mit mir verbringen, also passierte das auch so. Wahrscheinlich hatte er das von seinem Vater gelernt." Regines Stimme hatte nun etwas Unerbittliches. „Ich selbst hatte nicht das Selbstbewußtsein, mich gleichberechtigt in die Beziehung einzubringen. Mir war ja jahrelang das Gefühl vermittelt worden, ich müßte dankbar sein. Und nun hatte ich das Gefühl, ich müßte auch Bruno gegenüber dankbar sein. Er war ja immer so nett zu mir gewesen!" Regine sah mich hilfe-suchend an und erzählte dann weiter: „Bruno riet mir, Medizin zu studieren, da ich schon immer eine gute Naturwissenschaft-lerin gewesen war. Er besorgte mir in Münster ein Zimmer. Er organisierte meine Praktika, er tat alles für mich. Für ihn war klar, daß wir nach seinem Examen heiraten würden. Können Sie sich das vorstellen? Er fragte mich nicht einmal, ob ich ihn überhaupt heiraten wollte, sondern er legte lediglich fest, wann es soweit sein sollte. Bruno machte sein Referendariat in Münster und bekam dann prompt eine Stelle am Elisabeth-Gymnasium. Ich selbst hatte nach dem Studium zunächst Probleme, etwas zu finden. Bruno besorgte mir zunächst eine Anstellung in Arnsberg, später konnte ich dann hierher wechseln. Es lief also alles so, wie Bruno es sich gewünscht hatte. Nicht nur im Großen, sondern auch im Kleinen. Bruno bestimmte jede Kleinigkeit in meinem Leben, mischte sich in meinen Beruf ein und verhinderte, daß ich einen eigenen Bekanntenkreis aufbauen konnte."

„Aber Regine, Sie sind eine selbständige Frau. Warum haben Sie all das zugelassen?"

Regine starrte mich verschwommen an. „Ich, ich –, verstehen Sie denn nicht? Ich war doch noch ein halbes Kind, als ich mit ihm zusammenkam." Regine hielt sich krampfhaft einen Arm vor ihr Gesicht, als wolle sie die Tränen verdecken, die in ihre Augen schossen.

„Das mag ja sein, aber Sie sind längst eine erwachsene, reife Frau. Eine Frau, die Erfolg in ihrem Beruf hat, die eine wahre Schönheit ist. Sie müssen doch mit Bestätigung übersät werden. Sie müssen doch Selbstwertgefühl genug entwickelt haben, um einem Mann wie Bruno Langensiep standhalten zu können."

„Sie verstehen überhaupt nichts!" Regine wandte sich erneut ab und blickte aus dem Fenster, wahrscheinlich ohne dabei irgendetwas wahrzunehmen. „Bruno wurde mehr und mehr wie sein Vater. Er duldete keinen Widerspruch und verfügte über eine subtile Autorität, die ich kaum beschreiben kann." Regines Stimme klang jetzt verbittert und hart. „Er war nicht im geringsten in der Lage, auf einen anderen Menschen einzugehen. Zuhören war ihm praktisch unmöglich. Ich habe in all den Jahren niemanden kennengelernt, der auch nur annähernd so egozentrisch gewesen wäre. Bruno muß mehr als nur ein miserabler Lehrer gewesen sein. Denn seine einzige Stärke war es, schwächere Menschen zu verletzen. Er wußte, daß er mir überlegen war. Er wußte, daß ich Angst vor ihm hatte, eine Angst, die ich nicht beschreiben kann, da sie nicht mit körperlicher Gewalt einherging."

„Soll ich Ihnen sagen, was mir Kollegen über ihn berichtet haben?" Alles erschien mir völlig widersinnig. „Ihr Mann war ein Lehrer, dem genau das fehlte, was Sie mir gerade beschrieben haben: Dominanz. Seine Schüler haben ihn ausgelacht, ihn lächerlich gemacht. Er hatte nicht das geringste Durchsetzungsvermögen, von gelegentlichen Ausbrüchen abgesehen."

Regine drehte sich verwundert um. „Das kann nicht sein. Er war ein Machtmensch, ein –"

„Vielleicht war er das nur, wenn er mit Ihnen zusammen war", überlegte ich laut. „Wahrscheinlich hat er so kompensiert, was ihm in der Schule selbst widerfahren ist."

„Vor seinem Vater hat er natürlich gekuscht, zeit seines Lebens. Daß er vor den Schülern kuschte, habe ich nicht gewußt."

„Er scheint ein ziemlich schizophrener Charakter gewesen zu sein." Ich kam mir mittlerweile vor, als säße ich in einem Psychologieseminar und müßte mit meinen Kommilitonen ein Fallbeispiel erörtern.

„Vielleicht war er ein schizophrener Charakter", Regines Stimme hatte wieder die mir schon bekannte Härte bekommen. Noch immer stand sie an derselben Stelle vorm Fenster. „Ich bin mir sogar darüber im klaren, daß Bruno mich auf seine Weise geliebt hat. Aber das täuscht nicht darüber hinweg, daß er mein Leben ruiniert hat."

„Und was ist mit Dr. Schmidtbauer? Hat der Ihrem Leben neuen Auftrieb gegeben?" Ich hatte versucht, die Frage möglichst neutral zu stellen. Trotzdem blickte Regine mich argwöhnisch an.

„Es war mir klar, daß Sie irgendwann auf ihn kommen würden." Regine versank in Gedanken und schien wie aus einer anderen Welt zu reden, als sie weitersprach. „Wissen Sie, was Rainer deutlich von meinem Ehegatten unterschied? Er war sensibel. Er konnte zuhören. Er war zärtlich. Können Sie sich eigentlich vorstellen, daß ich erst im Alter von fünfunddreißig erfahren habe, was Zärtlichkeit ist?" Der Zusammenbruch kam ganz plötzlich. Regine schmiß sich auf den Sessel und schluchzte. „Wir wollten heiraten. Er sagte mir, es sei ihm egal, was aus unserem Job würde. Er sagte, wir sollten heiraten, Kinder haben und uns irgendwo anders eine Stelle suchen. Aber wenn ich fragte, wann, dann wich er aus. Wir sollten besser noch warten, meinte er dann." Regine konnte nicht weitersprechen vor Schluchzen. Ich saß da und wußte nicht, was ich sagen sollte. „Ich wollte, ich wollte uns den Weg freimachen." Regine wischte sich mit ihrem Ärmel über die Augen. „Bruno war in letzter Zeit so aufdringlich geworden. Vorher hatte er das stille Ende unserer Ehe akzeptiert, wir hatten uns sozusagen in dieser Pseudo-Beziehung arrangiert. Doch plötzlich meinte er, es sei noch genügend Zeit für einen Neuanfang. Er wollte mit mir zusammensein. Ich, ich –" Regine schluchzte weiter. „Eines Tages habe ich allen Mut zusammengenommen und ihm gesagt, daß ich Rainer liebe, daß ich mit ihm leben möchte, daß ich zum ersten Mal in meinem Leben eine eigene, richtige Entscheidung fällen würde. Sie können sich ja gar nicht vorstellen, wieviel Kraft mich das gekostet hat. Zum ersten Mal habe ich den Mut gefunden, ihm meine Position offen ins Gesicht zu sagen." Regine machte wieder eine Pause. Ihr Schluchzen wurde leiser. „Am Anfang hat es so ausgesehen, als würde er es hinnehmen, getroffen zwar, aber trotzdem. Er zog sich noch mehr zurück. Wir sahen uns fast gar nicht mehr, was mir sehr entgegenkam. Doch dann fing er plötzlich wieder mit diesem Neuanfangsgerede an. Er näherte sich mir. Es war schrecklich. Er wimmerte mir vor, er wolle mich nicht verlieren. Aber ich, ich konnte ihm nur ein einziges Gefühl entgegenbringen. Abscheu!"

„Wahrscheinlich hing sein Wunsch nach einem Neuanfang mit seinem Schreiben zusammen", sagte ich langsam. Regine hastete plötzlich zum Sekretär, der im Nachbarzimmer stand. Sie riß an einer der Schubladen und zog ein paar Blätter heraus.

„Hier! Hier ist die Fortsetzung seines blendenden Romans. Ich habe sie in Brunos Schultasche gefunden." Regines Stimme hatte nun wieder alle Weinerlichkeit verloren und enthielt blanken Zorn. „Sie hatten wirklich recht." Sie blitzte mich aus ihren tränengefüllten Augen an. „Es ist miserabel!" Mit Schwung knallte sie die Blätter vor mir auf den Tisch. „Hier beschreibt der winselnde Pinscher, wie sehr er doch beklagt, seine Frau verloren zu haben, die er so sehr geliebt hat. Mein Gott, mir ist schlecht geworden vor soviel Selbstverliebtheit. Kein einziges Wort über seine Fehler, keine Andeutung über etwas, das er falsch gemacht haben könnte. Oh nein!" Regine lachte laut und höhnisch. „Bruno Langensiep, ein Opfer seines Schicksals. Hier, nehmen Sie es mit! Ich will es nie mehr sehen!"

„Ich kann es nicht verstehen." Ich blickte Regine traurig an. „Was?"

„Warum Sie Ihrem Mann nicht mit soviel Wut begegnet sind, wie Sie hier und jetzt an den Tag legen."

„Das habe ich mich auch oft gefragt." Regine senkte ihre Stimme und spielte hektisch an ihrer Armbanduhr herum. „Manchmal war ich so wütend über meine Situation, über Bruno, über mich selbst, daß ich die Krankenschwestern auf der Station grundlos zur Schnecke gemacht habe, aber sobald ich diesem Mann gegenüberstand, war aller Zorn dahin. Die einzige Freundin, die ich habe, hat mich ständig überreden wollen, von hier wegzugehen. Laura hat mich stundenlang bekniet, das sei die einzige Chance für mich."

Laura! Regine Langensieps einzige Freundin. Langsam wurde mir klar, warum Laura in den Gesprächen mit mir so unfreundlich geworden war, wenn das Gespräch mit dem Thema Langensiep in Berührung gekommen war.

Regine fuhr fort. „Laura hat es immer gut mit mir gemeint. Aber ich wollte nicht weggehen. Wo hätte ich denn hingehen sollen? Und außerdem hatte ich doch Rainer! Und so blieb dann alles beim alten, mit Angst, Resignation, Frust. Ich sagte kein einziges Wort."

„Statt dessen machten Sie Ihrer Ehe ein Ende anderer Art, nicht wahr?" Jetzt wollte ich alles wissen, auch auf die Gefahr hin, daß mein Magen dann gleich wieder verrückt spielen würde.

„Ob Sie es mir glauben oder nicht, seitdem ich verheiratet bin, gehe ich dem Gedanken nach, was wäre, wenn mein Mann zu Tode käme." Regine bewegte sich nun unruhig zwischen Fenster und Sessel hin und her. „Am Anfang war alles noch ganz harmlos. Ich stellte mir vor, wie Bruno einen tragischen Unfall erlitt, einen tödlichen Autounfall auf der Strecke zur Schule, die beileibe nicht lang ist, einen Fehlschuß bei einer Treibjagd im nahegelegenen Wald. Oder ich dachte an eine schlimme Krankheit, Krebs am besten, oder einen Herzinfarkt. Ein tragischer Tod halt. Fast jeden Abend vor dem Einschlafen sah ich mich in einem schwarzen Kleid auf der Beerdigung meines Mannes, Beileidsbekundungen entgegennehmend, ein paar stille Tränen vergießend, dem Musikchor der Schule am Grab lauschend, doch im Herzen nur einen einzigen

Gedanken: Ich bin frei!" Regine rief mir den Satz noch einmal, jetzt lauter, zu. „Ich bin frei!" Sie verstummte. Nach einiger Zeit sprach sie weiter. „Die Gedanken an einen Mord kamen erst später. Sie dürfen nicht vergessen, ich bin Ärztin. Immer öfter machte ich mir Gedanken, welches der mir zugänglichen Gifte für einen Mord am geeignetsten wäre. Ich konnte keinen Krimi lesen, ohne darüber nachzudenken, ob das Vorgehen des Mörders nachahmenswert sei. Ich machte selbst vor Gedankenspielen mit angesägten Kellertreppen nicht halt. Vielleicht erkennen Sie", Regine schaute mich verzweifelt an, „was für ein Leben ich geführt habe! Und trotzdem", Regine holte tief Luft, „ich glaubte immer, daß ich nie zu einem Mord in der Lage sein würde." Mir lag eine Bemerkung auf der Zunge, aber ich schluckte sie herunter. „Als ich vor zwei Jahren Rainer kennenlernte, wurden meine Wunschträume immer stärker. Mein Verlangen, endlich frei zu sein, vergrößerte sich fast täglich. Es hört sich seltsam an, aber die Idee, mich scheiden zu lassen, kam mir erst verhältnismäßig spät. Vorher hatte ich wohl immer das Gefühl gehabt, ich sei vom Schicksal an diesen Mann gekettet, den ich vor Jahren geheiratet hatte. Nur der Tod würde mich aus dieser Misere wieder befreien können, hatte ich geglaubt. Gegen diesen Zustand ganz legal vorzugehen, war mir einfach nicht in den Sinn gekommen." Regine wirkte mittlerweile deutlich erschöpft. Sie war nicht nur blaß, sondern abgekämpft und resigniert.

„Irgendwann haben Sie dann aber doch mit Ihrem Mann über Scheidung gesprochen?"

„Mein Mann und Scheidung", Regine schnaubte. „Als sich bei ihm die Idee vom Neuanfang festgesetzt hatte, wollte er nichts mehr davon wissen. Schon frühzeitig hat er sich einen Anwalt genommen, nur um herauszufinden, wie er die Scheidung möglichst lange herauszögen konnte. Er wollte mich nicht verlieren. Ich war ja sein Besitz. Sein geliebter Besitz, den er an niemanden abgeben wollte." Regine stützte sich mit beiden Armen auf den Türknauf der Terrassentür und starrte nach draußen. Nach kurzer Zeit drehte sie sich wieder um.

„Nicht, daß Sie glauben, daß Rainer eine Scheidung wollte! Ganz am Anfang, als ich ihn mit diesem Gedanken konfrontierte, war er natürlich begeistert. Als die Sache ernster wurde, sah alles ganz anders aus. Rainer riet mir ab und verlangte, ich solle mir Zeit mit meiner Entscheidung lassen. Gleichzeitig entfernte er sich von mir. Er behauptete, er habe weniger Zeit. Die Wahrheit war natürlich eine andere. Er fürchtete um seine Karriere. Er wußte, daß er geliefert wäre, wenn unsere Affäre ans Licht käme, geschweige denn, wenn wir zusammenzögen oder wenn er mich als geschiedene Frau sogar heiraten würde. Rainer und ich arbeiteten am katholischen Krankenhaus. Unser Job hing davon ab. Verstehen Sie?" Ich nickte. Regines Gesicht war inzwischen aschfahl geworden. Meines sah bestimmt nicht besser aus.

„Ich setzte mir in den Kopf, daß ich frei sein müßte, wenn ich unsere Beziehung retten wollte. Frei, nicht geschieden, wenn Sie wissen, was ich meine." Ich machte mich bereit. Ich wußte, daß jetzt das Schlimmste kommen würde.

„Ich habe nicht aufgehört zu hoffen, daß das Schicksal mich von meinem Mann befreien würde. Ich habe fast jede Nacht von seinem Tod geträumt. Können Sie sich so etwas überhaupt vorstellen?" Ich reagierte nicht, und Regine erwartete auch keine Antwort auf ihre Frage. „Ich betete für seinen Tod. Ich weiß, es klingt pervers. Aber ich betete zu Gott, daß er mich aus dieser verstrickten Situation befreien sollte." Regine stand nun zwischen Fenster und Sessel. Sie hielt sich nirgendwo fest. Ihre Arme hingen herunter, wie bei einem schüchternen Kind, das ein Gedicht aufsagen soll. „Zu diesem Zeitpunkt realisierte ich noch nicht, daß Rainer mich gar nicht wollte. Er wollte ein paar schöne Stunden in der Woche, das war alles. Ich dachte immer noch, ich müßte nur frei sein, dann würde schon alles gut werden mit Rainer und mir." Regine zog die Nase hoch, als könne sie so verhindern, daß sie irgendwann in Tränen ausbrechen würde. „In der Nacht, als es passierte, hatte ich mit Bruno gesprochen. Er war erst spät am Abend zurückgekommen und saß dann noch lange im Wohnzimmer." Sie zeigte auf den Durchgang zum Nachbarzimmer. „Als er ins Schlafzimmer kam, war es etwa drei Uhr in der Nacht." Regine hob ihre Hände und legte sie an ihre Wangen, als müsse sie ihren Kopf stützen. „Er hatte sofort gemerkt, daß ich nicht schlief. Normalerweise ignorierten wir einander im Schlafzimmer, ja, eigentlich überall im Haus. Daß wir noch ein gemeinsames Schlafzimmer teilten, lag sowieso nur an meiner Unfähigkeit, mich durchzusetzen." Regine atmete tief durch und sprach weiter. „Bruno setzte sich im Bett hin und legte seine Hand an meinen Rücken." Regine sah aus, als würde ihr die Vorstellung noch jetzt Abscheu bereiten. „Ich traute mich nicht, mich zu bewegen. Ich hoffte nur, daß diese Hand verschwinden würde. Kein einziges Mal hatte Bruno versucht, körperlich Kontakt aufzunehmen, seit etlichen Jahren schon." Regine starrte auf den Fußboden vor sich.

„Was passierte weiter in jener Nacht?" Die Geschichte mußte zu Ende erzählt werden, ob ich wollte oder nicht. Regine setzte sich mir gegenüber auf einen Stuhl. Ganz gerade saß sie da, steif wie ein Brett, die Hände vor sich auf dem Tisch gefalten.

„Bruno fing ein Gespräch über unsere Ehe an. Er kam wieder auf einen Neuanfang zu sprechen, einen Neuanfang, von dem ich nichts hören wollte. Er sprach von einer Paartherapie. In Gedanken gab ich ihm Antworten, hielt ich gegen seine Argumente, doch in der Dunkelheit dieser Nacht brachte ich wieder einmal kein einziges Wort heraus. Er machte häufig lange Pausen, so daß ich glaubte, er sei vielleicht eingeschlafen. Dann sprach er plötzlich weiter. Als ich das Gefühl hatte, daß er seinen Vortrag beendet hatte, sprach ich nur einen Satz. 'Es gibt in unserer Ehe nichts zu reparieren', sagte ich, 'weil nie etwas da war, was sich zu reparieren lohnte'" Trotz der Dunkelheit im Zimmer spürte ich, daß Bruno versteinerte. Er lag da wie tot. Ich hatte wirklich das Gefühl, daß er nicht atmete. Irgendwann am Morgen stand er auf. Ich ahnte, was er vorhatte. Er wollte in den Wald. Er tat das häufig, fast jeden Sonntagmorgen. Nur brach er meist zwei Stunden später auf, so gegen neun oder zehn. Ich hörte, wie er seine Schuhe anzog, den Reißverschluß an der Jacke hochzog und das Haus verließ. Ich weiß nicht, was mich dazu trieb. Aber ich zog mir ebenfalls etwas über und folgte ihm leise. Draußen war es dunkler, als ich erwartet hatte. Ein kalter, trockener Januarmorgen eben. Ich hatte Mühe, Bruno zu folgen. Er ging zügig und fand sich im Halbdunkeln auf den Waldwegen besser zurecht als ich. Die ganze Zeit, während ich ihm folgte wie eine Katze, wußte ich nicht, warum ich es tat. Ich hatte nur eine dunkle Ahnung, ganz tief in mir, daß sich daraus etwas ergeben könnte, eine Veränderung. Es sollte etwas passieren. Der Zustand lähmen-den Abwartens sollte beendet werden." Regine schwieg. Ich ließ ihr Zeit und hielt den Atem an, um meinen Körper unter Kontrolle zu halten.

„Als Bruno sich dem Steinbruch näherte, spürte ich, daß ich etwas tun würde. Ich hatte keinen Plan. Ich wußte nicht, was ich tat, bis ich es tat. Verstehen Sie?"

Ich reagierte nicht, sondern starrte Regine nur stumm an.

„Als ich an der Lichtung vorbeikam, wo man ohne Zaun bis zum Steinbruch vordringen kann, bog ich vom Weg ab und lief bis zur Kante. Ich stellte mich ganz nah daran. Ganz nah."

„Und dann?" Meine Kehle hatte sich zugezogen, und ich brachte die zwei Worte kaum heraus.

„Ich rief ihn. Ich rief Bruno." Regines Stimme zitterte, wie auch meine Hände zitterten. „Natürlich erschrak er. Er blieb stehen und schaute sich um. Es dauerte bestimmt eine halbe Minute, bis er mich erkannt hatte und wußte, was los war. Bruno kam zu mir. 'Tu es nicht!' sagte er. Ganz ruhig sagte er das. Ich verstand gar nicht auf Anhieb, was er meinte. Erst als er es nochmal sagte, wurde mir klar, daß er meinte, ich woll-te mich in den Steinbruch stürzen." Regines Stimme wankte ein wenig. Trotzdem schien sie fest entschlossen, es zu Ende zu bringen, die Geschichte herauszulassen bis zum Schluß-punkt.

„Ich sagte nichts, sondern stand nur dort. Er kam langsam auf mich zu. Er wollte mich nicht erschrecken. Schritt für Schritt kam er mir näher. Ich hörte seinen Atem schon, als er noch ein paar Meter von mir entfernt war. Dann war er nur noch einen Schritt vor mir. Ich wartete." Regine machte eine Pause.

„Nein!", sagte ich leise. Regine hörte mich gar nicht. Sie sprach abgehackt weiter.

„'Ich tue es' sagte ich zu Bruno. Dann machte er den letzten Schritt. Es ging alles unglaublich schnell. Er wollte mich fassen, doch in dem Moment, da er seinen letzten Schritt machte, sprang ich zur Seite weg. Gleichzeitig stieß ich mit beiden Händen zu." Regines Stimme war hysterisch geworden.

„Er fiel. Er fiel und fiel. Ich hörte nichts. Keinen Schrei, kein Stöhnen. Nur plötzlich ein dumpfes Geräusch. Nichts weiter. Er hat mich nicht festgehalten. Er wollte fallen. Er wollte fallen. Er hat mich nicht festgehalten!" Regines Stimme überschlug sich. „Er, er wollte doch sterben, oder nicht?" Ihre Stimme verstummte, und sie ließ sich nach hinten gegen die Rückenlehne ihres Stuhls prallen. Es war still. Totenstill. Sie saß da. Sie sagte nichts mehr. Sie weinte auch nicht. Sie saß nur da, den Blick stur geradeaus gerichtet, in einer anderen Welt. Wir schwiegen. Die Zeit verrann, während ich versuchte, alles zu verdrängen. Nur nicht denken. Nur nicht denken! Ich wußte nicht, ob es Minuten oder Stunden waren, die wir still da saßen, nur zwei Meter voneinander entfernt, und doch war die Stille zwischen uns unendlich.

„Gehen Sie jetzt!" Sie sagte es, ohne mich anzusehen.

Ich stand auf. „Und Sie?" Meine Stimme klang kehlig, als sei ich in kurzer Zeit heiser geworden.

„Ich bin allein. Rainer hat mich verlassen. Er wollte mich gar nicht. Auch nicht, als ich frei war. Frei!" Regine machte eine kleine Pause. „Ich werde jetzt eine Tasse Kaffee trinken, und dann fahre ich zur Polizei." Nichts konnte mich mehr erstaunen. Ich ging zur Tür. Als ich mich umwandte, saß Regine noch immer an ihrem Platz, als wolle sie ihn nie mehr räumen. Sie schien weiterhin in Gedanken versunken.

„Regine", sagte ich und sie schaute hoch, als ich sie ansprach, „ich habe nichts. Nur Worte!"

Es mußten Stunden vergangen sein, bis ich endlich zu Hause ankam. Ich war in der Gegend herumgefahren, war ausgestiegen und zu Fuß durch nasse Wiesen gelaufen. Meine Füße waren naß und kalt, aber das machte mir nichts aus. Leer war mein Kopf, zu keinem klaren Gedanken mehr fähig. Ich sah Max erst, als ich beinahe in ihn hineingelaufen wäre. Er saß auf der letzten Stufe vor meiner Wohnungstür, den Kopf in die Hände gestützt.

„Vincent." Er richtete sich auf und sah mich ernst an. „Was ist mit dir los? Du bist ja kalkweiß." Ich antwortete nicht und stand müde da, in der Hoffnung, daß Max mich endlich durchlassen würde.

„Vincent, ich muß dir etwas sagen!" Jetzt erst bemerkte ich, daß auch Max mitgenommen aussah. Er druckste herum.

„Wie soll ich sagen. Es ist ein schlimmer Unfall passiert." In meinem Kopf gingen Signalzeichen los.

„Regine Langensiep hatte einen Unfall. Sie ist – du kennst sie, nicht wahr?" Meiner Kehle entsprang nicht mehr als ein Krächzen.

„Ist sie, ist sie tot?" Max nickte stumm. In mir sank alles zusammen, ich war zu nichts mehr fähig. Sie war tot.

„Vincent!" Max kam einen Schritt auf mich zu und umfaßte meinen linken Arm. „Nachbarn haben deinen Wagen vor Langensieps Haus gesehen, kurz bevor der Unfall passierte. Die Polizei ist dem Autokennzeichen nachgegangen und sucht dich." Er blickte mich ernst an. In mir formte sich ein Klumpen, den ich nicht mehr lange würde aushalten können. „Sie untersuchen noch, ob es ein Unfall war. Ich meine –" Max suchte verzweifelt nach den richtigen Worten. „Der Mann ist ja vor kurzem schon so seltsam zu Tode gekommen. Und jetzt die Frau. Außerdem passierte der Unfall auf gerader Strecke ohne ein weiteres Fahrzeug. Die Unfallursache ist einfach nicht klar, weil sie ohne erkennbaren Anlaß in einen Baum reingefahren ist. Aber wahrscheinlich wird sich alles bald aufklären." Max versuchte aufmunternd zu sprechen. „Es ist einfach so, man möchte mit dir sprechen. Ich glaube, es ist das beste, du gehst von dir aus zur Polizei! Meinst du nicht?"

Ich lehnte mich an die Wand im Flur und sagte kein Wort. Es dauerte ein paar Minuten, dann ging es mir besser. Max hockte auf den Stufen und sah mich nicht an. „Das Leben ist manchmal dunkel!" sagte er plötzlich. „Glaub mir, ich weiß, wovon ich spreche." Dann nahm er mir den Wohnungsschlüssel aus der Hand und verschwand. Eine Minute später stand er vor mir und reichte mir ein Glas Wasser. Ich trank es dankbar aus.

„Ich fahr dich jetzt aufs Revier."

Im Auto knisterte Max' Funkgerät ständig vor sich hin und spuckte Fetzen einer unverständlichen Stimme aus. „Taxifahren ist ein toller Beruf", sagte ich plötzlich „man hat das Gefühl, man ist nie alleine."

„Taxifahren ist ein beschissener Beruf", murmelte Max, „man hat das Gefühl, man ist immer alleine."

„Willst du mir etwas erzählen?" fragte ich vorsichtig.

„Nicht heute", meinte Max nach kurzem Zögern, „vielleicht, wenn wir die berühmte Packung Jodsalz zusammen gegessen haben. So lange mußt du schon bleiben!"

Dann schwiegen wir und lauschten dem Geknister des Funkgeräts. Kurz bevor wir die Polizeidienststelle erreichten, brach Max das Schweigen.

„Alexa war heute da." Trotz allem freute es mich, Alexas Namen zu hören. „Ich war gerade mit dem Taxi angekommen, als sie auf die Straße trat. Sie hatte bei dir geschellt, aber du warst nicht da. Ich soll dir etwas ausrichten." Max hielt an. Wir standen vor dem Polizeigebäude neben einer Pommesbude. „Sie fragte, was dein Freund Robert mit diesem Feldhausen zu tun habe. Sie hat ihn wohl von Feldhausens Grundstück wegfahren sehen und Feldhausen danach gefragt." Ich fuhr herum.

„Alexa meinte, als Feldhausen gehört habe, daß Robert ein Bekannter aus Köln sei, habe er reagiert, als sei er dem Teufel leibhaftig begegnet." Ich starrte Max an. Meine Hände zitterten wie Espenlaub.

„Wann, wann war das?" Ich konnte vor Aufregung kaum sprechen. Max blickte auf die Uhr.

„Vor einer Stunde ungefähr."

„Und wo ist Alexa jetzt?"

„Sie wollte noch kurz in der Praxis vorbei und dann nach Hause. Das hat sie jedenfalls gesagt. Vincent, was ist denn los mit dir?"

„Wir müssen dahin!" Ich drehte fast durch vor Aufregung. „Wir müssen zu Alexa! Sie ist in Gefahr! Feldhausen wird sie bedrohen." Ich schüttelte panisch Max' Arm. „Los, fahr schon!"

Max überlegte kurz. Dann beugte er sich über mich und öffnete die Beifahrertür. „Ich fahre erst, wenn du ausgestiegen bist. Geh jetzt zur Polizei! Du kippst sowieso eher um, als nützlich zu sein." Er schob mich aus dem Auto. „Mach dir keine Sorgen!" rief Max mir durch das Autofenster zu. „Ich schaffe das schon alleine!"

Da stand ich wie ein begossener Pudel, während noch Max' quietschende Reifen zu hören waren, als er längst um die Kurve gefahren war.

32

Alexa war schlecht gelaunt, als sie auf dem Seitenstreifen der kleinen Anliegerstraße einparkte. Erst war das ganze Wochenende anders gelaufen, als sie gehofft hatte, dann hatte sie Vincent nicht erreicht und dann war ihr auch noch Hasenkötter über den Weg gelaufen, als sie nur kurz etwas aus der Praxis hatte holen wollen. Das war für einen ungemütlichen Sonntagabend, an dem man eigentlich zu zweit vor einem muckeligen Kamin sitzen sollte, einfach zuviel. Alexa warf einen Blick in den Autospiegel und stöhnte. Der Anblick gab ihr den Rest. In diesem Zustand würde sie nicht einmal in einer Agentur für Langzeit-Partnersuchende als Mitglied aufgenommen werden, geschweige denn jemals den richtigen Mann zum Kaminanmachen betören. Sie nahm ihre Reisetasche und überquerte seufzend die Straße. Die letzten Stunden vor Beginn der neuen Woche würden sich wohl wieder einmal nicht wie in einem Julia Roberts-Film gestalten. Statt dessen würde sie mit Gordons Gesellschaft vorliebnehmen. Der schwarze, zottelige Mischlingshund, der Alexa bis an den Oberschenkel reichte, trottete brav neben ihr her. Sie hatte ihn mitnehmen müssen, da bei ihren Eltern sowieso schon alles drunter und drüber ging. Der arme Hund! Die Woche würde nicht allzu unterhaltsam für ihn werden. Als Alexa die Tasche an der Haustür abstellte, um nach dem Schlüssel zu kramen, streichelte sie Gordon flüchtig am Hals. Er schmiegte sich genüßlich an ihr Hosenbein. Als die Haustür aufsprang, sah Alexa sofort die Veränderung im Treppenhaus. Die Fenster waren verrammelt und verriegelt, und das Damenfahrrad, das sonst an der Wand stand, war weggeräumt worden. Jetzt fiel es Alexa wieder ein. Die Essers wollten eine Woche bei ihrem Sohn in München verbringen. Zu diesem Zweck war das Haus wohl niet- und nagelfest gemacht worden. Alexa war ganz froh. Dann mußte sie sich wenigstens nicht jeden Tag dreimal für Gordons Anwesenheit entschuldigen. Sie stapfte müde die Treppen hinauf, wobei sich Reisetasche und Gordon etliche Male ins Gehege kamen. Als sie endlich in ihrer kleinen Wohnung angekommen war, ließ sie sich erschöpft auf einen Sessel fallen. Gordon lief aufgeregt in den zwei Zimmern umher, um alles bis ins Detail zu untersuchen. Als er sich vergewissert hatte, daß alles beim alten war, suchte er sich sein Plätzchen unter dem Eßtisch und machte es sich dort bequem. Alexa lag in ihrer schweren Wachsjacke im Sessel und schloß die Augen. Der flackernde Kamin fiel ihr wieder ein. Die Tatsache, daß sie wußte, mit wem sie am liebsten davor sitzen würde, machte ihre Träume nicht gerade angenehmer. Es machte sie eigentlich nur noch unzufriedener. Sie seufzte und öffnete die Augen. Was sie dort zu sehen bekam, war nicht gerade einem Schöner-Wohnen-Heft entnommen. In der Wohnung herrschte das Chaos. Kleidungsstücke lagen herum, weil sie den morgendlichen Anprobetest nicht bestanden hatten und kurzfristig hatten entsorgt werden müssen. Auch ein Blick durch die geöffnete Küchentür offenbarte Schreckliches. Alexa würde Stunden brauchen, um die Küche in einen Zustand zu versetzen, der den Normen des Gesundheitsamtes entsprach. Es war wohl besser, die Augen wieder zu schließen. Erst das Klingeln riß Alexa aus ihrem Dämmerzustand. Gordon sprang unter dem Tisch hervor, stellte sich an die Tür und wedelte mit dem Schwanz. Alexa schaute auf die Uhr. Gerade acht, beste Tagesschauzeit!. Sie überlegte einen Augenblick. Ob es wohl der Kaminanzünder war? Eilig schob sie mit dem Fuß ein paar Kleidungsstücke unter das Sofa und schloß die Tür zur Küche. „Los, verschwinde, Gordon!" Alexa zeigte mit dem Arm auf seinen Platz unter dem Tisch. „Bei deinem Anblick bricht einem Fremden ja der Schweiß aus." Im Haus gab es keine Sprechanlage, deshalb lehnte sich Alexa über das Geländer, nachdem sie den Türsummer betätigt hatte. Ein männliches Wesen war schon mal zu erkennen, so daß Alexas Herz hüpfte. Als besagtes Wesen jedoch den Kopf hob, beendete das Herz die Turnübungen auf Anhieb.

„Ich hoffe, ich störe nicht!" Dr. von Feldhausen war wie immer ganz der Gentleman.

„Nicht direkt", Alexa wußte nicht, wie sie sich ausdrücken sollte, „wenngleich Ihr Besuch etwas überraschend ist." Feldhausen war inzwischen die Treppe heraufgekommen.

„Darf ich eintreten?" Alexa verkniff sich die Frage, ob er sein Pferd zur Untersuchung in der Jackentasche hatte.

„Ja, also, ich meine, hier sieht es etwas unaufgeräumt aus." Alexa strich sich verwirrt ein paar Strähnen aus dem Gesicht, während sie beim Eintreten die Reisetasche in die Zimmerecke schoß. „Wissen Sie, ich bin gerade erst zurückgekommen. Ich war das ganze Wochenende nicht da."

„Ich weiß." Von Feldhausen ließ seinen Blick durchs Zimmer streifen. Er genoß ihren überraschten Blick. „Ich habe schon häufiger versucht, Sie zu erreichen."

„Was ist los? Ist etwas mit Ihrem Pferd?" Alexa zog sich endlich die Jacke aus und hängte sie über den Schaukelstuhl, der in der dunkelsten Ecke plaziert war.

„Nein, nein, ich bin in einer anderen Sache hier." Alexa stöhnte innerlich. Das Ganze schien ein ausgedehntes Psychogespräch zu werden. Wahrscheinlich wollte Feldhausen mit ihr die verschiedenen Phasen seiner Melancholie erörtern.

„Wollen Sie sich nicht setzen?" Alexa ließ sich wie als Vorbild auf ihren Sessel plumpsen.

„Nein danke, ich stehe lieber." Das war Alexa auch recht. Vielleicht würde das die ganze Aktion verkürzen. Andererseits machte es sie nervös, wie Feldhausen in seinem Mantel da stand und die Bilder im Zimmer musterte. Seine Selbstsicherheit ging ihr verdammt auf die Nerven. Viel mehr ärgerte sie jedoch, daß er aus dem Anlaß seines Besuchs ein solches Geheimnis machte. Alexa trotzte und lehnte sich in ihrem Sessel zurück, als sei es ihr egal, wie lange das Spielchen noch dauerte.

„Es geht um Ihren Bekannten." Feldhausens Eröffnung kam wie beiläufig. Hatte sie es sich doch gedacht! Feldhausens Reaktion auf dem Hof war zu auffällig gewesen. Irgendetwas an dieser Sache mußte faul sein. Alexa wartete ab. Von Feldhausens Blick klebte an einem Druck von Picasso, der neben der Tür hing. Es war eine Kohlezeichnung eines eng verschlungenen Paares. Feldhausen schaute Alexa nicht an, als er mit ihr sprach. „Ich nehme an, Sie wissen, wen ich meine."

Unheimlich cool. Gab sich total unbeteiligt und brodelte innerlich. Alexa war sich sicher, daß der ruhige Feldhausen gleich explodierte, wenn sie nicht reagieren würde.

„Ich schätze, Sie reden von dem jungen Mann, dem ich vorgestern auf Ihrem Grundstück begegnet bin."

„Um genau den geht es. Diesen Robert", Feldhausen drehte sich jetzt langsam zu Alexa um. „Mich interessiert eine Kleinigkeit, die für meine Geschäfte mit jenem jungen Herrn wichtig sind." Von Feldhausen bemühte sich augenfällig, sehr langsam zu sprechen. „Bei welchem Ihrer Bekannten haben Sie ihn kennengelernt?"

Alexa glaubte jetzt zu wissen, was im Busch war. Robert hatte sich als ein anderer ausgegeben, als er wirklich war. Was wurde hier eigentlich gespielt?

„Herr Dr. von Feldhausen, warum machen Sie mit einem Mann Geschäfte, dem Sie nicht ausreichend trauen?" Die Antwort traf Feldhausen hart. Er hatte keine Gegenwehr erwartet. Es dauerte einen Moment bis er seine weitere Strategie parat hatte.

„Sie können mir glauben, daß unsere Geschäfte nichts Anrüchiges haben. Dennoch liegt mir viel daran zu wissen, zu wem mein Partner in der Umgebung noch Kontakt pflegt."

Für wie blöd hielt dieser Feldhausen sie eigentlich? „Wenn Ihnen so viel daran liegt, dann fragen Sie ihn doch selbst!"

Alexa sagte das in einem Ton, der das Thema als erledigt kennzeichnete.

Feldhausens Ton wurde schärfer. „Frau Schnittler, ihre mangelnde Kooperationsbereitschaft könnte sich negativ auf eine andere Art von Geschäftsbeziehung auswirken, nämlich auf die zwischen Ihrer Praxis und meinem Reiterverein." Feldhausen sah sie scharf an. Alexa wich seinem Blick nicht aus.

„Aber, aber, Sie wollen mir doch nicht etwa drohen? Im übrigen besitze ich keine Praxis und Sie keinen Reiterverein. Lassen Sie doch diese lächerlichen Andeutungen aus dem Spiel!"

„Das ist kein Spiel!" Die Bombe war geplatzt. „Sagen Sie mir jetzt auf der Stelle, wo Sie diesen Kerl kennengelernt haben!"

Feldhausen schäumte fast über vor Wut. Alexa wurde es mulmig. „Ich sage überhaupt nichts. Wenn Ihnen mein Bekannter nicht sagen wollte, wer er ist und mit wem er Umgang pflegt, sehe ich nicht ein, warum ich es tun sollte."

„Sie werden es tun! Und zwar jetzt sofort!" Feldhausen kam auf sie zugestürmt. Er war gewandter als sie gedacht hatte. Noch gewandter war allerdings Gordon. Er benötigte nur einen Satz, um Feldhausen entgegenzuspringen. Der Hund faßte Feldhausens Arm noch bevor dieser Alexa erreicht hatte. Alexa sprang erschrocken zur Seite. Feldhausen brüllte, doch sie rief Gordon nicht zurück.

„Was ist hier überhaupt los?" schrie Alexa aufgebracht. „Warum wollen Sie das von mir wissen?" Gordon riß wie wild an Feldhausens Arm.

„Nehmen Sie den Hund zurück!" Feldhausens Stimme war panisch. „Nehmen Sie schon den Hund zurück!"

„Was ist vorgefallen? Erzählen Sie! Ich nehme den Hund nicht zurück, bis Sie erzählt haben." Auch Alexa mußte schreien, um das Knurren von Gordon und das Wimmern von Feldhausen zu übertönen.

„Den Hund! Nehmen Sie den Hund weg!"

„Zuerst erzählen!"

„Er hat mich ausgequetscht." Feldhausen japste beim Sprechen. Gordon hatte sich festgebissen. „Er hat sich als Cousin von Langensiep ausgegeben." Alexa verstand kein Wort. „Er hat getan, als wisse er von meinen Schulden und daß ich spiele und – jetzt nehmen Sie den Hund weg! Bitte!"

„Gordon! Zurück!" Gordon schaute sie fragend an und blieb mißtrauisch nur einen halben Meter vor Feldhausen stehen. Der ließ sich wimmernd auf einen Sessel fallen. Der Ärmel seines Mantels war zerfetzt.

„Ich bin verletzt! Dieser verdammte Hund hat meinen Arm verstümmelt."

„Zeigen Sie mal her!" Alexa riß den Ärmel des Mantels auf, während Feldhausen sein Gesicht in seinem anderen Arm verbarg. Alexa schob den Ärmel des Jackets und das Hemd hoch.

„Halb so schlimm!" Die Wunde war nicht sehr tief. Die Kleidung hatte das meiste abgehalten. Trotzdem saß Feldhausen da wie ein Häufchen Elend und schluchzte. „Warten Sie einen Moment, ich versorge Ihren Arm!" Gordon traute dem Braten nicht. Er setzte sich direkt vor Feldhausen hin und behielt ihn zähnefletschend im Auge. Als Alexa mit Verbandszeug zurückkam, hatte Feldhausen sich keineswegs beruhigt.

„Sind Sie Tetanus geimpft?" Feldhausen grunzte. „Ach, was frage ich. Sie sind Reiter. Ich desinfiziere zuerst die Wunde."

Feldhausen schrie auf, als Alexa die Wunde säuberte und behandelte. Als sie einen Verband anlegte, beruhigte er sich etwas.

„Sie sind jetzt o.k., jedenfalls, was den Arm angeht." Feldhausen hatte den Kopf weit in den Nacken gelegt. Alexa setzte sich vor ihn hin auf den Boden. Keiner sagte etwas. „Sie brauchen Hilfe", flüsterte Alexa dann, „Sie brauchen unbedingt Hilfe."

Als es zum zweiten Mal schellte, konnte sich Alexa darüber kaum mehr wundern. Während sie die Tür öffnete, nahm Gordon wieder seine Bewacherposition vor Feldhausen ein. „Gordon, es ist jetzt gut." Der Hund kam zu ihr gelaufen, während sie im Treppenhaus auf den zweiten Überraschungsgast des Abends wartete. Dieser kam aufgeregt die Treppe heraufgestürmt.

„Ist alles klar?"

„Max, du bist es!" Als Max Alexas Stimme hörte, beruhigte er sich.

„Ich dachte schon, du hättest ungebetenen Besuch empfangen. Vincent glaubte, du könntest in Gefahr geraten, wenn dieser –"

Alexa unterbrach ihn. „Wenn Herr Dr. von Feldhausen mich mit seiner Anwesenheit beehrt?" Sie drehte sich um, um sich zu vergewissern, daß ihr Gast weit genug entfernt war. „Nun, selbiger flegelt sich gerade in meinem Sessel herum, nachdem er mir in einem Anfall neuerlicher Melancholie sein Herz ausgeschüttet hat."

„Mein Gott", Max erbleichte, „und dir ist nichts passiert?"

„Am Anfang war er etwas ungehalten, aber Gordon hat ihn zur Vernunft gebracht." Sie klopfte ihrem Liebling die Seite. Alexa deutete nach hinten. „Inzwischen ist er so anhänglich, daß ich nicht weiß, wie ich ihn wieder loswerden soll."

„Puh!" Max blies drei Liter Luft aus und lehnte sich an das Treppengeländer.

„Du kannst dir ja nicht vorstellen, was heute schon alles los war! Regine Langensiep, die Frau eines verstorbenen Elli-Lehrers, ist bei einem Autounfall ums Leben gekommen, von dem man noch nicht so genau weiß, ob es ein Unfall war. Und da Vincent kurz vorher bei der Dame zu Gast war, wollte sich die Polizei mal mit ihm unterhalten."

Alexa starrte Max entsetzt an. „Verstehe ich dich richtig? Steht Vincent unter Verdacht, damit irgendetwas zu tun zu haben?"

„Das kann man so nicht sagen." Max druckste herum. Er kam nicht dazu, das weiter auszuführen. Alexa rannte in die Wohnung und kam mit ihrer Jacke zurück.

„Ich muß weg!" keuchte sie. „Max, wenn du mir einen Gefallen tun willst, dann bugsiere unseren Gentleman aus meiner Wohnung. Aber vorsichtig, er ist noch ziemlich verstört. Und du kommst mit, Gordon! Hopp!"

Max blieb keine Zeit für eine Antwort. Die Haustür schnappte bereits ins Schloß. „Also, irgend etwas läuft hier falsch," dachte Max stirnrunzelnd, „wer hat mir eigentlich in dieser Komödie die Rolle des Butlers zugeteilt?"

33

Alexa sah die Gestalt, die kauernd auf der Leitplanke saß, sofort. Sie parkte den Wagen am Straßenrand und ging langsam darauf zu. Es hatte einiger Überredungskünste bedurft, bis dieser Inspektor Bockmann ihr den Unfallort genannt hatte. Zuerst war er mißtrauisch gewesen und hatte gefragt, ob sie mit der Toten bekannt gewesen sei. Erst als sie behauptet hatte, Vincent Jakobs Schwester zu sein, hatte er nachgegeben. Alexa hatte geahnt, daß er hier war. Wenn er von der Polizei aus nicht nach Hause gegangen war – und dort hatte sie schließlich nachgesehen – dann mußte er hier sein. Er hatte sie immer noch nicht erkannt. Selbst, als sie fast unmittelbar vor ihm stand, reagierte er nicht.

„Vincent! Ist alles in Ordnung?"

„Alexa!" Seine Stimme klang heiser, aber erfreut.

„Ich habe dich schon gesucht."

„Daß du gekommen bist. Ich, ich –"

„Ist ja gut!" Er lehnte seinen Kopf an ihre Schulter und sie streichelte ihm übers Haar.

Alexa wußte nicht, wie lange sie so gestanden hatten. Sie merkte nur, daß sie steifgefroren war.

„Komm, laß uns zum Auto gehen!" sagte sie. Schlotternd liefen sie das Stück und kletterten in ihren alten Fiat. Vincent ließ sich seufzend in den Beifahrersitz fallen.

Der Überfall kam plötzlich und unerwartet. Vincent glaubte, ihm würde die Luft wegbleiben.

„Gordon, verschwinde!" Durch einen Wust von Fell hörte er Alexas Stimme.

„Was ist das für ein Monster?" Immer noch hatte Vincent das unförmige Knäuel auf seinem Schoß, so daß er zu ersticken glaubte.

„Das ist kein Monster, sondern mein Hund Gordon, der dich begrüßen will. Beschimpf ihn nicht! Er hat mich eben vor dem übereifrigen Ignaz von Feldhausen beschützt."

„Na gut, Krümelmonster, bleib sitzen! Auch wenn die Schäden, die du an mir anrichtest, von Dauer sein werden."

„Magst du keine Hunde?"

„Wie kannst du das fragen?" Vincent schaute sie düster an. „Ist dir nicht bekannt, daß ich einst gerne mit dem Hund meiner Wirtin spazierenging?"

„Hör auf mit der Geschichte!"

Vincent ließ sich nicht aus dem Konzept bringen. „Außerdem hatte ich als Schuljunge einen Yorkshireterrier namens Hugo."

„Hugo? Wie konntest du dem Hund so einen Namen geben?"

„Es war mehr eine Abkürzung. Eine Zusammensetzung aus Hund und Golfball."

Alexa lachte, dann wurde Vincent wieder ernst.

„Auch wenn ich jetzt hier rumflachse – ich fühle mich denkbar beschissen. Außerdem bin ich dir, glaube ich, die ein oder andere Erklärung schuldig."

Und dann erzählte Vincent. Alle Kleinigkeiten, alle Schnüffeleien. Alexa hörte mit großen Augen zu. Als er geendet hatte, sagte sie zunächst gar nichts. Dann schaute sie Vincent unwillig an.

„Warum hast du denn nicht eher davon erzählt?"

Vincent druckste herum. „Ich kam mir einfach zu blöd vor. Es erschien mir, als wären Leo und ich in die Phase zurückgefallen, in der man mit den Nachbarskindern Sherlock Holmes und Dr. Watson spielt."

Er schaute plötzlich hoch. „Aber was ist mit dir passiert? Hat Max dich nicht mehr rechtzeitig erreicht?"

„Ganz reizend, daß du dich auch nach mir erkundigst. Wie ich schon sagte, Gordon hat Feldhausen zur Vernunft gerufen. Dein lieber Freund Max kam nur noch, um ihn in meinem Sessel zu beaufsichtigen. Wahrscheinlich melancholiert Feldhausen immer noch dort vor sich hin, während Max gerade ein gutes Buch liest. Vielleicht haben sich die beiden ja auch was Nettes gekocht und sitzen jetzt in trauter Zweisamkeit vor meinem Fernseher."

„Vielleicht sollten wir uns dazusetzen?" Vincent grinste.

„Gute Idee! Und vielleicht haben Sie uns auch noch etwas zu essen übrig gelassen." Alexa startete den Motor, und Gordon schleckte Vincent vor Freude zweimal durchs Gesicht.

34

Es war ein ekelhaftes Gefühl. Feucht, schlabbernd, schmatzend. Ich fragte mich, woher ich dieses Gefühl kannte. Dann dämmerte es mir, und ich riß die Augen auf. Tatsächlich, das Monstervieh stand schon wieder vor mir und schien sich an meinen Geschmack gewöhnt zu haben. Ich schob es zur Seite und versuchte einen klaren Gedanken zu fassen. Zweifellos lag ich in einem Sessel unter einer übelriechenden Decke, während das Monster schwanzwedelnd und grinsend vor mir stand. In meiner Nähe schnarchte noch ein anderes Lebewesen. Ich fuhr herum. Es war Max, der es sich auf dem Sofa bequem gemacht hatte. So langsam dämmerte mir, was geschehen war. Wir waren zu Alexas Wohnung gefahren, wo wir Max angetroffen hatten. Er hatte es nach zwei Stunden Zuhören geschafft, Ignaz von Feldhausen zum Abrücken zu bewegen, und war gerade auf dem Weg zu seinem Auto. Er stand noch ziemlich unter Hochspannung, so daß Alexa und ich ihn überredeten, eine Flasche Wein zusammen zu trinken. Ich erinnerte mich dunkel, daß beim besten Willen kein Wein in Alexas Wohnung aufzutreiben war. Statt dessen hatte unsere holde Gastgeberin dann diese Flasche Weizenkorn in der Küche gefunden, die sie bei einem nächtlichen Hausbesuch von einem Bauern geschenkt bekommen hatte. Ich fluchte, mein Kopf hämmerte und ich schloß die Augen. Dann fuhr ich hoch. Es war ja schon hell!

„Wie spät ist es? Wie spät ist es?" Ich brüllte Max an, anstatt auf meine eigene Uhr zu schauen.

„Weiß der Geier!" Max' Stimme war nahezu unverständlich.

„Es ist zwanzig vor acht." Mich überkam Hysterie. „Ich muß in die Schule. Sofort, ich muß in die Schule!" Panisch lief ich um den Sessel, in dem ich genächtigt hatte.

„Los, ich will ein Taxi!" bölkte ich Max an. Dessen Blick schwankte zwischen völligem Unverständnis und temporärer Verwirrtheit.

„Max", ich verlegte mich jetzt aufs Flehen, „heute ist mein erster Arbeitstag. In genau neunzehn Minuten beginnt mein Unterricht. Du mußt mich zur Schule bringen. Ich bitte dich!"

Max fing immerhin an sich zu räkeln und hatte die Augen nun schon länger als zwanzig Sekunden am Stück auf. In mir keimte Hoffnung auf.

„Los, Max!" Ich nahm seinen Ellebogen und zog ihn hoch.

„Ja ja, ich komm ja schon, ich such nur meine Brille." Er fand sie auf dem Radio. Als er sie aufgesetzt hatte, grinste er mich an. „Sag mal, willst du so in die Schule?" Mir rutschte das Herz in die Hose. Natürlich, ich mußte aussehen wie drei Wochen nicht gebadet. Meine Kleidung zerknittert und mein Gesicht unrasiert. Eine neue, heftigere Welle der Panik überkam mich.

„Ich muß zuerst nach Hause!" brüllte ich. „Komm, Max! Ich will nach Hause!" Eine Tür öffnete sich, und Alexa taperte herein. Sie sah unendlich verschlafen und zugleich umwerfend aus. Ihre rötlich schimmernden Haare waren ein einziges Kuddelmuddel, und sie trug etwas, das wie ein riesig großes Männerhemd aussah und kurz über ihren Knien endete. Mein Drang, sie einfach in den Arm zu nehmen, erledigte sich, als sie mißmutig ihre Augen rieb und fragte, wer hier denn solch einen Krach veranstalte.

„Es ist nur Vincent!" antwortete Max trocken. „Er bildet sich ein, er könne noch in Ruhe duschen und seinen Unterricht vorbereiten, aber trotzdem in zehn Minuten an der Schule sein.

„Ach, ist es schon so spät?" Alexa blickte erstaunt auf ihren Arm und brauchte einige Zeit, um zu bemerken, daß sie gar keine Uhr trug.

„Max, du mußt mich zuerst nach Hause fahren!" Ich war jetzt der Verzweiflung nahe. „Ich kann unmöglich so vor die Schüler treten. Außerdem habe ich meine ganzen Schulsachen nicht hier!"

„Was ist dir nun lieber?" Max schaute mich genervt an. „Mit leichten Mängeln, aber pünktlich in der Schule? Oder komplett und geschniegelt, aber leider unentschuldigt erst zur zweiten Stunde?"

Ich überlegte ernsthaft. „Das erste", murmelte ich kleinlaut.

„Dann komm!" Max nahm seine Jacke und ging. Ich stürmte eilig in das Badezimmer, an das ich mich vom Vorabend her noch vage erinnern konnte, wusch mich ein wenig, schluckte eine halbe Tube Zahnpasta, sprühte mir etwas Parfum an, das auf der Ablage stand, und hastete los. Ich sah, daß Alexa im Halbschlaf mit einer Kaffeemaschine kämpfte. Ich hielt einen Moment inne, um ihren Anblick mit in die Schule zu nehmen.

„Bist du enttäuscht, daß ich schon los muß?" Meine Frage hörte sich sicherlich nur ein ganz klein bißchen hoffnungsfroh an.

„Nee, dann kann ich wenigstens in Ruhe Kaffee trinken!"

Ich schnappte meine Jacke. An der Tür drehte ich mich noch einmal um.

„Weißt du, Alexa, was ich an dir so liebe?" Den verschlafenen Blick, den meine Göttin mir zuwarf, konnte man nicht gerade als neugierig betrachten.

„Es ist deine unschlagbare Direktheit. Wenn das eine sauerländische Eigenart ist, mußt du einen astreinen Stammbaum haben."

Max pfiff von unten, und ich rannte los, die Treppen hinunter. Als ich den Griff der Haustür in der Hand hielt, hörte ich von oben Alexas Stimme.

„Und weißt du, was ich an dir so liebe?" Ich stand ganz starr und antwortete nicht.

„Deinen unheimlich scharfen, runden Puschelpopo!"

35

„Sie ist mein Schicksal", sagte ich noch, bevor ich am Schultor aus dem Taxi stieg. „Das hat es in meinem Leben noch nie gegeben. Hast du das gehört? Ich habe einen unheimlich scharfen, runden Puschelpopo. Die Frau ist mein Schicksal." Max schüttelte nur den Kopf und fuhr ab.

Den Weg über den Parkplatz nahm ich im Dauerlauf. Die Schule sah völlig verändert aus, jetzt da Hunderte von Schülern sich vor allen Eingängen, in Fluren und Klassenräumen aufhielten. Der Geräuschpegel, den diese Scharen verursachten, war enorm. Eilig bahnte ich mir einen Weg durch die Schülermassen. Es blieb mir nichts anderes übrig, als das Lehrerzimmer aufzusuchen, da ich keinen blassen Schimmer hatte, wo in meiner ersten Stunde der Unterricht stattfinden würde. Immer gleich vier Stufen auf einmal nehmend hastete ich nach oben, lief über den Flur und warf die Tür zum Lehrerzimmer auf. Innen war es totenstill, mal abgesehen von der Stimme Schwester Wulfhildes, die gerade eine Rede hielt. Alle Augenpaare richteten sich auf mich, der ich, fast im Erdboden verschwindend, einen Schritt in den Raum machte.

„Und so hoffe ich, daß auch die kommende Unterrichtsperiode von der Harmonie geprägt sein wird, die in der Vergangenheit unser Lehrerkollegium beherrscht hat. Da sehe ich ja auch gerade unseren neuen Kollegen, Herrn Vincent Jakobs, hereinkommen, der von nun an Geschichte und Deutsch unterrichten wird. Herr Jakobs ist in Wallendorf am Niederrhein geboren, hat in Köln studiert und in Leverkusen seinen Referendardienst angetreten. Er wird hier zum ersten Mal eine Stelle als Lehrer wahrnehmen."

Vergeblich versuchte ich, mein unrasiertes Kinn hinter meiner Hand zu verbergen.

„Ich hoffe, unser junger Kollege wird sich bald in unserem Kreise wohl fühlen. Und jetzt werde ich Sie nicht länger aufhalten", Wulfhilde blickte wie zur Bestätigung auf ihre

Uhr, „in zwei Minuten beginnt der Unterricht, meine Herrschaften."

Es folgte ein kleiner Applaus und ein allgemeiner Rummel. Einige Kollegen verließen das Lehrerzimmer, andere unterhielten sich noch, während ich mich zum Schwarzen Brett durchkämpfte, wo die Lehrerstundenpläne ausgehängt waren. '10a, R242', da hatte ich es endlich gefunden. Wenn ich jetzt noch wüßte, wo R242 war. Ich blickte mich verzweifelt um, bis ich endlich Leo auf mich zuschlendern sah.

„Hallo Vincent!" Er klopfte mir auf die Schulter und musterte mich dann. „Nichts für ungut, aber machst du gerade den Test, ob man dich trotzdem liebt?"

„Wieso?" fragte ich trotzig.

„Du stinkst wie verschimmelt und trotzdem in Damenparfum getaucht."

„Herrgott, ich hab nur unter einer Hundedecke geschlafen." Leo sah mich fragend an.

„Es gibt viel zu erzählen, aber jetzt reicht die Zeit nicht", flüsterte ich ihm zu. „Sag mir erstmal, wo Raum 242 ist!"

„Komm mit, ich muß auf denselben Flur." Ich folgte ihm dankbar. „Ich hab auch was zu erzählen", murmelte Leo hinter vorgehaltener Hand, als wir gemeinsam die Treppe heruntergingen. „Weißt du, wo unsere liebe Kollegin Gisela Erkens in den Morgenstunden des 17. Januar war, am Todestag von Bruno Langensiep?"

„Woher soll ich das wissen? Bei mir war sie nicht."

„Ich habe nochmal mit der Nachbarin gesprochen. Die Nachbarin hatte sich inzwischen selbst bei Frau Erkens erkundigt – ganz diskret, wie sie sagte." Ich verdrehte die Augen. „Sie hat leider durchscheinen lassen, ihre Kollegen bemühten sich, etwas über ihre außerschulischen Aktivitäten zu erfahren. Auf jeden Fall hat Madame Erkens gestanden, an besagtem Sonntag früh morgens nach Düsseldorf aufgebrochen zu sein. Dort hat sie an einem Wochenendseminar teilgenommen. Mit dem Thema 'Weg von Mutters Schürze' – ein Selbsthilfekurs für Frauen, die nicht von ihren Müttern loskommen."

Ich prustete los. „Leo, du wirst nicht drumrumkommen, jetzt tatsächlich im Jahrbuch ein Portrait über sie zu schreiben. Sonst machst du dich unmöglich."

Leo nickte betrübt. „Das habe ich mir auch schon gedacht. Was soll's? Hier mußt du rein!" Er zeigte auf eine Tür, vor der vier Schülerinnen herumgammelten, die mich neugierig beäugten.

„Bis nachher!" Leo winkte im Weitergehen. Ich scheuchte die Schüler in den Klassenraum und wollte gerade die Tür schließen, als Schwester Wulfhilde vorbeischwirrte.

„Ach, Herr Jakobs, viel Glück beim Schulstart!" Sie hielt den Daumen hoch, um mir Mut zu machen.

„Danke", wollte ich sagen, bekam aber nur ein Krächzen heraus. Ich hustete stark, bis ich den Hals wieder frei hatte.

„Ach, das habe ich ganz vergessen! Ich habe ja noch ein Einstandsgeschenk für Sie!" Schwester Wulfhilde wühlte in den Untiefen ihrer grauen Tracht. Ich wartete verdutzt ab. „Hier für Sie!" Sie drückte mir eine Zitrone in die Hand. „Ich hab mir sagen lassen, die wirken noch besser als Apfelsinen!" Schwester Wulfhilde knipste mir ein Auge und war im Moment darauf in der Klasse gegenüber verschwunden. Ich mußte grinsen. Schwester Wulfhilde und ich, wir würden noch viel Spaß miteinander haben!

Lächelnd schloß ich die Tür hinter mir.

Jeder andere gute Pädagoge hätte jetzt wohl souverän seine Tasche auf das Pult gestellt, seine Bücher herausgenommen und eine lockere Einführung gestartet. Ich aber stand da ohne Tasche, ja, ohne überhaupt irgendetwas, woran ich mich hätte festhalten können. Ich stank wie ein Otter und fühlte mich zerknittert wie eine weggeworfene Zigarettenschachtel. Darüber hinaus starrten mich etwa dreißig Augenpaare erwartungsvoll an.

„Guten Morgen!" rief ich fröhlich in den Raum und verdrängte den Gedanken, daß meine Haare wahrscheinlich an das Outfit eines wildgewordenen Igels erinnerten. Zurück kam nicht ein im Chor geschmetterter Guten-Morgen-Gruß, sondern ein lahmes, mehrstimmiges Gebrumm, bei dem sich keine einzelnen Worte identifizieren ließen.

„Darf ich mal was fragen?" Der Schüler in der ersten Reihe wandte sich an mich, ohne seine Neugier auch nur im geringsten zu verbergen. „Haben Sie gerade die Camel Trophy hinter sich?" Die Klasse gröhlte.

Ich versuchte ein Grinsen, um die Situation zu retten, und blickte an mir herunter. Die Schuhe völlig eingestaubt, die Hose zerknittert. Der Pullover erinnerte mich an die Waschmittelreklame, bei der die Hausfrau kurz vorm Nervenzusammenbruch steht, weil der zehnjährige Sohn sich mit seinem neuen Pullover drei Stunden im Dreck gesuhlt hat. In der Reklame wird dann alles wieder gut, aber hier?

Ich versuchte den muffigen Geruch zu ignorieren, der von mir ausging und den ich durch eine Überdosis Damenparfum zu vertuschen versucht hatte. Wie sollte ich all das erklären? Wie sollte ich diese Klasse nach diesem Auftritt jemals dazu bringen, sich für das Schreiben einer Erörterung zu begeistern? Ich räusperte mich und wurde zuversichtlicher, daß meine Stimme sich stabilisierte.

„Mein Name ist Vincent Jakobs. Ich werde euch von nun an in Deutsch unterrichten." Welch origineller Einstieg. Im Vergleich mit Dr. Specht hatte ich schon alles verloren, was es zu verlieren gab. Mein Gehirn arbeitete trotzdem auf Hochtouren, und das, obwohl die letzten vierundzwanzig Stunden der reine Horror gewesen waren. Mir kam eine Idee. Pfeif was auf Erörterungen!

„Wir werden uns in den nächsten Stunden mit einer literarischen Gattung beschäftigen, die vielerorts nicht als ernstzunehmende Literatur behandelt wird. Was wir uns genauer ansehen werden, sind Krimis!" Ein Raunen ging durch die Reihen, das ich optimistisch als ein Mittelding zwischen Überraschung und Zustimmung interpretierte. Das spornte mich an.

„Jeder kennt sie, jeder liest sie, jeder liebt sie. Und doch haben sie in der Literaturwissenschaft oftmals einen schlechten Ruf. Habt ihr eine Ahnung, woran das liegen könnte?"

Mehrere Finger gingen hoch. Ich nahm ein Mädchen in der letzten Reihe dran.

„Also, was mich an Krimis immer richtig aufregt, sind die Stories. Da denken sich die Autoren oftmals Geschichten aus, die nie in der Realität passiert sein könnten."

Ich spann meine Idee weiter. „Ich mache euch einen Vorschlag. Laßt uns zum Einstieg experimentellen Unterricht machen! Schließt euch in Gruppen zu jeweils vier Leuten zusammen und denkt euch eine Geschichte aus, die sich für einen Krimi eignen würde! Im zweiten Schritt überlegen wir dann gemeinsam, nach welchen Kriterien man einen Kriminalroman erzählen könnte."

Nach einigen Minuten war alles organisiert. Die Schüler saßen in Gruppen und wetteiferten mit ausgefallenen Ideen.

Ich nutzte den Augenblick und stellte mich ans Fenster, um etwas zur Ruhe zu kommen. Über den Schulpark hinweg hatte ich einen guten Blick auf die Stadt. Dahinter taten sich die sauerländischen Wälder auf – und nicht zu vergessen – die sanften Hügel des Sauerlandes. Berge und Berge und Berge – bestimmt tausend Stück.

Plötzlich stand eine Schülerin neben mir. „Nur mal 'ne Frage", sagte sie mit den Händen in den Hosentaschen. „Sind Sie nur 'ne Vertretung oder bleiben Sie länger?

Ich blickte nach draußen, auf die Berge.

„Ich bleibe natürlich!" sagte ich bestimmt. „Etwas Besseres kann mir doch gar nicht passieren."

Vincent Jakobs' 4. Fall:

Krank für zwei

ISBN 978-3-934327-04-7 9,20 EURO

Vincent Jakobs ist krank. So krank, dass er in einem sauerländischen Provinz-Krankenhaus operiert werden soll. Dumm nur, dass am Tage seiner OP der Chefarzt der Chirurgie tot aufgefunden wird. Zwischen Insulinflaschen und Urinproben entpuppt sich die Mördersuche als gar nicht so einfach. Am Ende ist Vincent zwar seinen Blinddarm los, aber um eine Erkenntnis reicher: Nicht hinter jedem weißen Kittel verbirgt sich auch ein reines Gewissen ...

&

Vincent Jakobs' 5. Fall:

Sau tot

ISBN 978-3-934327-05-4 9,20 EURO

Als Vincent Jakobs an einer Treibjagd teilnimmt, macht er eine grausige Entdeckung: Unter einem Hochsitz mit der Parole „Jäger sind Mörder" liegt eine Leiche. Die Tat militanter Jagdgegner oder eine geschickte Inszenierung? Um den Fall zu lösen, muss sich Vincent diesmal ganz schön durchs sauerländische Unterholz schlagen ...

Vincent Jakobs' 6. Fall:

Totenläuten

ISBN 978-3-934327-06-1   9,20 EURO

Mord kommt auch in besten Kirchenkreisen vor: Das glaubt Vincent Jakobs spätestens, als ein Mitglied des Kirchenvorstandes tot im Glockenturm entdeckt wird. Und schon bald tun sich unter den Weihrauch-schwaden der Pfarrgemeinde weitere Abgründe auf …

❧

Nelly und das Leben
Süß-saure Geschichten

ISBN 978-3-934327-03-0   8,80 EURO

Als Nelly auf ihrem Schwangerschaftstest zwei rote Streifen erkennt, beginnt ein neuer Abschnitt in ihrem Leben: Hochzeit, Nachwuchs, der Umzug in eine Kleinstadt, Familienalltag. Ein ganz normales Leben eigentlich, wenn der Alltag nicht so seine Tücken hätte …

Nelly und das Leben geht weiter

Neue süß-saure Geschichten

ISBN 978-3-934327-07-8   8,80 EURO

Es sind weiterhin die großen Fragen des Alltags,
die Nellys Leben bestimmen:
Wie ein Schafwollpullover das große Glück
verhindern kann.
Warum man gelegentlich in einem T-Shirt Größe XS
steckenbleibt.
Wieso manche Weihnachtsbäume noch beim
Abholen peinlich sind.
Nelly schlägt sich durch.
Und macht dabei immer wieder die Erfahrung:
Das Leben ist hart. Aber manchmal auch lustig.

Mehr über Kathrin Heinrichs im Internet:
www.Kathrin-Heinrichs.de